소비자교육의 기초

THE BASIS OF CONSUMER EDUCATION

THE BASIS OF
CONSUMER
EDUCATION

소비자
교육의
기초

김혜선·허경옥·김시월·정순희

(주)교문사

머리말

소비자 주변을 둘러싸고 있는 복잡한 소비시장 환경은 소비자들에게 직접 또는 간접적으로 많은 영향을 미친다. 특히, 오랜 기간 동안 급속도로 진행된 산업화는 대량생산을 가능하게 하였고 이 같은 시장구조는 소비자불만 및 소비자피해를 초래한 것도 사실이다. 과거보다 훨씬 풍요로워진 현대사회에서 소비자들의 무한한 욕망은 여전히 채워지지 않고 있으며, 날로 복잡해져 가는 소비시장 환경은 소비자의 선택과 소비행동을 어렵게 만들고 있다. 소비시장 환경의 변화는 기업과 소비자들에게 많은 변화를 요구하고 있고 앞으로도 계속 변할 것이다.

생산의 최종 목표가 소비자의 욕구를 충족시키기 위한 것이며 소비자가 경제활동의 최종 의사결정권자임에 틀림없다. 결국 모든 경제시스템 및 시장의 의사결정이 소비자를 중심으로 이루어지는, 즉 소비자주권이 실현되어야 하는데, 이 같은 소비자주권은 경제체제의 주체인 소비자, 기업, 그리고 정부가 각각 제 역할을 다할 때에만 가능하다. 특히 소비자는 그들의 행동이 기업과 정부에 막대한 영향을 미칠 수 있기 때문에 그 역할이 매우 중요하다. 소비자교육은 이런 잠재력을 가진 소비자가 합리적인 의사결정을 통해 소비자주권 실현을 위해 능동적이고 적극적으로 행동할 수 있도록 소비자의 능력을 향상시켜 현재의 경제체제에 적응하여 다양한 소비자문제로부터 자신을 보호하며 더 나아가 경제체제를 소비자 중심으로 바꿀 수 있도록 하는 원동력이 된다.

그러나 소비자교육을 통한 소비자주권의 실현은 교육을 통한 소비자능력의 향상을 전제로 하기 때문에 짧은 시간 안에 그 효과를 거두기는 어려우며, 지속적인 교육을 통해 장기적으로 그 효과를 얻음과 동시에 근본적인 변화의 열쇠를 만드는 것이라 할 수 있다. 그러므로 소비자주권의 실현을 위해서는 소비자를 교육함과 동시에 현재의 경제체제의 불완전성을 시정하고 개선하며 경우에 따라서는 강제하는 법과 정책의 수단이 병행되어야 한다. 소비자능력을 향상시키는 소비자교육은 현재는 물론 미래에도 효율적으로 수행되어야 한다. 이 책은 이러한 소비자교육의 중요성을 실감하면서 여러 저자들과 뜻을 합해 집필하게 된 것이다.

　이 책은 총 14개 장으로 구성되어 있다. 1장에서는 소비자교육의 필요성과 그 중요성, 다양한 소비자교육의 실행방법 등 소비자교육의 기초에 대한 이해를 돕기 위한 내용으로 구성하였고, 2장은 가정, 학교, 정부, 소비자단체의 소비자교육에 대해서 다루고 있다. 3장은 소비자사회화, 4장은 소비자교육 프로그램의 설계, 5장 소비자교육의 실행방법, 6장 소비자교육의 기술적 방법, 7장 컴퓨터와 인터넷을 통한 소비자교육에 대해 다루고 있다. 8장부터는 소비자교육 대상별 소비자교육에 대해 논의하고 있는데, 8장에서는 유아와 아동 소비자교육, 9장 청소년소비자교육, 10장 성인소비자교육, 11장 노인소비자교육, 12장 저소득층 소비자교육을 다루고 있다. 13장은 최근 소비자들에게 이슈가 되고 있는 금융 소비자교육에 대해 논의하고 있으며, 끝으로 14장에서는 향후 활성화되어야 하는 대표적인 소비자교육 유형으로 기업의 소비자교육에 대해 논의하고 있다.

　4, 6, 14장은 김혜선 교수가 집필하였고, 5, 7, 8, 12장은 허경옥 교수가 담당하였다. 1, 9, 13장은 김시월 교수가 집필하였고, 3, 10, 11장은 정순희 교수가 집필하였다. 2장은 김혜선 교수와 허경옥 교수가 공동으로 작업하였다.

　집필을 위해 상당 기간 동안 계획하고 노력했지만 마무리하는데 여전히 시간이 부족하였고, 처음에 가졌던 의욕과 열정에 비해 아쉽고 부족한 점이 한두 가지가 아니다. 이제 겨우 시작했다는 생각으로 소비자학의 선배와 동료들의 아낌없는 질책과 비판을 바탕으로 계속 이 책의 내용과 체제를 더욱 발전시키고 보완해 나갈 것을 약속한다.

　끝으로 이 책의 출판을 흔쾌히 맡아 주신 교문사 류제동 사장님, 양계성 전무님, 촉박한 일정 가운데 많은 양의 원고를 교정하고 편집하느라 수고해 주신 모은영 편집장님께 진심으로 감사드린다.

2013년 8월 저자 일동

차 례

Chapter 03 소비자사회화

Chapter 04 소비자교육 프로그램의 설계

Chapter 05 소비자교육의 실행방법

Chapter 06 소비자교육의 기술적 방법

Chapter 07 컴퓨터와 인터넷을 통한 소비자교육

유아와 아동 소비자교육

청소년 소비자교육

성인 소비자교육

Chapter 11 노인 소비자교육

Chapter 12 저소득층 소비자교육

금융 소비자교육

기업의 소비자교육

표·그림

소비자교육 길잡이

01

소비자교육의 기초

소비자교육의 기초

소비자가 경제체제의 주인으로서 최종결정권을 소유한다는 소비자주권은 경제체제의 주체인 가계와 기업, 그리고 정부가 각각 제 역할을 다할 때에야 비로소 실현될 수 있다. 더 나아가 이들 경제체제의 주체 중에서도 가계, 그리고 이를 구성하고 있는 개개인 소비자로서 역할을 충분히 수행하고 합리적인 선택이 밑바탕이 되어야 한다. 소비자는 끊임없는 의사결정과 선택에 직면하게 되는 소비자가 경제체제에서 제 몫을 제대로 수행하기 위해서는 소비자에게 맡겨진 역할이 무엇인지 분명히 알고 그것을 제대로 수행하는데 필요한 지식을 습득해야 한다. 이렇게 복잡한 경제체제 하에서 소비자주권의 실현은 소비자에게 그들이 해야 할 일을 인식시키고 그 수행에 필요한 지식을 전달하는 소비자교육을 통한 소비자의 능력향상이 있어야 가능한 일이다.

1. 소비자교육의 필요성과 목적

1) 소비자교육의 필요성

소비자주권은 소비자의 의사가 적극적으로 반영되어 소비자의 욕구와 선호가 존중되는 가운데 생산이 이루어지고 유통되어 판매되어야 한다는 것으로, 경제의 순환이 소비자 중심으로 소비자에 의해서 이루어져야 한다는 것이다. 그러나 소비자주권을 실현하는 것이 이상적인 상태이지만 실제로는 달성하기 어렵다. 재화의 생산 여부를 비롯한 모든 중요한 경제적 의사결정이 소비자의 선택에 의해서 이루어진다는 소비자주권은 지금의 경제상황에서 그 실현 여부가 매우 불투명할 뿐만 아니라, 오히려 소비자가 경제체제 내에서 주체적인 의사결정을 하기보다는 생산자의 의도대로 움직이는 경우가 많은 것이 현재의 상황이다. 즉, 소비자의 욕구와 선호가 반영되기보다는 공급자에 의하여 소비자 선호가 형성되어 왔다고 해도 지나치지 않다.

이러한 시장 환경 속에서 소비자와 생산자 간의 거래가 공정하게 이루어지지 못하는 경우가 많고, 거래가 공정하게 이루어졌다 하더라도 일반적으로 거래 후에 발생하는 많은 문제의 해결과정에서 소비자가 불리한 위치에 있는 경우가 많다. 많은 제도적 장치를 통하여 계속 개선되고는 있지만 소비자는 생산자 집단만큼 조직적이지도, 체계적이지도 못하기 때문에 매우 불리하다. 그리고 이성적으로 합리적인 소비행동을 추구하는 소비자는 또 한편으로는 매우 감성적이어서 과거의 경험이나 주변의 환경요소에 의해 많이 좌우된다. 그렇다면 이렇게 불리한 위치에 있는 소비자의 지위를 어떻게 개선해 나갈 수 있을 것인가? 즉 궁극적으로 소비자주권이 실현되는 경제사회를 어떻게 만들 수 있을 것인가?

소비자주권의 실현을 위해서는 경제구조 때문에 발생하는 소비자와 생산자의 불균형을 조정하기 위한 정부 차원의 소비자보호와 함께 소비자가 합리적인 소비행동을 일관되고 지속적으로 수행할 수 있는 능력을 배양시키는 소비자교육이 동시에 이루어져야 한다.

지방자치제도의 확립과 함께 작은 정부를 지향하는 현재의 사회체제 하에서 소비자복지 향상을 위한 정부의 역할은 점점 축소되어 가고 있으며, 날로 복잡해져 가는 시장 환경에서 소비자의 판단과 선택이 더욱 중요해지고 있다. 이러한 환경 하에서 소비자주권이 말하는 바와 같이 소비자가 경제체제의 중심이 되기 위해서는 소비자들의 변화가 우선되어야 하는데, 이때 장기적인 안목에서 가장 효과적인 것이 교육이라 할 수 있다.

소비자교육은 경제체제에서 약자인 소비자를 보호하고 개발의 가능성을 키우며 이성적인 행동을 학습할 수 있도록 도와주어 소비자 스스로 책임 있고 합리적인 선택을 하도록 하여 궁극적으로는 소비자주권의 실현이 가능하게 하는 중요수단이 된다.

그러면 여기에서 소비자교육이 왜 필요한지를 보다 세분화하여 정리해 보기로 하자.

(1) 소비자와 기업의 차이

가계는 가족원인 최종소비자의 욕구를 최대한 충족시킬 목적으로 효용을 극대화시키기 위하여 소비계획을 세우는 소비의 주체인 반면, 기업은 이윤의 극대화를 목표로 하여 생산계획을 세우는 생산의 주체로 소비자와 기업 간에는 많은 관점의 차이가 존재한다.

(2) 소비자의식 및 주권의 강화

소비자의 피해나 문제를 예방하는 관련 정책이 존재한다 하더라도 문제가 발생하였을 경우에 소비자가 이를 통해 실질적인 보호를 받기 위해서는 적극적인 소비자의 주권의식이 필요하다. 그러므로 소비자의 의식과 주권을 강화하기 위하여 소비자교육이 필요하다.

(3) 소득 수준의 향상

소비자의 소비생활 변화에 영향을 미치는 요인은 여러 가지가 있지만, 대표적인 것은 이용 가능한 자원, 비용, 그리고 소비자의 기호와 선호이다. 이중에서 소득은 어떤 재화에 대한 지출, 즉 소비를 결정하는 데 있어서 가장 중요한 요인으로 작용하고 있다. 따라서 개인 소비자나 가계에 있어서 소득 수준의 향상은 각 가계와 개인 소비자의 소비지출에 가장 직접적인 영향을 미치게 된다. 그러므로 소득의 향상으로 다양해진 소비생활의 합리성을 증가시키기 위하여 소비자교육이 필요하다.

(4) 소비의 생활화

과거 생산을 위한 도구로서의 소비에서 벗어나 소비는 생산의 동력이 되고 소비와 생산은 서로 공존하는 시스템으로 변화되었으며, 소비자는 출생에서 사망에 이르기까지, 즉 요람에서 무덤까지 소비가 연속적인 행위로 중요해졌다.

(5) 소비자의 소비생활 환경의 변화

소비자의 다양한 생활환경 중에서 20세기 이후 중요한 변화를 초래한 것은 컴퓨터 및 통신의 변화를 들 수 있다. 이러한 변화는 관련 정보를 빠르게 획득하게 함과 동시에 비용절감의 효과를 가져와 소비자의 생활환경 변화를 발전시켜 왔다. 이와 아울러 21세기도 디지털 및 정보화시대로 접어들면서 다양한 생활환경의 변화를 이루어 소비자로 하여금 그 적응 여부에 따라 삶의 수단과 방법, 그리고 그 내용이 달라질 수 있게 되었다.

① 노동 및 생산에서의 변화

과거에는 사무 공간과 가정 공간 등 공간의 구별과 노동의 성격이 확연하게 구분되던 것이 재택근무가 가능한 점, 그리고 가사노동 및 관련 노동이 생산에서 중요하다는 인식의 변화가 나타났다.

② 유통채널의 다양화 및 변화

일반적으로 과거에는 쇼핑 및 구매가 상품이 있는 곳으로 소비자가 이동하던 것이 보편적이었으나, 이제는 소비자의 이동 없이 판매원이 이동하거나 통신판매, 전자상거래 등 매체를 활용한 판매로 다양한 변화가 이루어졌다. 뿐만 아니라 유형의 상품에서 무형의 서비스 영역까지 확대되었다.

③ 정보수집 및 학습에서의 변화

일반적으로 정보나 학습은 실행하는 곳으로 필요한 소비자가 주로 이동하던 것이 일반적인 것이었다. 그러나 디지털 및 정보화는 정보에 드는 물질적인 비용과 정보 획득에 소요되는 시간을 감소시켰다. 예컨대, 짧은 시간에 여러 정보를 검색할 수 있고, 필요한 프로그램을 다운받을 수 있으며, 최신 뉴스를 접할 수 있다.

④ 커뮤니케이션에서의 변화

과거에는 사람과 사람의 의사소통은 대면, 전화, 우편 등으로 이루어졌으나, 현재에는 전자우편(e-Mail)을 주고받고 여러 사람과 동시에 대화할 수 있으며, 아울러 블로그, 홈페이지 등 SNS도 할 수 있게 되었다.

⑤ 레저 문화 및 오락에서의 변화

일반적으로 레저 문화 및 오락은 실물적인 것을 중심으로 행해지던 것이 이제는 가상공간에서 여러 사람과 동시에 게임을 즐긴다거나, 관련자의 경우에는 가상공간에 각종 동호인 모임을 구성할 수 있게 되었다. 뿐만 아니라 음악을 듣거나 영화, 방송 등을 볼 수 있게 변화하였다.

2) 소비자교육의 목적

일반적으로 교육을 통하여 변화하는 사회에 적응할 수 있도록 하듯이, 소비자교육을 통해서 소비사회의 한 일원으로서 합리적인 소비생활 변화의 효과를 얻을 수 있다. 예컨대 충동적인 소비행동을 하는 소비자라도 이성적인 행동을 학습할 수 있는 가능성이 존재하기 때문에 바람직하고 건전한 소비행동을 유도하기 위하여 소비자 교육이 필요하다.

소비자교육은 소비자 개인이 소비자로서의 다양한 역할을 수행하는데 필요로 하는 능력을 개발하도록 하여 일생을 거쳐 이루어지는 소비자의 소비행동에 지속적으로 영향을 미치기 위한 것이다. 즉 소비자는 소비자교육을 통하여 소비자 능력을 개발하므로 일생 동안 생활의 수준을 향상하며, 더 나아가 생활의 질적 향상과 더불어 소비효용의 극대화를 추구할 수 있다. 따라서, 소비자교육은 소비에 대한 올바른 의미와 바른 가치관을 확립하도록 하고, 자원을 효율적으로 관리 및 사용할 수 있는 능력을 키워 소비자로서의 올바른 역할을 할 수 있도록 도와준다. 뿐만 아니라, 소비자교육은 의사결정 능력을 함양함과 동시에 사회 조직 속에 존재하는 소비자 시민으로서의 역할을 제대로 수행할 수 있도록 소비자를 교육하여 미래의 소비환경이 소비자 지향적으로 조성되도록 소비자주권의식을 높여야 한다. 소비자교육의 구체적인 목적을 나열하면 다음과 같다.

- 소비자행동의 중요한 부분을 차지하는 구매행위와 관련하여 욕구(needs)와 욕망(wants)을 구분하여 필수적 지출과 선택적 지출 간의 자원배분을 효율적으로 할 수 있도록 한다.
- 소비자들이 무수히 쏟아져 나오는 재화와 서비스 중에서 최소의 비용으로 최대의 효과를 얻을 수 있는 합리적인 선택을 하도록 한다.
- 소비자의 역할을 제대로 수행하고 합리적인 소비를 하므로 생산자로부터 스스로를 보호하고 책임질 수 있는 능동적인 소비자가 되게 한다.
- 소비자에게 체계적으로 정보를 제공함으로써 소비자피해의 발생을 사전에 예방하고 이미 발생한 피해를 최소화하도록 한다.
- 소비자에게 정보선별력을 길러 주어 전체 집단의 효율성과 장기적 효율성을 생각하여 올바르고 합리적인 소비를 할 수 있게 한다.
- 소비자를 다양한 생활환경의 변화에 능동적으로 적용할 수 있도록 한다.
- 소비자의 의식 수준을 향상시키고 능력을 개발함으로써 올바른 소비문화 및 소비자주권, 책임 등을 통해 시장경제에서의 주권을 소비자가 행사하게 한다. 이는 소비자가 생산과정에까지 영향을 미치므로 궁극적으로는 소비자주권을 실현하게 한다.

현대 경제사회의 구조 속에서 소비자는 기업에 비하여 지식과 정보 등에서 종속적인 지위에 있어 의사결정의 능력이 감소하므로 소비자교육을 통하여 소비자의 힘과 지위를 기업과 균형을 이루도록 해야 한다. 그러므로 소비자교육을 통해 소비자의 의식을 변화시키고 능력을 향상시키므로 소비자는 행동에 변화를 가져오게 되며, 결과적으로 소비자교육은 소비자를 보호하고 더 나아가 소비자가 책임을 다하고 권리를 제대로 행사하는 컨슈머리즘의 실천을 가능하게 한다. 현대 경제사회 구조의 문제점을 공정한 자유주의 경제관계로 바로잡고 경제구조가 바르게 기능하게 하도록 하여 소비자주권을 실현시키기 위한 것이다.

따라서 소비자교육은 단순히 소비를 잘하기 위한 교육이라기보다는 소비자 본인이 소속된 사회에서 생활인으로, 시민으로, 그리고 사회인으로 올바른 가치관을 지니고 합리적으로 소비하며 공동체적인 삶을 지향하도록 하는 것이다. 그리고 소비자의 역량을 강화시키는 것이다.

이러한 소비자교육이 제대로 효과를 얻기 위해서는 무엇보다도 소비자들의 교육 참여가 필요한데, 그러기 위해서 초기의 소비자교육은 소비자가 당면한 문제를 해결하기 위하여 필요한 지식을 전달하는 데에서 시작해야 한다. 이렇게 소비자의 당면문제를 해결하는 것에서 시작되는 소비자교육이 점차 소비자를 능동적으로 변화시킴으로써 현재의 사회체제에 적응하는 단계를 넘어서 부적합한 사회체제를 개혁시키기 위해 스스로 노력하는 단계로까지 이어져야 한다. 이러한 과정을 모두 거쳐 소비자교육이 궁극적으로 추구하는 것은, 소비자가 생활하는 모든 환경이 소비자 중심으로 구성되어 소비자의 삶의 질을 향상시킴으로써 모든 소비자가 일상생활에서 만족할 수 있도록 하는 것이다.

2. 소비자교육의 정의와 기본이념

1) 소비자교육의 정의

소비자교육이라는 용어는 1924년 미국의 헨리 하랍(H. Harap) 교수가 처음 사용하였다. 소비자교육의 대상은 유아부터 고령자에 이르기까지 모든 소비자이며, 그 목적은 소비자가 인간답게, 보다 풍요롭게 생활할 수 있는 능력을 갖게 하는 데 있다. 이를 구체적으로 살펴보면 다음과 같다.

첫째, 일반적으로 소비자교육은 올바른 소비가치관을 형성하고 자원을 효율적으로 관리, 사용할 수 있는 능력을 키워 소비자로서의 역할을 잘 수행할 수 있도록 도와줄 뿐만 아니라, 미래의 소비환경이 소비자복지 지향적으로 조성되도록 하며 소비자주권의식을 높여 나가는 것이다.

둘째, 소비자교육은 소비자 스스로 비합리적인 소비행동과 소비습관에서 벗어나 합리적이고도 자신과 사회의 소득 수준에 맞는 건전한 소비문화를 형성해 나가기 위해서 필요하다. 즉, 소비자가 소비생활의 질적 향상을 도모하기 위해 현명한 소비자로서의 역할을 수행할 수 있는 소비자 능력을 갖추어야 하며, 이러한 소비자 능력을 개발하고 양성하기 위한 것이 바로 소비자교육이다.

셋째, 소비자교육은 산업사회에서 또는 산업 후 사회를 지향하는 과정에서 파생된 소비자문제에 대처하기 위해 대두되었다. 그러므로 현대 경제사회에서 소비자 자신에 내재하는 주체적인 소비자문제와 소비자에 있어서 외재적이며 구조적인 소비자문제에 대응하기 위해서는 기타의 문제보다 시급한 문제가 바로 소비자교육이다(박재선·문숙재, 1995).

이기춘(1999)은 "소비자교육이란 개인이 소비자로서의 다양한 역할을 수행하기 위하여 필요로 하는 소비자 능력을 개발할 수 있도록 도와주는 것"으로 정의하고 있으며, 박혜경(1986)은 "소비자교육은 소비자원의 관리에 필요한 지식과 기술 획득 및 소비자의사결정에 영향을 주는 요인들에 의한 행동을 취하는 과정"으로 정의하고 있다. 또한 바니스터와 몬스마(Banister and Monsma, 1980)는 "소비자가 소비자원을 관리하고 소비자에게 영향을 주는 요인에 영향을 미칠 수 있는 행동을 하는 데 필요한 지식, 기능의 습득 과정이 소비자교육"이라고 하였다.

니시무라 다카오(西村隆男, 2002)는 잠재적인 소비자능력으로서, 첫째, 스스로 소비자로서 어떠한 권리와 책임이 있는가를 인식하고 그것을 자유롭게 행사할 수 있을 것, 둘째, 스스로 소비생활의 가치 실현을 위해서 확실한 의사결정 능력을 구비할 것, 셋째, 지구상의 자원낭비, 환경파괴에 관심을 가지며 책임 있는 소비를 실천할 것, 소비와 비소비 행동을 통하여 사회에 대해 적극적인 의사표명이 가능할 것을 언급하면서 소비자교육의 본질을 소비자 개개인의 소비자 능력 개발, 능력 형성에 대한 소비자 자신의 도전(김시월 역, 2004)이라고 하였다. 또한 니시무라는 소비자가 주어진 자원의 합리적 배분, 합리적 선택을 하면, 능동적인 소비자가 되어 소비자피해를 사전에 예방하고, 또한 소비자 중심의 올바른 소비문화의 구축은 소비자주권을 실현 가능하게 하는데, 이를 위한 전제조건으로 소비자교육에 적극적인 참여가 필요하며, 소비자교육의 효과를 높이기 위해서는 소비자의 눈높이에 맞는 교육방법을 활용해야 한다고 지적하였다.

미국 일리노이주 교육위원회는 1985년 공립중등교육 레벨에서 소비자교육을 필수과목으로 하고 이를 다음과 같이 정의하고 있다. "소비자교육이란, 그 사람이 지닌 가치관에 바탕을 두고 개인이 소유한 자원을 최대한 유효하게 사용하는 것으로, 생활의 만족도를 최대로 하기 위해 필요한, 일상적으로 요구되는 지식,

판단력을 개개인의 수준에 맞게 자기계발해 가는 것이다." 이 소비자교육의 정의에 대해서 "우리 소비자는 끊이지 않는 변화를 추구하는 경제사회 속에서, 우리들은 수입을 얻고 소비를 하는 것에 대해 그 방법을 자유롭게 선택하는 것이 가능하다. 그런 까닭에 각각의 소득 수준에 적절한 최대의 만족감을 얻을 수 있게 경제적 자원을 올바르게 관리해 가는 것을 배우는 것으로, 학생들은 반드시 자신들이 가진 여러 가지 자원을 유효하게 사용하는 것이 가능해질 것이다. 소비자는 여러 가지를 선택한다. 즉 직업을 선택하고, 수입을 얻고, 지출하고, 예금을 하기도 하고, 빌리거나 투자를 한다거나 하는 것은 상품, 서비스, 돈은 물론이고, 자연, 그리고 인적 자원을 선택하고 사용하는 것이고 또한 장래에 그것은 사회적 책임을 동반하지 않으면 안 된다."고 하고 있다. 그 외 미국의 소비자교육위원회 (U.S. Office of Consumer Education)에서는 "소비자가 합리적이고 현명한 의사결정을 할 수 있도록 이해, 태도, 지식 등을 습득시켜 시장 참여는 물론, 공적, 사적 자원의 사용을 포함한 상황 참여에 대한 준비를 시키는 노력"으로 정의하고 있다(이기춘, 1999).

이러한 소비자교육의 정의 및 내용을 통하여 볼 때, 소비자교육은 소비자가 소비자로서의 역할을 수행하는데 필요한 소비자 지식, 소비자가 지녀야 할 태도, 소비자 기능, 나아가 참여행동 등 소비생활과 합리적인 의사결정을 위한 소비자 능력과 역량을 개발하는 도구로 정의할 수 있다.

2) 소비자교육과 소비자정보의 비교

소비자정보는 소비자의 합리적인 의사결정을 위하여 충분한 정보가 바탕이 되어야 한다. 소비자의 행동을 변혁시키는 것을 주된 목적으로 하고 있는 활동 또는 자료는 교육적(educational)인 것이며, 단순히 자료와 사실의 제시를 주된 목적으로 하는 것은 정보적(informational)인 것이다. 따라서 소비자정보는 일방통행적 (one-way), 가치지시적, 귀납적(inductive)이다. 반면에 소비자교육은 쌍방통행적(two-way)이고, 가치강요적이 아닌 주체적 선택이며, 연역적(deductive)이다.

소비자교육은 스스로 선택해서 행동할 수 있는 능력을 길러 주는 것으로, 소비자의 행동변화를 목적으로 제공되는 활동이다. 소비자교육을 받은 소비자는 정보를 활용, 응용해서 자신의 욕구에 맞추며 사회적으로도 합리적인 활동을 한다. 반면에 소비자교육을 받지 않은 소비자는 제공된 결과나 정보를 수용하기만 하여 잘못되고 비효율적인 소비행동을 할 가능성이 있다.

예컨대 소비자교육이 밥 짓는 법을 가르치고 제품을 스스로 선택 평가할 수 있는 평가기준을 교육하는 것이라면, 소비자정보는 밥을 제공하거나 밥 주는 곳을 가르쳐 주고 제품의 품질비교 결과를 제공하는 것이다.

따라서 학교에서 소비자교육을 받지 않은 소비자에게는 소비자정보를 주어도 충분한 성과를 기대하기는 어렵다. 그러므로 비판사고적인 의사결정 과정의 능력 개발을 중심으로 하는 소비자교육 없이는 아무리 소비자정보를 제공한다 하여도, 의사결정 과정이 충분하게 이루어지기 어려워 합리적인 소비자의 선택행동을 기대하기는 어렵다. 소비자정보는 구체적이고 사실적인 데 반해, 소비자교육은 마음의 태도 및 정신의 자세이며 정보를 어떻게 수집하며 분석하고 이용하며 평가하는지에 관한 것으로 이해가 가능하다.

소비자교육 길잡이 1-1　　세계 각국의 소비자정보 잡지

소비자가 상품이나 서비스를 구입할 때 판단 자료가 되는 상품지식이나 상품 테스트 정보 등을 소비자정보라고 한다. 현대의 상품은 고도의 기술혁신에 의하여 복잡한 생산과정을 거쳐서 생산되기 때문에 과거의 상품지식으로서는 품질이나 성능의 정도, 안전성 유무를 판단할 수 없다. 그러므로 소비자들은 공정하고 객관적인 정보가 필요하다. 소비자가 필요로 하는 상품정보와 생활정보는 매스컴에 나오는 정보가 많지만 더 좋은 정보는 정부나 지방자치단체 등에서 나오는 정보들이라고 할 수 있다. 많은 정보의 수집, 분석, 조사 등을 통해 소비자들에게 쉽게 정보를 제공해 줄 수 있는 객관적이고 전문적인 매체가 있어야 한다. 우리나라에도 소비자를 위한 몇 개의 전문지가 있으나 지금까지는 교육적, 계몽적 성격을 띠고 있거나 많은 소비자들에게 인지가 되지 못한 상황이며, 근간 한국소비자원의 오프라인 『소비자시대』, 온라인 『K-Consumer Report』가 있다. 외국의 경우를 보면, 미국 소비자동맹의 『Consumer Reports』, 영국 소비자협의회의 『Which?』, 독일 도이치 테스트 재단의 『TEST』 등이 상품 테스트 전문지로서의 명성을 얻고 있다.

3) 소비자교육의 기본이념

소비자교육은 단지 개인의 욕구 충족의 실현만을 위한 이기심에 의해 행동하는 경제인(home economicus)을 만들기 위한 생활경제기술이 아니라 다른 교육과 마찬가지로 궁극적으로는 인간개발을 목표로 한다. 지식 및 정보의 인식, 소비자의사결정 과정의 이해를 소재로 하면서 균형이 잡힌 자주적인 인간의 개발을 도모하는 매체로서, 소재가 다를 뿐 최종 목적은 다른 교육과 다르지 않다. 인간은 평생 소비자이므로 소비자교육의 시스템화와 체계화가 도모되어야 하며, 이를 통해 지속적으로 소비자에게 소비가치의 개발을 위한 교육이 이루어져야 한다. 결국 소비자교육은 소비자의 자아실현과 개인의 라이프스타일의 형성, 사회의 가치에 기반을 둔 사회의 라이프스타일의 형성을 목적으로 한다. 그러므로 소비자교육의 계속성과 통합성이 중요하다.

(1) 인간의 생활양식과 관련

소비자교육의 철학은 '自衛'와 '自己責任'이 출발점이다. 이는 각자의 가치의 틀 안에서 생각해야 할 일은 반드시 자조(自助)와 자기책임의 원칙을 전제로 하고 있다는 것을 의미한다. 그러므로 보호와 타인의 책임만을 바라는 의존형의 정신구조에서는 일방적 가치를 지향하는 소비자정보에 대한 요구만 높아질 뿐이며, 진정한 의미에서의 소비자교육은 신장되지 못할 것이다.

또한 소비자교육은 소비자로서의 라이프스타일(life style)이 이루어지도록 돕는 데에 목적을 두고 있다. 라이프스타일은 의사결정의 결과이며, 의사결정은 욕구, 목표, 더 나아가서는 가치에 근거한다. 즉 가치의 구체화가 소비자행동이며, 라이프스타일이다. 가치는 "바람직한 것"에 대한 개념으로 좋은 제품을 싸게 산다는 경제적 가치 이외에도 안전, 건강, 쾌적, 평등, 창조 등과 같은 인간답게 살기 위하여 필요한 바람직한 생활의 기본적 가치를 포함한다. 그러므로 소비자교육의 의의는 각자가 이러한 가치를 선택하고 그것을 근거로 하여 라이프스타일을 이루어나가는 능력을 개발(開發)하는 것으로 어느 특정 가치에 대한 획일적 강요가 아니다. 어느 특정한 가치에 대해 지시하거나 회답을 주는 소비자정보와는 달리 다양한 가치 가운데서 선택하고 서열을 정하여 가치체계를 형성하는 능력을 개발함으로써 소비자로서의 행동을 주체적으로 선택결정하고 라이프스타일을 이루며 그 결과에 대한 책임을 지는 능력을 개발하는 것이 소비자교육이다.

(2) 사회적 의사결정과 관련

소비자교육은 결국 가치, 지식, 정보의 투입이 아니고 그것들을 각자의 가치체계에 따라서 의사결정과정에 투입(input)하고 의사결정의 과정에 영향을 주는 방식에 대한 교육이며, 이 지적 작업의 과정이야말로 개념과 지식을 '이해'하는 일이다. 다시 말해서 소비자교육은 각자가 자신의 생활에서 정하고자 하는 목표, 선택대상과 방법에 그것들이 처한 상황에 따라 우선순위를 매기고 가장 좋은 해결과 해답을 얻는 의사결정능력을 배양하는 것으로, 지식, 기능, 과정, 의사결정, 비판적 사고, 이해 등이 관련된다. 의사결정을 위해서는 목표 간, 선택대상 간의 상충관계에서 사물을 여러 관점에서 장단점을 비교 검토하는 기회비용의 관점과 능력을 필요로 한다. 의사결정과정은 상품이 중심이 아니라 인간이 상품을 생활하는 데 적합한 것으로 만드는 목적의식적 행동을 하는 인간이 중심이 되어야 한다. 따라서 지식과 정보를 통하여 사실을 알게 되고 그 지식과 정보를 각자의 가치에 비추어서 비판적으로 평가하여, 각자의 목표와 목적에 부합되도록 의미 있게 적용(이해)하여 의사결정 행동을 하는 능력을 개발하는 것이 소비자교육 목표 중의 하나이다.

(3) 경제적 이익 가치의 실현과 관련

자원의 효율적 배분과 이용, 자원관리, 만족의 극대화, 상충관계, 기회비용 등에 관한 내용과 관련된 것으로, 소비자교육은 소비자를 적극적이고 능동적으로 변화시켜 경제적 이익 가치의 실현에 관심을 갖게 한다. 또한 소비자에게 보다 많은 공공의 이익에 대한 관심을 불러일으키게 한다. 이러한 공공의 이익에 대하여 관심 있는 소비자교육을 받은 소비자는 개인적인 문제해결만이 아니라 또 다른 소비자문제로 확대되는 것을 방지하기 위하여 사회참여를 실시하며, 다른 많은 소비자로 하여금 소비자운동의 참여 및 확대를 조성한다. 이는 현재의 기업 주도적인 경제체제 하에서 기업의 소비자 관련 정책과 경영 마인드가 고객 중심으로 전환되도록 유도한다.

현재의 소비자는 모든 소비자가 자기가 속한 사회에서 정당하게 일한 만큼 사회적 인정과 그에 상응하는 대가를 받는 사회, 즉 분배의 정의가 실현되는 사회로 정착되는 데에 많은 관심을 지니고 있다. 또한 이러한 사회적 정의가 실현되기를 소망하며, 사회적인 관심을 가지고 그 한 예로 소비자운동에 참여한다. 소비자운동에 대한 소비자의 적극적인 참여는 바로 시장경제 체제에 소비자가 주변부적인 과거에 비하여 소비자가 시장경제 체제의 변화를 추구하는 소비자 중심적인 정책 반영으로의 변화를 볼 수 있게 되었다.

　　이러한 것이 바로 소비자교육의 효과로 인한 사회적 기여의 예이다. 따라서 앞으로 다양한 사회적 변화에 부응하고, 그 안에서 소비자가 중심이 되기 위해서는 부단한 소비자교육이 필요하다.

(4) 교육과정 개념과 관련

　　실질적인 소비자교육의 방법과 관련된 것으로, 소비자의 환경은 에너지, 인플레 등의 사회경제적 환경에 의해 형성될 수 있지만, 보다 중요한 것은 교육에 의해서도 형성된다는 것이다.

　　소비자교육은 모든 교육에 '공통'된 이념, 즉 소비자의 미래 생활에 대응하는 사고 방법과 문제해결 방법을 확립하고 싶다는 바람에 기반을 두고 있다. 소비자교육은 인간생활의 공통교육으로 자기 자신의 행동을 인간성과 소비를 공유한다는 맥락에서 볼 수 있는 능력을 양성하는 것이며, 그와 같은 의미에서 소비자교육은 생활인으로서 일반교육의 핵심을 이룬다고 본다. 특히 근래에 들어 소비자교육과 관련된 전공, 교과과정, 정부 부처, 기업의 관련 부서 등이 증가하고 있으며, 실질적인 교육과정으로 학교, 소비자 단체, 정부, 기업 등을 중심으로 일반교육, 교양교육, 독립교과 등의 유형별 차별화를 두고 진행되고 있는 것은 매우 고무적인 현상이다.

(5) 시장 메커니즘, 질적 경제발전과 관련

　　소비자주권, 경제적 투표권, 시장경제의 활성화, 바람직한 개인적 · 사회적 라이프스타일 형성 등의 내용과 관련된 것으로, 소비자교육은 소비자의 합리적인 소비생활을 유도하며, 이는 소비자주권의 실현에 많은 역할을 할 뿐만 아니라 시장기능을 강화하는 역할을 한다. 따라서 개개인의 소비자가 선택하는 소비행동이 전체적으로 합해졌을 때에는 사회적으로 바람직한 결과를 가져오므로 그 사회의 바람직한 소비문화 형성, 시장에서의 생산성 향상, 소비자의 불만과 관계된 문제로 인한 비용 감소 등 많은 효과를 가져온다. 특히 소비자교육을 받은 능동적이고 적극적인 소비자는 기업의 상품이나 서비스에 대해서도 적극적인 소비자의 의사전달을 시도하며, 기업에 각종 정보를 제공하여 궁극적으로는 기업에게도 도움이 된다. 뿐만 아니라 상품에 대한 다양한 비교 및 평가를 통해서 합리적인 구매 능력이 포함되는 소비자교육을 받은 소비자는 상품에 대한 기대 수준과 구매 후 만족의 차이를 감소시킬 수 있으므로 이로 인한 소비자문제가 발생할 확률이 감소하게 되며, 기업은 또 다른 경영비용이 감소되고, 정부는 소비자 고발과 관련된 과다 비용 남발을 예방할 수 있다. 더 나아가 상품에 대한 소비자의 만족은, 기업에 대한 이미지 향상 및 구전효과를 가져와 기업은 따로 돈을 들이지 않고 기업에 대한 홍보를 넓히는 마케팅 비용이 절감되는 효과를 가져오게 된다. 따라서 소비자교육은 소비자의 합리적인 소비생활을 유도할 뿐만 아니라 넓게는 시장기능을 강화시키는 효과가 있다.

(6) 시민 참여와 관련

시민 참여는 소비자의 권리와 역할, 생활환경의 조성, 글로벌 시민정신, 사회의 라이프스타일 형성 등에 관한 내용과 관련된 것으로, 소비가치관에 있어서 전문성을 지닌 소비자, 즉 프로슈머(prosumer)를 양성하는 것이다. 프로슈머란 대량 생산품을 수동적으로 소유하거나 구입하는 것 자체를 목적으로 하는 것이 아니고 자기의 소비생활이 갖는 폭넓은 사회적 의미에서 생각하는 소비자를 말한다.

소비자교육을 통해서 소비자 행위가 단순히 재화를 소유하는 것에서 벗어나 사용가치를 높일 수 있게 소비하도록 유도해야 한다. 자원배분의 효율성이 적고 자원을 낭비할 수도 있는 소유가치에 중심을 두기보다는 전체 사회자원의 효율적인 사용을 고려하여 재화의 사용가치를 높이도록 행동해야 한다. 다시 말해 소비자교육은 소비자가 시장경제에서 개인적인 효용의 극대화를 위하여 요령 있게 처신하는 소비자를 양성하는 것이 아니다. 최대의 만족을 위하여 사회자원을 가장 적합하게 배분하고 이용하는 것을 실현하는 것이 최대의 만족이라는 관점에서 보면 개인적 이기심에 기초한 개인적 가치만이 아니라 보다 넓은 사회적 가치도 포함된다.

기독교에 바탕을 둔 서구문화는 충분한 사실의 사전검토에 기초한 계약관계와 신용을 우선으로 하여 경쟁의식에 의한 개인의 능력과 기술을 발전시켜 사회를 건전한 분위기로 만드는 반면에, 유교와 불교에 바탕을 둔 동양문화는 상호신뢰를 전제로 하고 실질적인 사실의 사전검토가 부족하여 후에 발생한 문제를 운이 나쁜 것으로 생각하는 경향이 있다.

소비는 소비자의 만족을 위한 개인적 선택일 뿐만 아니라 사회적 행위이다. 따라서 이러한 문화적 의식을 소비자교육을 통해 개선시켜 나감으로써 개인적인 권익의 확보와 함께 사회적 차원에서 시민참가의식을 고취시키고 낮은 시민권리의식을 높이고 변화시켜 나가야 한다.

| 표 1-1 | 소비자교육의 목표

소비자교육의 차원	소비자교육의 목표	
인간과 생활양식 및 가치 관련 교육	• 소비자로서의 의식 확보 • 미래지향적인 소비문화의 형성 • 소비행위에 대한 가치기준의 형성	
소비자 의사결정	• 소비자의 합리적 의사결정	
소비자와 이익 및 구매 관련 교육	• 합리적인 소비자로서 자원관리 능력 배양 • 합리적인 소비자로서 상품과 서비스의 구매 방법 습득 • 소비자의 객관적 정보의 분석, 평가 능력의 배양	
소비자와 시장환경과 관련 교육	• 소비자의 자원의 효율적 배분과 이용 • 소비자 만족의 극대화	• 소비자의 합리적 자원 관리 • 소비자와 시장 환경의 이해
소비자문제 해결 및 예방 관련 교육	• 소비자권리의 수혜 및 참여 실천 행위의 동기 부여 • 소비자책임의 자각 • 소비자문제의 처리 해결 능력의 배양 • 소비자피해 예방 능력 배양	
시민의식과 관련된 교육	• 소비자의 시민운동 참여 • 소비자 중심적인 생활환경의 조성	• 소비자의 권리와 역할 증진 • 소비자의 공동체 삶 구현
바람직한 소비문화 형성 교육	• 소비자의 지속가능한 소비 형성 • 범세계적인 소비환경 조성	• 건전한 소비문화 형성

3. 소비자교육의 효과와 사회적 기여

1) 소비자 개인 차원

소비자교육은 소비자 개개인의 행동에 다음과 같은 변화를 가져올 수 있다.

- 소비자교육을 받은 사람들은 그렇지 않은 사람들보다 의문, 분석, 대안탐색의 과정에서 문제해결 능력이 탁월하다. 소비자교육은 비판적 사고를 장려하여 소비의 대상이 자기의 진정한 욕구로부터인가를 명확히 알고, 소비할 상품의 유용성에 대해 충분히 검토하므로 시장에서 더 효율적으로 기능하도록 도와준다.
- 소비자교육은 생활에 필요한 다양한 기술을 제공하기 때문에 교육을 받은 소비자는 생활을 보다 합리적으로 수행할 수 있게 된다. 소비행동과 관련해서도 쇼핑 지침, 상품 평가 및 그 외에 여러 가지 소비자정보를 이용할 수 있게 되어 충동이나 강박에 의한 구매보다는 정보에 기초한 합리적인 소비행위를 할 수 있게 되므로 경제자원을 절약할 수 있다. 그 외 예산 세우기, 저축, 투자, 신용을 포함하는 적절한 소비생활과 재무자원을 잘 다룰 수 있는 능력을 습득할 수 있다.
- 소비자교육은 다양하고 전문적인 시장상품과 서비스에 어떻게 대응해야 하는지를 알게 함으로써 자신과 독립심을 키워 준다. 그리고 자신들의 노력을 통하여 재무자원을 잘 다룰 수 있게 되며 소비자권리에 대한 각성을 불러일으키고 소비자 관련법을 잘 알게 되어 보상을 받을 수 있도록 소비자 능력을 향상시켜 준다.
- 소비자교육은 가치관을 확고하게 심어준다. 우리의 욕구는 무한하고 자원은 한정되어 있기 때문에 자원의 선택적인 사용방법과 관련된 소비자교육은 그 사회 및 개인의 가치체계를 발전시킬 수 있도록 도와준다.

    소비자교육은 소비자권리 및 책임에서부터 정치 및 경제조직에의 참여, 의사결정의 득과 실에 대한 평가에 이르기까지 넓은 영역을 모두 포함하므로 이러한 교육은 소비자의 가치관을 바람직한 방향으로 발전시키는데 기여한다.

6단계	소비자의 삶의 질 향상
5단계	현행 조직 및 구조에 변화 유도
4단계	정치 · 경제 조직에의 참여
3단계	문제해결을 위한 현행법의 적용
2단계	의문 제기/비판 능력
1단계	주변 상황에 대응할 수 있는 능력

| 그림 1-1 | 소비자교육의 효과

• 소비자교육은 삶의 질을 높인다. 소비자로서의 역할은 생활의 거의 전부를 차지한다고 해도 과언이 아니다. 그러므로 소비자교육은 소비자의 생활과 관련된 다양한 교육을 통하여 소비자가 보다 높은 삶의 질을 성취할 수 있도록 한다.

위와 같이 개인적 차원에서 얻어지는 소비자교육의 효과를 6단계로 나누어 살펴보면 그림 1-1과 같다.

소비자교육의 효과가 항상 단계적으로 나타나는 것은 아니지만 일반적으로 위의 틀을 크게 벗어나지는 않는다.

2) 기업 차원

소비자는 일반적으로 소비자의 권리 및 주권에 대해서는 잘 인지하고 있지만, 소비자 스스로 지녀야 할 책임에는 무관심한 편이다. 특히 소비자주권을 남용하는 사례가 늘고 있는 요즈음, 바로 소비자교육의 효과는 소비자의 권리뿐만 아니라 소비자의 책임 확대에도 많은 효과를 거둘 수 있다. 소비자교육을 통한 소비자의 책임의식 확대는 무책임한 소비자행동으로 빚어지는 많은 소비자문제를 예방할 수 있으며, 소비자교육을 받은 능동적이고 적극적인 소비자는 기업의 상품이나 서비스에 대하여 더 효과적으로 정보를 활용하여 의사결정을 할 수 있게 되므로 실질적으로는 기업에도 도움이 된다. 상품평가를 이용할 능력이 있는 소비자들은 그 상품에 대한 기대 수준이 현실적이므로 구매 후에 구매한 재화와 관련된 문제가 발생할 확률이 감소하게 된다. 그러므로 소비자불만 및 고발 건수도 감소하며 제조물책임(Product Liability)에 대한 법률서비스 수준도 낮아지게 되어 기업의 경영비용이 감소하게 된다. 정보를 갖고 있는 소비자들은 정보를 갖고 있지 못한 소비자들보다 상품과 서비스에 대한 만족도가 높다. 그리고 만족한 고객은 그 상표나 상점에 애착을 가지고 반복적으로 구매하게 되고 친구나 이웃에게 구전(word of mouth)으로 그 상품에 대해 좋은 이미지를 전달함으로써 기업은 따로 예산을 투여하지 않아도 되어 마케팅비용이 절감될 것이다. 더 나아가 기업의 제품에 불만을 표시하거나 보상을 요구하는 적극적이고 능동적인 소비자는, 기업이 발견하지 못한 제품에 관한 중요한 정보를 제공하므로 기업이 제품의 품질 향상이나 신제품을 개발하는 데에 도움을 줄 수 있다.

최근 소비자모니터제도, 고객의 아이디어 공모, 그리고 다양한 경로를 통하여 소비자의 의견을 조사하는 것이 증가하는 것은 이를 위해 많은 비용이 드는 것에도 불구하고 궁극적으로는 기업의 경영에 도움이 되기 때문이다. 적극적인 소비자는 이러한 방법이 아니더라도 소비자의 욕구를 기업에 전달할 것이므로 기업 경영에 도움이 된다. 백혜란 외(2009)는 프로슈머의 개념을 태동기인 초기에 소비만 하는 수동적인 소비자에서 벗어나 직접 제품의 생산 전반에 참여하는 '생산하는 소비자'를 뜻하는 시기로 대량생산, 대량소비를 강요 당한 수동적 소비자가 앞으로는 신제품 개발에 직간접적으로 참여하여 소비자의 선호나 요구를 직접적으로 시장에 적용하는 소비자를 의미하였다고 강조하였다.

변용기에는 더 이상 신상품의 개발이나 개발에 직접 참여하는 생산자적인 성격을 가진 소비자라는 단편적인 개념에 그치지 않고, 오히려 소비생활 전반에 걸쳐 일어나는 제 활동들을 포함하는 개념으로 현재와 미래의 모습을 지칭한다고 하여 활동가적 소비자(Proactive+Consumer), 전문가적 생산소비자(Professional+Consumer), 간여적 생산소비자(Provider+Consumer), 판매자적 생산소비자(Producer+Consumer)로 분류하였다. 즉, 시장과 기업의 발달은 소비자의 의견이 생산에 반영되는 프로슈머로서 역할을 양성하며, 이러한 소비자의 역량을 강화하는 것이 소비자교육의 역할이다.

3) 정부 및 사회적 차원

소비자교육은 소비자에게만 유익한 것은 아니다. 합리적인 소비자는 경제체계에 영향을 미치므로 사회 전체에 영향을 미칠 수 있다. 이에 소비자교육은 사회적인 측면에서 보면 소비자의 입장과 관점에서 문제를 인식할 수 있는 능력이 개발될 뿐만 아니라 소비자와 관련된 법 및 정책을 시대에 부응하게끔 효과적으로 제안하고 시행하는 원동력이 된다. 개별 소비자들이 각각 소비자교육을 통하여 얻는 것이 있다고 자각할 때 그들이 속한 사회는 또한 집단적인 이익을 얻게 된다. 개인적으로 소비자교육을 통하여 거의 느끼지 못할 정도 밖에는 지식 수준이 나아지지 않았다 하더라도 사회적 견지에서 이것은 매우 중요하다. 결과적으로 시장성과 국민 총만족도(gross national satisfaction)가 높아지고, 그에 반하여 비효율적이고 무지로 인해 일어나는 부정적인 경제효과는 감소될 것이다.

- 소비자교육은 현재의 경제조직으로부터 더 큰 만족을 얻을 수 있는 가능성을 키워 준다. 소비자교육은 소비자를 적극적이고 능동적으로 변화시키므로 소비자에게 보장되어 있는 권리를 현재의 기업 주도적인 경제체제 하에서도 확보할 수 있게 한다. 그리고 재화 및 서비스의 균형적인 분배가 잘 이루어지지 않을 때 소비자교육은 사회의 조건을 변화시켜 원만한 균형을 이룰 수 있게 해준다.
- 소비자교육은 논쟁적인 공공정책에 있어서 더 능동적이고 더 정보적인 시민으로서 의견을 표명할 수 있게 해준다. 능력 있고 정보를 갖춘 소비자들은 정부에 소비자 견해를 힘 있게 제시할 수 있게 되어 소비자의 의견이 공공정책에 반영될 수 있다. 그러므로 장기적으로 보다 소비자 지향적인 정책이 수립되고 시행되므로 개개인의 소비자복지 수준이 향상되고 나아가 사회 전체의 복지 수준이 향상되게 한다. 이는 완전경쟁과 독점 하에서의 전체 사회복

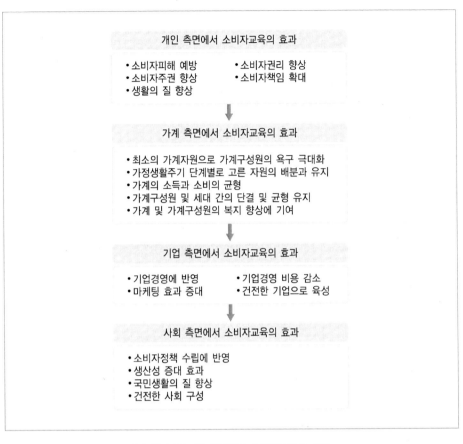

개인 측면에서 소비자교육의 효과

- 소비자피해 예방
- 소비자권리 향상
- 소비자주권 향상
- 소비자책임 확대
- 생활의 질 향상

가계 측면에서 소비자교육의 효과

- 최소의 가계자원으로 가계구성원의 욕구 극대화
- 가정생활주기 단계별로 고른 자원의 배분과 유지
- 가계의 소득과 소비의 균형
- 가계구성원 및 세대 간의 단결 및 균형 유지
- 가계 및 가계구성원의 복지 향상에 기여

기업 측면에서 소비자교육의 효과

- 기업경영에 반영
- 기업경영 비용 감소
- 마케팅 효과 증대
- 건전한 기업으로 육성

사회 측면에서 소비자교육의 효과

- 소비자정책 수립에 반영
- 생산성 증대 효과
- 국민생활의 질 향상
- 건전한 사회 구성

| 그림 1-2 | 각 영역에서 소비자교육의 효과

지의 손실(welfare loss)과 소비자잉여(consumer surplus)를 비교하면 알 수 있다.

소비자교육의 이득은 반드시 개인, 기업, 정부, 사회의 이득으로 분류될 수 있는 것은 아니다. 예를 들어 소비자교육을 통하여 정보의 처리능력 수준이 높아졌다면 소비자들은 그만큼 현명한 의사결정을 내릴 수 있기 때문에 교육받은 소비자로서의 만족감은 더욱 커질 것이다. 그러나 다양한 경로를 통한 소비자교육이 효과를 발휘하여 소비자주권이 실현되기 위해서는 무엇보다도 소비자 자신의 주체적인 노력이 중요하다. 이와 같은 측면에서 본다면 소비자교육은 소비자의 능력을 함양시켜 한 시민으로서의 역할을 제대로 수행하도록 돕는 것으로, 다양한 사회적 변화에 부응하고 그 안에서 소비자가 중심이 되기 위해서는 부단한 소비자교육이 필요하다.

인간의 전 생애과정에서 필요한 소비의 관점에서 보면, 생활 그 자체가 소비자교육이어야 한다. 이는 살아 있는 과정이 소비자교육의 연속으로 생활 속에서 필요함을 의미한다. 즉 소비자교육은 좁게는 한 개인으로서 현명한 소비자 역할을 다할 수 있도록 능력을 개발하는 것이고, 넓게는 한 시민으로서 국가의 발전에 기여할 수 있는 능력을 개발하는 인생의 전 과정인 것이다.

소비자교육은 결국 계획자, 구매자, 이용자, 처리자로서 생활 속에서의 생활자 및 시민으로서의 역할을 습득하는 과정이므로 생활 속에서 이루어지는 것이 가장 바람직하며, 가정, 학교, 사회에서 서로 일관성 있게 유지해야 한다. 이러한 의미는 인간이 출생부터 사망에 이르기까지 소비자이므로 끊임없이 평생교육으로서 소비자교육이 이루어져야 함을 의미한다.

02

Chapter

소비자교육의
유형

02 | 소비자교육의 유형

끊임없이 변화하고 발전하는 현대사회에서는 인간의 소비생활도 이에 맞추어 새로운 지식과 기술을 필요로 한다. 소비자는 단순히 자신에게 현재 최상의 결과를 가져오는 선택이 아니라 경제 시스템을 통합적으로 이해하고 장기적인 결과를 예측하면서 그에 적합한 최선의 선택을 하는 것이 필요하다. 그러나 대부분의 소비자가 이러한 최선의 선택을 할 수 있는 충분한 소비자능력을 가지고 있지 않다. 뿐만 아니라 시시각각으로 변화하는 새로운 소비환경에 소비자가 적응하는 것도 쉽지 않은 일이기 때문에 새로운 소비환경에 적응하는데 필요한 정보를 제공하고 최선의 합리적 선택을 할 수 있는 소비자능력을 키우는 소비자교육의 중요성은 거듭 강조해도 지나치지 않다.

소비자교육은 소비자가 합리적인 의사결정을 할 수 있도록 소비자의 역량을 강화시키므로 개인의 소비생활의 질을 향상시킬 뿐 아니라 이러한 소비자들의 합리적인 의사결정을 통해 시장이 효율적으로 기능할 수 있게 하기 때문에 사회의 경제적 효용을 향상시킨다. 이러한 장기적인 효과를 위해서뿐만 아니라 시장경제체계 내에서 소비자 권익의 침해를 방지하고 소비자피해를 최소화화기 위해서는 소비자의 역량을 키우는 소비자교육이 무엇보다도 중요하다고 할 수 있다. 물론 모든 국민을 대상으로 지속적인 소비자교육을 시킬 수 있다면 더할 나위 없겠지만 현대사회에서 이는 현실적으로 불가능하다. 가능한 범위 내에서 이러한 소비자교육의 효과를 극대화하기 위해서는 성장하는 소비자의 시기별로 사회적으로 적절한 교육장소와 매체를 잘 선정하는 것이 매우 중요하다.

일반적으로 소비자교육은 교육이 주로 이루어지는 장소를 중심으로 가정 소비자교육, 학교 소비자교육, 사회 소비자교육, 기업 소비자교육 등으로 구분할 수 있다. 소비자교육 주체에 따라 소비자교육의 동기, 목표, 기대 등이 달라진다. 소비자교육이 최상의 성과를 가져오기 위해서는 소비자교육의 주체별 특성 및 각 주체별 관련성을 이해하고 연대하여 일관성 있는 소비자교육을 시행해야 한다. 예를 들면, 가정을 중심으로 학교와 사회가 함께 소비자교육에 힘을 기울인다면 그 효과는 훨씬 커지게 될 것이다. 이 장에서는 가정, 학교, 사회에서의 소비자교육에 대해 살펴보기로 한다.

1. 가정 소비자교육

인간이 태어나서 가장 먼저 접하게 되는 곳이 바로 가정이기에 가정 소비자교육은 매우 중요하다. 어릴 때 가정에서의 소비자교육은 성인기의 소비생활 습관에도 영향을 미치므로 매우 중요하다. 가정은 성장해 가는 자녀의 생활 속에서 많은 역할을 하지만, 일반적으로 자녀의 연령이 증가하면서 가정에서 보내는 시간이 줄어들게 되므로 가정에서의 소비자교육은 가정에서 보내는 시간이 상대적으로 많은 미취학 자녀들을 중심으로 이루어지게 된다. 가정 소비자교육의 주체는 부모이며, 부모의 자녀에 대한 소비자교육 중 많은 부분을 차지하는 것이 자녀의 용돈관리와 구매행동 관련 교육 지도이다. 보통 가정 소비자교육은 소비자의 역할, 구매자의 역할, 용돈관리의 역할, 환경문제와 연관된 처리자의 역할 등을 포함한다.

1) 가정 소비자교육의 의의

사회를 구성하는 핵심적 소규모 집단인 가정은 우리가 태어나면서부터 가장 먼저 접하게 되는 삶에서 가장 중요한 생활의 장이며, 일차적 소비자 사회화 장소라는 점에서 중요하다. 가정은 모든 소비생활의 기본이 형성되는 곳이므로 가정 소비자교육은 소비자로서 기본을 형성하는 중요한 교육이다. 개인의 가치는 인간이 태어나서 성장하는 가정의 가치관에 영향을 받기 때문에 가정은 소비자교육의 중추가 되는 가치관과 생활양식을 교육하는 매우 중요한 장이 된다.

소비자의 건전한 소비행동은 어렸을 때의 교육에서 비롯되기 때문에 가정 소비자교육은 건전한 소비자를 육성하는 출발점이 된다. 다시 말해 가정은 자녀가 건전한 소비생활을 위한 지식, 기능, 태도를 습득하는데 필요한 기초적 생활 경험을 할 수 있는 매우 중요한 소비자교육의 장소이다. 가정 소비자교육을 통해 자녀는 소비에 대한 올바른 가치관을 형성하고 건전한 생활습관을 형성하게 되며, 자원을 효율적으로 관리할 수 있는 능력을 갖추게 된다. 더 나아가 경제에 대한 바른 인식을 가지게 되고 시장경제 시스템에서 합리적인 소비생활을 영위하며 소비자로서의 역할과 책임을 다하고 소비자시민으로서 책임을 성실하게 수행할 수 있는 소비자로 사회화된다.

2) 가정 소비자교육의 주체

가정에서의 소비자경험은 소비자능력에 영향을 미치는 중요한 변수이다. 그런데 성인이 되어 독립하기까지 소비행동에 가장 큰 영향을 미치는 것은 가족구성원이다. 다시 말해 유아나 아동의 양육자, 특히 부모는 소비자교육의 주체이다.

일반적으로 부모는 양육자로서 자녀의 소비자 사회화 과정에 많은 영향을 미치는 모델이 될 뿐만 아니라 소비자교육의 수행자이다. 보통 부모는 자녀의 행동이 바람직할 경우 긍정적인 반응으로 바람직한 소비행동을 강화시키고, 반대의 경우 부정적 보상으로 바람직하지 못한 행동을 방지하거나 감소시키도록 하는 중요한 상호작용의 주체이다. 부모는 자녀들의 사회화 과정을 돕는데 자녀들의 소비자행동 학습과정에 막대한 영향을 미친다.

실제 많은 연구들이 자녀의 소비자기능이 어머니의 소비자기능에 크게 영향을 받고 있음을 밝히고 있다. 아동기에 가정에서 소비생활을 관찰하고, 소비생활에 참여하고, 부모로부터 훈련을 받고, 소비생활에 관하여 부모와 대화를 하는 등의 소비자경험은 소비자능력 향상에 중요한 요인이 된다(이기춘·나종연, 1998).

구체적으로 가정에서 부모는 아동들이 자율적으로 돈을 관리할 수 있는 기회를 제공하고, 건전한 소비유형을 만들 수 있도록 안내하도록 하며, 자신의 노력에 의해 용돈을 벌 수 있는 기회를 제공한다(이칠성, 2007). 뿐만 아니라 일상생활에서 부모의 태도나 행동이 자녀에게 그대로 전달되어 우연히 소비자교육이 이루어지는 경우가 많다.

아동기에 확립된 소비태도나 습관, 가치관들은 아동이 성장한 후에도 많은 영향을 미치므로 부모는 자녀의 눈높이에 맞추어 명확한 목표를 설정하고 일관적인 태도로 자녀의 소비자교육을 수행해야 한다. 소비자문제에 무관심한 어른이 소비자문제에 무관심한 자녀를 키우고 그 자녀들이 또 다시 어른이 되어 소비자문제에 무관심한 자녀를 양육하는 악순환이 이루어지게 된다. 따라서 가정 소비자교육이 바람직하게 이루어지기 위해서는 부모가 소비자교육을 받을 필요가 있다. 점차 어린 자녀교육도 어린이집이나 유치원과 같은 사회화된 기관으로 이전되어 가고 있어 가정에서 전적으로 소비자교육이 이루어지는 기간은 짧아지고 있는 추세이기는 하지만, 많은 연구들이 이렇게 사회화된 교육기관에서의 소비자교육도 가정 소비자교육과 긴밀하게 협조가 되어야 더욱 효과적인 것으로 보고하고 있다(김연화, 2009; 변길희, 2005; 심하연, 2009; 윤정심, 2007; 조미환, 2004).

2. 학교 소비자교육

청소년기의 소비생활 습관은 성인기 소비생활에까지 연장되므로 청소년 소비자들을 미래의 현명한 소비자로 성장시키기 위해서는 이 시기에 올바른 소비가치관을 정립하고 바람직한 소비생활 양식의 기틀을 마련할 수 있는 소비자교육이 필수적이다. 이를 위해 학교라는 사회적 시스템을 활용하여 청소년을 대상으로 소비자교육을 시키게 된다. 전 국민에게 소비자교육을 시키는 것도 학교라는 기관에 집중하여 청소년 소비자교육을 수행하여 실질적인 효과를 얻을 수 있다. 따라서 아동, 청소년의 경우 학교 소비자교육의 중요성을 강조하지 않을 수 없다.

1) 학교 소비자교육의 의의 및 필요성

가정이나 사회의 소비자교육은 다소 비조직적인 교육의 특성을 갖는다. 학교 소비자교육은 학교에서 다루는 교과를 통해 그 사회가 지향하여야 할 소비자교육적 가치를 잘 반영하는 내용으로 수행할 수 있다. 학교에서 소비자교육을 다룬다는 것은 체계적 교육을 통한 합리적 소비자 양성이 이 사회의 중요한 가치이고 목표가 되기 때문이다(박명희, 2005).

최근 가정 소비자교육이나 사회 소비자교육은 이미 상당 부분 학교 소비자교육에 위임되고 있다. 가정 소비자교육은 주관적인 편견의 주입으로 흐를 위험성이 존재하고, 사회교육 차원의 소비자교육은 교육의 지속성을 확보하지 못하고 체계적인 교육과정이 결여된 채 단편적인 정보제공에 머무를 수밖에 없는 한계를 가지고 있다(이득연·송순영, 1992). 그러나 학교 소비자교육은 교육목표가 수립되고 교육내용이 교육과정 속에 체계적으로 설정되며 선정된 교재를 사용하여 정식 수업으로 행해질 수 있기 때문에 다른 교육보다 조직적이다. 또한 피교육자의 지적·인지적 수준에 따른 소비자교육이 단계적, 체계적, 지속적으로 이루어지므로 가장 효율적이다. 소비자교육 수혜자 입장에서도 교육기회와 교육내용에 있어 사회적 공평성을 확보할 수 있으므로 매우 중요한 교육의 장이다(김혜선 등, 2002).

최근 신용사회화, 서비스화, 정보화, 고령화 국제화 등 현대 소비사회의 환경 변화는 소비자문제에서 서비스로, 상품 자체에서 판매방법으로, 안전문제에서 계약문제로, 가격과 안전 등 개인적 이해 관심에서 환경문제와 같은 사회적·공공적 이해 관심으로 변화되고 있다. 이러한 소비자시장의 변화에 대응할 수 있는 능력을 갖춘 소비자를 양성하기 위한 과정으로 소비자교육의 중요성이 대두되고 있다. 소비자교육을 효과적으로 수행할 수 있는 통로로 학교 소비자교육의 의의가 강조되고 있다(이은영, 2008).

현실적으로 보더라도 우리 사회의 급속한 변화와 소비구조의 다양화는 소비자 의식의 확립과 효율적이고 현명한 소비생활의 유도가 절실히 필요하기 때문에 학교 소비자교육의 필요성이 강조되고 있으며, 그 구체적인 이유를 나열하면 다음과 같다(김희진, 2007).

첫째, 미래 경제사회의 급속한 소비생활 구조의 다양화와 복잡화에 능동적으로 대처하여 사회발전에 기여하는 국민양성을 위해서 학교 소비자교육이 중요하다. 현대사회는 정보화, 서비스화, 고령화, 국제화와 다양한 소비자요구 등 경제사회환경의 변화에 수반하는 새로운 소비자문제에 대응해야 하는 과제가 있다. 특히 미성년 소비자와 관련된 소비자문제가 많고, 피해가 저연령화 되는 경향이 있다. 따라서 소비자교육을 소비자피해의 사전예방조치에 그치지 말고 청소년이 사회에 나가기 전에 충실하게 받도록 해야 한다. 둘째, 학생들의 무분별한 소비습관을 체계적이고 합리적이고 바람직한 방향으로 변화시키기 위해 학교 소비자교육이 필요하다. 오늘날 청소년들은 감각적 소비, 과시적 소비 및 낭비적 소비에 현혹되기 쉽고, 이로 인해 비합리적인 소비의사결정을 하는 경향이 있다. 따라서 청소년기에 올바른 소비생활의 기틀을 확립할 수 있도록 하는 교육이 필요하다. 셋째, 인간발달 단계상 학생들은 감수성이 예민하고 생의 기초 가치관이 형성되는 시기이므로 건전한 소비가치관과 올바른 태도를 형성하여 합리적인 경제생활을 영위하도록 하기 위하여 학교 소비자교육이 필요하다. 넷째, 오늘날과 같은 대량생산 체제에서 구매와 소비활동을 하고 있는 청소년 소비자들이 현명하게 상품을 선택하고 구입할 수 있도록 의사결정력과 판별력을 기르는 데 학교 소비자교육의 필요성이 있다. 다섯째, 청소년 소비자들이 소비자주권 침해를 자주적으로 극복하는 능력을 배양하기 위해 학교 소비자교육이 필요하다.

지금까지 논의한 바와 같이 학교 소비자교육은 청소년들에게 합리적이고 바람직한 가치관을 형성시켜 소비생활을 주체적으로 영위해 나갈 수 있도록 해주기 때문에 그 중요성이 더욱 부각되고 있다.

2) 학교 소비자교육의 내용

소비자교육의 내용은 연구자 간에 차이가 있으나 크게 네 가지로 분류할 수 있다. 첫째, 가치관 교육으로써 소비윤리, 환경보호가 이에 해당한다. 둘째, 자원관리교육으로써 경제원칙, 금전관리, 자원의 사용, 공공자원관리가 이에 해당한다. 셋째, 합리적 구매교육으로써 의사결정, 구매, 영향요인, 소비자정보를 포함한다. 넷째, 소비자시민교육으로써 소비자역할, 소비자권리와 책임, 소비자문제와 해결을 포함한다.

| 표 2-1 | 단계별 학교 소비자교육 예시

초등학교	• 자신의 문제 중심으로 생활문제 처리, 가족과 협력 • 지식면 : 외부 소비생활 환경에 대한 초보적 이해를 체험으로 획득 • 기능면 : 기본적인 독립적 소비생활의 적응을 위한 기초적 행동기능 숙지 • 태도면 : 사회구성원의 조화로운 삶 인식, 건전한 기본소양 배양	
	저학년(1, 2학년)	시각을 통해 구체적인 사실을 기초로 교육
	중간학년(3, 4학년)	소비생활 문제에 대한 실제 체험 시도
	고학년(5, 6학년)	문제를 스스로 처리, 사물을 논리적으로 생각하는 능력 교육
중학교	• 생활문제에 대해 구체적 이해, 추상적·논리적인 사고 • 적극적인 역량 기르는 생활기술, 구체적 처리능력, 생활문제 스스로 의사결정 • 주어진 환경에 대한 적응, 환경요소 문제점 파악, 개선 노력 교육	
고등학교	• 생활문제를 종합적인 체계로 인식, 추상적·객관적 이해할 수 있도록 하는 시기 • 구체적인 가정생활의 관리문제 역점, 비판적 사고와 적극적 실천의지 교육	

3) 학교 소비자교육의 역사와 현황

우리나라는 중·고등학교의 교육과정에 소비자교육이 가정과, 사회과 교과를 중심으로 구성되어 왔다. 1980년대 이전에는 양적으로 빈약하고 경제이론에 치우쳐 있었으나 1980년 후반에 와서 소비자의 권리와 책임에 대한 의식을 중심으로 한 소비자역할 개념이 가정교과서에 제시되기 시작하였다(박명희, 2005). 1990년대에는 소비자교육을 통한 인적 자원의 증가가 제품의 질 향상과 국제시장에서의 경쟁력 획득을 가능케 할 수 있으며, 현재의 소비자문제도 완화시킬 수 있어 소비자복지의 증진이 이루어질 수 있다는 입장에서 소비자교육에 대한 관심이 상당히 제고되었다. 한편, 소비자교육 정책의 활대로 소비자교육이 대학에서 이루어질 수 있는 분위기가 조성되었으며, 중·고교에서의 소비자교육을 위한 공청회나 시범학교가 운영되었다. 한국소비자원에서도 1990년 중반 이후부터 학교 소비자교육의 활성화를 위한 세미나나 시범학교 운영, 학교 소비자교육을 위한 교재개발 등 활동을 통하여 소비자교육에 관심을 갖기 시작하였으나, 실상 체계적인 소비자교육이 학교 내에서 모두 이루어지고 있다고 할 수는 없었다(이은영, 2008). 2000년대까지 학교교육 과정에서 소비자교육은 큰 비중을 차지하지 못했다고 할 수 있다. 소비자교육 내용도 대체로 구매기술 능력을 향상시키는 정보 및 지식을 중심으로 이루어져 왔다. 초·중·고등학교 소비자교육은 사회, 도덕, 기술·가정 교과에서 경제이론, 소비자윤리, 소비자의 권리와 책임 등의 내용을 다루고 있으나 여러 과목에 분산되어 극히 제한적이었고(박성용, 2002), 2000년대 이후부터 '생활경제'와 같은 고등학교 일반선택 교과에서 소비자 관련 내용이 조금 비중 있게 다루어지고 있다. 결론적으로 소비자교육은 다양한 교과에서 소비자를 대상으로 한 여러 영역들은 분산해서 가르치고 있으며, 정보를 이용하거나 가치 판단능력을 육성시키기 위한 교육보다는 각 교과가 지식 중심의 내용을 전달하고 있는 실정이다. 이처럼 소비자교육이 미흡한 근본적인 요인은 소비자교육의 정체성 미확립에 기인한다고 보고 있으며, 소비자교육이 활성화되기 위해서는 무엇보다도 먼저 소비자교육의 정체성을 확립한 후, 교육대상별로 소비자교육의 목표를 설정하고 동 목표를 달성하기 위해 필요한 교과내용과 범위, 교육내용과 수준, 그리고 관련 자료를 개발하여야 하며, 아울러 교육주체 간의 유기적인 협조체제 구축 등이 필요하다고 진단하고 있다(박성용, 2002).

황인숙·박선영(2010)은 고등학교 기술·가정 교육과정에서의 소비자교육 내용에 관한 학생들의 필요성과 고등학생들의 정보화수준, 이에 따른 소비자교육의 수업방법에 대한 요구도를 분석한 결과, 소비자교육의 필요성, 중요성, 활용성, 흥미 정도가 낮았고, 소비자교육에서의 필요성, 중요성, 활용성에 비해 흥미 정도가 떨어지는 것으로 나타나 기술·가정 교과 교육과정 중 소비자교육 부분의 흥미를 높이기 위한 방안에 대한 연구가 필요하다고 주장하였다.

이진화 등(2012)이 중학생을 대상으로 학교 소비자교육이 휴대전화 소비행동에 미치는 영향에 대해 연구한 결과 학교 소비자교육이 청소년의 휴대전화 소비행동에 영향을 미치고, 올바른 휴대전화 소비행동은 휴대전화 소비생활 만족도를 높이는 것으로 나타났다.

결론적으로 이러한 결과들은 체계적인 학교 소비자교육을 통하여 청소년 소비자들을 보다 합리적인 소비를 할 수 있도록 교육할 수 있음을 시사하며, 소비자교육의 중점이 단순한 소비생활 기술을 습득하는 데 있는 것이 아니라 소비자능력의 향상이라는 인간교육에 있으므로, 소비자교육이 학교교육으로 존재해야 할 충분한 가치가 있음을 보여주고 있다.

그러나 아직까지 우리나라의 학교 소비자교육은 교육의 실질적인 방법이나 내용면에서 부족할 뿐 아니라 근본적으로 학교 교육과정에서 상당한 비중을 가지고 다루어져야 하지만 실질적으로 비중 있게 다루어지지 못하고 있으며(김혜선 등, 2002), 부분적으로 이루어지고 있는 소비자교육의 내용도 여러 교과에 걸쳐 간헐적으로 다루어지다 보니 비체계적이고 비활성화되어 있는 상황이다(윤정희, 2009).

4) 학교 소비자교육의 활성화 방안

현재 소비자교육은 이론 중심의 강의식 교육, 학교 성적의 낮은 반영 비율로 인해서 성적 위주의 사고방식에 젖어 있는 학생들에게 직접적인 관심과 흥미를 갖기 어렵게 하고 있다(이칠성, 2007). 학교 소비자교육은 소비자경제교육 차원에서 학교생활 전반에서 지도되어야 한다. 이칠성(2007)은 학교 소비자교육의 활성화를 위해 다음과 같은 제언을 하였다.

첫째, 학교 소비자교육을 체계적이고 효율적으로 운영하기 위하여 교과 간, 학년 간의 연계를 고려하고, 소비자교육 내용체계를 강화하여 명료한 교육목표와 체계적인 소비자교육 내용이 보강되어야 한다. 둘째, 학생들이 저학년 때부터 소비 및 경제에 대한 흥미와 관심을 가질 수 있도록 다양한 학습자료의 활용과 교육적 방법론이 제기되어야 하고 실생활에 활용할 수 있는 내실 있는 소비자교육이 이루어져야 할 것이며, 이는 학년이 올라갈수록 그 수준에 맞는 체계적이고도 심도 있는 자료가 개발 보급되어야 할 것이다. 셋째, 소비자교육을 통한 합리적인 소비생활 습관을 정착시키기 위해서는 학교나 가정뿐만 아니라 언론매체나 지역사회에서도 연중 지속적인 관심과 협조체제가 병행되어야 할 것이다. 넷째, 올바른 소비자교육을 담당할 교사 연수를 위하여 교육부, 시·도교육청이나 대학 부설기관, 한국소비자원 등 다양한 기관과의 연계가 필요하며 이들 기관에서도 경제교육 프로그램 및 체험활동 등을 개발하고 운영하여야 할 것이다.

결국 미래 사회에는 일상생활에서 소비가 차지하는 비중이 더욱 증가할 것이므로 소비자교육의 중요성 또한 확대될 것이다. 이러한 변화에 맞추어 학교 소비자교육을 체계적이고 효율적으로 학습시키기 위해서는 여러 교과에 산발적으로 분산되어 있는 소비자 관련 내용을 통합하여 단일 교과로 재구성하거나 기존의 교과 중에서 소비자교육의 구심점이 될 교과를 선정하는 일이 무엇보다 선행되어야 할 것이다. 이러한 교과를 주축으로 하여 실생활에서 활용할 수 있는 실천적인 내용부터 시작하여, 합리적인 소비생활을 위한 가치관과 개인적 차원의 합리적 의사결정을 넘어 개인의 소비행동이 가져오는 장기적인 결과와 사회적인 효과까지도 고려할 수 있는 소비자역량을 갖추도록 학생들의 발달단계에 따라 단계적으로 보다 조직적이고 체계적으로 소비자교육의 내용을 강화시켜 나가야 한다. 게다가 학교 소비자교육의 방향은 다음에 초점을 두고 정비하여야 한다.

- 일관성 있고 명료한 교육목표 설정 : 각 교과의 특성에 맞게 구체적인 교육 내용 구성
- 현실적인 대안 : 현존하는 특정과목의 일부분으로 첨가하는 방법
- 소비자교육 관련 내용의 절대량이 늘어날 필요가 절실함

3. 사회 소비자교육

폭발적으로 증가하는 지식과 기술에 대응하는 소비자기술 습득이 필요해지고 있다. 사회생활에 필요한 실증적 교육이 필요하게 되었고 여가 증가와 과학기술의 발달로 새로운 소비자교육의 요구가 증대하면서 사회 소비자교육의 필요성이 더욱 높아지고 있다. 사회 소비자교육은 보통 소비자단체, 대중매체, 정부기관, 공익기관이 담당한다.

1) 사회 소비자교육의 의의 및 필요성

사회 소비자교육은 성인소비자가 주요 교육 대상이며, 끊임없이 변화하는 사회·경제적 상황에 대응할 수 있는 성인소비자의 소비자 능력을 양성시키는 것이 목표이다. 현대 소비경제환경은 서비스화, 신용사회화, 고령화, 국제화 등으로 변화하고 있고 새롭고 다양한 상품과 서비스가 여러 거래방법을 통해 유통되고 있다. 이 같은 상황에서 아동소비자로부터 노인소비자에게 이르기까지 모든 시기의 소비자들이 소비자문제를 겪게 되므로 소비자능력을 향상시키는 소비자교육의 중요성이 더욱 증가되고 있다(홍연금·송인숙, 1999). 소비자능력 향상을 위해서 모든 연령대의 소비자를 대상으로 하는 소비자교육이 필요하지만, 변화

하는 소비경제환경에서 발생할 수 있는 소비문제에 효율적으로 대처할 수 있도록 하기 위해서는 학교교육을 마친 성인소비자를 대상으로 하는 사회 소비자교육이 평생교육 차원에서 체계적으로 이루어져야 한다.

사회 소비자교육의 주체로는 소비자단체, 기업, 정부기관 및 공익기관, 대중매체 등이 있는데 지금까지는 여성들이 중심이 된 소비자단체가 담당하였다. 따라서 교육의 대상도 주로 주부에 국한되었으며, 단기적이고 계절적이며 교과내용도 계몽활동과 정보제공 정도였다. 앞으로는 사회 소비자교육의 대상이 여성소비자에서 남성소비자로 확대되어야 한다. 특히 대중매체는 소비자에게 강력한

| 표 2-2 | 사회 소비자교육의 주체 및 특성

기업 소비자교육	• 소비자요구에 부흥, 기업이미지 고취, 장기적인 소비자 관계 형성, 기업의 수익성을 향상시키는 방향으로 경영 패러다임 전환 • 소비자와 개인적 관계 형성, 신뢰 고취, 제품 충성도 향상, 애프터서비스는 중요한 분야, 제품에 대한 교육 증가 • 1984년 기업소비자전문가협회(OCAP) 조직, 2002년 OCAP에 118개 기업과 한국소비자학회원인 특별회원이 소속 : 정기회, 공개세미나, 견학, 총회, 각국 CAP 간 교류, 전문가 모임 진행, 소비자 정보 전시회, 환경보호 캠페인, 바자회로 소비자 보호활동 대외적 홍보, 대학생 연수 및 실습 연결로 소비자교육 담당 • 기업 제품과 이미지에 대한 홍보적 역할로 소비자 만족 추구, 소비자 재구매 유도, 소비자 입장에서 기업 신상품과 서비스에 대한 지식과 올바른 사용법 습득, 합리적 소비 지향의 교육적 효과
정부 소비자교육	• 정책적, 재정적 면에 충분한 배려와 지원, 소비자의 적극적이고 자주적인 행동으로 개선, 공공의 이익 관심, 사회적 비용 줄여 국가정책 실현 계기 • 1987년 7월 1일 한국소비자보호원 설립(소비자교육연수팀 구성하여 수행) • 2000년 7월 사이버소비자센터 개설(전자상거래, 소비자보호에 관한 종합적 소비자 정보 제공, 소비자교육 실시, 소비자피해 실태 분석, 예방, 대책, 국제규범 제정 작업 참여, '전자상거래 소비자 보호 대책반' 운영지원, 관련사업 추진, 사이버 소비자운동, 소비자 권익신장 모색) • 행정기관에서 지역주민 대상으로 소비자교육 프로그램 개발 • 각종 소비자 정보지 출간 지원 및 배포, 소비자정책·정보 홈페이지 운영
소비자단체 소비자교육	• 시민운동으로 소비자운동의 주체, 한국소비자단체협의회 결성(모니터 교육, 실무자 교육, 어린이 소비자교육 사이트 개설 및 운영) • 심포지엄, 소비자교육 프로그램 개발, 소비자 모니터 교육으로 계몽 • 피해구제 상담, 단체 홈페이지 운영하여 소비자 상담, 다양한 정보 제공
매스미디어 소비자교육	• 매스미디어 기능 : 행동, 태도, 가치관, 이데올로기에 영향 미침, 정보 제공, 사회조정 역할, 사회의 전통과 규범을 가르치는 사회화 역할 수행, 오락 제공과 사람 동원의 매체로 활용 • 공공문제 해결을 위한 공익광고는 공공의식, 건전한 정신문화, 소비자 의식수준 향상
인터넷 자발적 학습	• 인터넷 정보탐색 기능에 의해서 이루어짐, 당면 문제해결에 중요한 역할, 소비자능력 향상

영향력을 행사하므로 언론을 활용한 사회 소비자교육이 효과적이다. 게다가 기업의 자발적인 소비자교육도 시급하다.

- 소비자단체 : 소비자보호단체협의회, 대한 YMCA 연합회, 대한주부클럽연합회, 한국소비자교육원, 한국소비자연맹, 소비자문제를 연구하는 시민의 모임, 전국 주부교실중앙회, 한국여성단체협의회, 한국부인회
- 정부 및 공익기관 : 소비자원
- 기업 : 기업소비자전문가협회
- 대중매체 : 신문, 잡지, TV, 라디오

2) 사회 소비자교육 주체 및 교육현황

국가나 지방자치단체의 사회 소비자교육은 소비자행정의 일환으로 실시되어 왔으며, 기업에서는 일종의 마케팅 전략의 일환으로 교육되어 왔다. 대중매체 생활정보 및 교육 프로그램, 각종 캠페인 등의 형태로 행해져 왔으며, 민간 소비자단체는 소속 회원이나 비회원을 대상으로 소비자교육을 실시해 왔다.

국가나 지방자치단체, 기업, 대중매체가 하는 소비자교육은 소비자정보 제공의 성격이 강한 반면, 민간 소비자단체는 소비자가치관의 형성과 사회변화에 능동적으로 적응할 수 있는 능력을 길러준다는 특성을 가지고 있다(제미경 등, 1998).

사회 소비자교육은 학습자가 자발적으로 접근해야 하기 때문에 누구에게나 보편적으로 적용되지 않으며 교육내용 선택의 어려움이 발생할 수 있다(심하연, 2009).

(1) 정부 및 공공기관의 사회 소비자교육 현황

개별 소비자의 비합리적 소비행태가 개인문제를 넘어 사회·경제 전체에 미치는 영향이 지대하므로 정부 및 관련 기관은 합리적으로 행동하고 스스로 책임지는 성숙한 소비자를 길러내는 것, 소비자의 삶의 질 향상과 더불어 시장경제의 건전한 발전을 위한 사회 소비자교육을 시행 또는 지원해 왔다. 관계부처 장관 및 민간전문가로 구성된 '소비자정책심의위원회' 산하 전문위원회로 소비자교육 전문위를 2004년에 설치하고 소비자교육을 담당하는 다양한 관련 기관 간 역할 분담 및 협조를 통해 효율적인 소비자교육을 추진하고 있다. 그러나 정부차원의

소비자교육은 교육대상자 모집 및 교육장소 섭외 등의 교육 환경적 조건이 원활치 않아 직접 교육보다는 예산을 지원하는 형태의 민간주도형 교육이 진행될 수밖에 없는 제한된 교육이 이루어지고 있다.

한국소비자원의 경우는 소비자전문기관으로서 소비자교육 강사 지원, 초·중등교사 연수, 소비자 행정 및 법령 실무 연수, 기업체 소비자 업무 전문가 연수, 소비자교육 콘텐츠 공모전, 소비자교육 자료 배포 및 콘텐츠 제공 등 소비자교육을 활성화시키기 위한 다양한 노력을 시행하고 있다.

공정거래위원회는 직접 소비자교육을 시행하기보다는 홈페이지를 통한 어린이·청소년 소비자교육 사이트를 운영하고 있다. 금융 소비자교육은 여러 관련 기관에서 수행하고 있는데 한국은행의 경우 도서벽지의 학생 초청 무료 경제교육, 학부모 교육, 각 학교 학생임원 경제교육을 진행하고 있다. 금융감독원은 최근 금융 소비자교육을 매우 적극적으로 시행하고 있다. 식품의약품안전처는 식품안전교육을 적극 수행하고 있다.

한편, 지방자치단체의 소비자교육 현황을 살펴보면 소비자교육을 직접 수행하는 행정기관도 있기는 하나, 교육보다는 민원상담, 정보제공에 치중하고 있다. 소비자

| 표 2-3 | 한국소비자원 사회 소비자교육 프로그램 사례

교육과정	교육대상	교육프로그램
소비자교육 교사연수	초·중등교사 및 교육전문직	• 소비자교육의 주요 주제 및 이슈 • 청소년 소비자피해 사례 연구 • 합리적인 소비생활 교육 프로그램 실습 • 재량시간을 활용한 소비자교육 프로그램 실습
소비자행정 및 법령 실무 연수	중앙부처 및 지방자치단체 소비자행정 담당 실무자	• 우리나라 소비자행정체계 • 소비자관련 법률 • 소비자피해 사례 연구
지자체 소비자업무 관련자 순회연수	지자체 소비자 관련 업무 담당자	• 지방소비자정책 및 행정체계 • 소비자관련 법률 • 소비자상담 및 분쟁해결실무
기업체 소비자 업무 전문가 연수	기업체 소비자 관련 업무 담당 직원	• 소비자불만 사례를 통한 고객만족의 중요성 • 피해구제 및 분쟁조정 제도의 이해 • 소비자관련 법률
기업맞춤형 연수	소비자교육 요청 기업체의 업무 담당자	• 소비자관련 법률 • 상담 및 분쟁조정 사례 분석 • 소비자안전문제 대응
소비자교육 강사지원	학생, 민간단체, 정부기관, 일반소비자 등	• 소비자문제와 경제 일반 • 소비자문제 관련 법규 • 소비자상담, 피해구제, 분쟁조정

| 표 2-4 | 지방자치단체의 소비자정책 업무

광역자치단체	기초자치단체
• 소비자보호 시책 수립	• 소비자보호 시책의 수립 시행
• 물가지도를 위한 시책 수립, 추진	• 물가지도 단속
• 소비자계몽과 교육	• 소비자계몽과 교육
• 소비자보호 전담기구 설치, 운영	• 소비자고발센터 등 소비자보호
• 민간소비자보호단체 육성	• 민간소비자보호단체 육성
• 소비자보호를 위한 시험, 검사	• 가격표시제 실시업소 지정, 관리
• 지방 소비자보호위원회 설치	

행정 수행 실적이 낮고 담당 인원이 부족하여 피해구제업무 정도를 수행하고 있다. 지방자치단체가 직접 소비자교육 등 소비자 서비스를 제공하기보다는 지역 내 민간 소비자 단체에 보조금을 지급하고 업무를 위탁하고 있는 경우가 많다. 중소도시나 특히 군·읍·면 지역의 소비자를 위한 각종 소비자교육이 제대로 이루어지지 못하고 있어 지방자치단체별로 소비자교육을 활성화시켜야 하는 과제를 안고 있다.

(2) 민간소비자단체

민간소비자단체에서는 단체의 소속회원 및 비회원을 대상으로 다양한 소비자교육 활동을 수행하고 있다. 민간소비자단체에서 실시하는 소비자교육의 참가대상은 대부분이 지역 주민 특히 주부가 많았고, 자치단체와 연계하여 청소년소비자 및 지역주민에게 소비자교육을 실시하는 사례가 많았다(홍연금·송인숙, 1999). 일반적으로 민간 소비자단체는 소비자 상담창구로 접수된 상담 사례를 중심으로 필요하다고 생각되는 교육주제를 선정하기 때문에 실질적인 소비문제와 연결되는 주제로 소비자교육을 실시한다는 강점을 가지고 있다. 그러나 다양하고 체계적인 교육주제로 소비자교육을 시행하기가 어렵고 대부분 소비자교육이 강의식으로 진행된다는 지적이 있다.

4. 기업 소비자교육

기업 역시 사회의 한 조직으로서 사회적 책임을 수행해야 한다는 요구가 높아지고 있다. 특히 소비자들을 대상으로 하는 기업이 담당할 수 있는 소비자교육에 대한 요구가 높아지고 있다. 기업에서의 소비자교육은 활동 자체가 판매촉진이라는 역할과 동시에 소비자의 고충·불만을 미연에 방지하고, 기업의 영속적 경영을 촉진하는 효과를 창출할 수 있다. 또한 기업윤리나 기업의 사회적 책임(CSR)과 관련된 기업의 내부고객, 즉 직원이나 종사자 교육도 의의가 있다. 한편 기업에서의 소비자교육은 소비자의 욕구를 파악하여 신제품 생산, 신제품에 대한 정보제공, 그리고 소비자를 고객으로 확보하는 데 있어서 필수적일 뿐 아니라 기업에서 소비자권익 증진에 필요한 인재를 양성하는 기회가 될 수 있다. 최근 개별기업, 대한상공회의소 등에서는 다양한 소비자교육을 시키고 있다. 카드회사들의 경우 다양한 소비자계층, 예를 들면, 청소년, 직장 새내기, 군인 등 각계 각층의 소비자들을 대상으로 신용 소비자교육을 실시하고 있다. 자동차회사의 경우 어린이 교통안전교실 등 다양한 안전 소비자교육을 실시하고 있다.

5. 언론 및 기타 기관의 소비자교육

언론기관에서는 각종 경제·금융 소비자교육의 직접 수행 및 후원 등 다양한 소비자교육 활동을 하고 있다. 특히 경제신문사들은 청소년 등의 경제교육, 금융교육에 많은 노력을 기울여 왔다. 뿐만 아니라 소비자교육지원센터(KOINCE), 한국소비자업무협회, 기업소비자전문가협회(OCAP) 등에서도 소비자교육에 많은 노력을 기울이고 있다. 최근에는 TV 공중파 방송에서 '소비자고발', '불만제로' 등의 프로그램을 통해 소비자정보 제공 및 소비자교육의 역할을 수행하고 있다.

지금까지 사회 소비자교육에 대해 살펴보았는데 사회 소비자교육의 활성화를 위해 가정 소비자교육, 학교교육, 평생교육이 연계된 사회 소비자교육, 기업 소비자교육 등 소비자 입장에서의 종합적, 체계적, 지속적인 소비자교육이 이루어져야 한다. 앞으로 체계적인 소비자교육, 소비자교육의 양과 질의 확대, 소비자교육 내용 및 프로그램의 지원, 소비자교육 전문가 양성 등이 사회 소비자교육의 과제라 하겠다.

03

Chapter

소비자사회화

1. 소비자사회화의 개념 및 의의

소비자사회화는 사회화이론의 일부분으로서 소비자사회화의 개념을 이해하기 위해서는 '사회화'에 대한 이해가 선행되어야 한다. 사회화(socialization)란 인간이 출생한 후에 사회적으로 인정된 가치체계, 규범, 사회에서 요구하는 행동양식을 타인과의 접촉을 통해 습득해 나가는 과정이다(Engel & Blackwell, 1982). 혹은 한 사람이 다른 사람과의 반복적이고 지속적인 상호작용을 통해서 사회적으로 관련된 행동과 경험들의 특정한 유형들을 발달시켜 나가는 전 과정을 사회화라고 정의하기도 한다(Ward, 1974 재인용). 이러한 사회화의 개념을 근간으로 하는 소비자사회화는 주로 아동기와 청소년기에 있어서 소비에 대한 인지, 태도, 행동 등의 발달에 적용되어 왔다. Ward(1974)는 소비자사회화를 시장경제체계 내에서 소비자로서의 역할을 수행하는데 관련된 지식(knowledge), 태도(attitude), 기능(skill)을 습득해 나가는 과정이라고 정의하고 있다. Ward 정의의 핵심은 아동기에 있어서의 소비자사회화이지만, 이 시기에 모든 학습이 이루어지는 것은 아니며, 새로운 역할들이 초기의 학습유형을 변화시킨다고 본다. 또한 시장체계 내에서의 상호작용으로 제한하여 소비와 관련된 지식, 태도, 기능들로서 다른 다양한 사회화에 관한 관심과는 구별하였다.

또한 소비자사회화란 우리 일상생활에서 소비자로서의 지식, 태도, 기능 등을 변화하는 상황에 맞게 지속적으로 개발시켜 나가야 한다는 점에서 전 생애에 걸친 과정(process)이라고 할 수 있다. 즉, 한 개인이 소비자로서의 역할수행에 필요한 능력을 습득해 나가는 것은 특정 상황요인에 의해 결정되는 것이 아니라, 지속적인 성장·발달과정을 통해 이루어지며 주위환경과의 상호작용을 통하여 이루어진다. 가령 다음 사항 중 한 가지 이상의 것을 아이들이 알게 될 때 소비자사회화가 일어났다고 할 수 있다.

첫째, 대체상표와 상품 간의 비교를 통한 선호를 표현할 수 있을 때
둘째, 제품이나 시장의 기능에 대한 지식을 획득할 때
셋째, 가격흥정, 상품비교, 광고와 상인의 설득 등을 평가함으로써 현명한 의사결정을 할 수 있는 기술을 습득할 때

이러한 소비자사회화의 관점은 역할습득과 기능학습에 관심을 두는 사회화에 대한 사회학적, 심리학적 접근방법을 기초로 하고 있는데(김신일 외 7인, 1983), 소비자사회화는 개인이 자신의 주위환경에 적응해 나가는 인지발달과정뿐만 아니라 환경요인과의 상호작용을 통한 사회학습과정으로도 이해해야 한다. 또한 소비자사회화는 소비자가 속한 특정한 조직체의 구조에 따른 결과이기도 하다.

소비자행동 연구에 있어 소비자사회화 이론의 강조점은 생활주기의 각 단계 또는 각각의 연령에서 역할내용이나 기준(표준)행동이 변화하고 있다는 것이다. 따라서 개인의 발달이나 생활주기의 각 단계에서 지배적인 체계변수들이 다르기 때문에 모든 일반화는 개인의 생활주기에서 주어진 단계에만 적용된다는 것이다 (홍영기·최선경, 1988). 기존의 소비자행동 연구에 관한 제 이론적 접근법들이 어느 한 측면의 설명에 치중한 것에 비해 소비자사회화 개념은, 특정 생활주기나 연령을 기준으로 하여 제한된 범위 내에서의 종합적인 고찰을 가능하게 해주는 이론적 틀을 제공해 주고 있다.

2. 이론적 관점

소비자사회화에 대한 이론적 관점은 크게 세 가지로 대별해 볼 수 있는데, 첫째는 인지발달이론이고, 둘째는 사회학습이론이며, 마지막으로 사회체계이론이다.

1) 인지발달이론

인지발달적 관점에서 소비자사회화를 설명하는 인지발달이론(Cognitive developmental theories)은 Piaget의 이론에 근거를 두고 있다(1950, 1975). 인지발달이론은 아동이 자신의 환경에 적응하는 능력을 지능이라고 보고, 이러한 지능의 발달로 인해 환경에 적응하는 능력이 발달한다고 본다. 인지발달이론은 학습을 환경에 대하여 인지적·심리적으로 적응하는 과정으로 간주하고, 인간 간의 또는 인간과 환경의 상호작용을 강조한다. 이 과정에서 사회화란 유아기에서 청년기 사이의 각 단계에 따라 나타나는 것으로서, 인지적 조직(cognitive organization)상의 질적인 변화기능을 의미한다.

Piaget의 인지적 발달이론을 간단히 요약하면, 아동은 유아에서 성인이 되기까지 4단계의 과정을 거쳐 발달하며, 각 단계는 다수의 인지적 구조에 의해 특징지어진다는 것이다. 각 단계를 특징짓는 인지적 구조들은 외부의 자극과 아동의 반응 사이에 중재적인 역할을 하고 있다. 아동은 어떤 자극이 들어왔을 때 아동이 가진 인지적 구조에 의해 코딩 작용을 일으켜 그 결과로 어떤 반응을 일으키는데, 이런 인지적 구조들은 연령의 차이에 따라 그 성격이 달라진다는 것이다. Piaget의 인지발달 4단계의 특성을 간단히 살펴보면 다음과 같다.

(1) 감각운동기(the sensory stage : 0~2세)

이 단계의 아동은 사고활동을 할 수 없으며 신체적인 반사동작만 수행할 수 있다. 이 감각운동기 동안 아동은 환경과 자신을 구분하지 못하며 다만 반사능력에 의한 단순한 반응을 보인다. 아직 이 단계의 지능은 충분히 내면화된 사고의 형태를 나타내지 않기 때문에 조작(operation)이 이루어지지 않는 단계이다.

(2) 전조작기(the preoperational stage : 2~7세)

이 시기의 아동은 언어와 정신적 상상력과 같은 발달된 상징적 능력들이 있으나, 행동은 아직도 지각적(perceptual) 활동과 밀접한 관련을 맺고 있다. 이 단계에서는 새로운 경험, 새로운 말, 새로운 문제들이 그들의 아주 제한된 정보 속에서 조절된다. 따라서, 이 단계의 아동들은 다른 사람들의 지적, 감정적 견해를 이해하는데 어려움을 겪게 되는데, Piaget는 이를 자기중심적(ego-centric)이라 보고 있다.

(3) 구체적 조작기(the concrete operation stage : 7~11세)

이 단계는 초등학교 아동에 해당되는 단계로, 이때부터 아동들이 논리적 추리를 하게 된다. 즉, 논리적 조작(logical operation)이 발달하게 되는 것이다. 그러므로 전조작기 아동들과 달리 지각에 얽매이지 않고 중심화를 벗어나서 탈중심화(decentration)를 이루며 가역성도 얻게 된다. 가역성(reversibility)이란, 어떤 문제의 해결에 있어 조작의 시점(starting point), 즉 사고의 원점으로 되돌아갈 수 있는 능력을 의미한다. 한 상황의 문제를 동시에 여러 상황에서 볼 수 있으며, 그 상황들을 연상시킬 능력도 있으나 아직 논리가 불완전하다.

(4) 형식적 조작기(the formal operational stage : 12세 이상)

이 단계는 중·고등학생에 해당되는 단계로, 이 시기의 청소년은 논리적 조작에 필요한 모든 문제를 해결할 수 있는 능력이 발달하여 인지적 구조가 성숙의 수준에 이른다. 즉, 형식적 조작의 발달로 이 시기의 아동은 어른과 유사한 사고를 할 수 있게 된다. 또한 상징적 추론이 가능하게 되며, 가설을 세우고 체계적으로 검증하며 추상적 개념을 사용하여 여러 가지 사태를 일반화할 수 있게 된다. 하나의 문제에 직면했을 때 모든 가능한 해결책을 논리적으로 사고하여 문제해결에 이르는 종합적 사고가 가능해진다.

이런 인지발달이론은 아동기뿐만 아니라 더 나아가 후기 청년기, 성인기까지 그 적용범위를 확대시켜 나아가며, 연령보다는 생활주기(life cycle)를 통해서 연구되고 있다. 인지발달이론은 '학습'이란 환경에 대하여 인지적·심리적으로 적응하는 과정으로 파악하고, 인간과 환경 또는 인간 간의 상호작용을 강조하고 있다. 이 과정에서 사회화란 유아기와 성인기 사이의 각 단계에서 나타나는 인지조직상의 질적인 변화기능을 의미한다. 여기서 단계란 아동이 다른 연령에서 환경을 받아들이고 대처하는데 사용할 수 있는 인지적 구조로 정의된다.

이런 인지발달이론에 근거한 소비자사회화 연구는 아동의 연령에 따른 주의, 지각의 차이나 TV광고의 식별능력 등 아동의 지각능력의 형성과정에 초점을 두었다. 아동들이 각자의 독자적인 인지구조의 발달단계에 따라 소비자역할 수행에 필요한 지식, 태도, 기능을 어떻게 획득하는가에 초점이 맞추어져 왔을 것이다. 예를 들면 아주 어린아이는 광고의 설득적인 면을 구분할 수 없는데, 그들은 자극에 대하여 즉각적인 반응을 보이고 사물을 보이는 대로 인지한다. 쭉 펴져 있는 짧은 줄과 꼬불꼬불 감겨 있는 긴 줄을 보았을 때 시각적으로 긴 줄의 길이가 덜 짧다면 아이는 꼬불꼬불 감겨 있는 줄의 길이가 더 짧다고 인지한다. 이러한 인지적 발달과정은 연령에 비례하는 경향을 보인다.

그러나 인지발달이론에 근거한 소비자사회화 연구는 전 생애를 통해 이루어지는 소비자사회화를 지나치게 아동들에게만 중점을 두어 설명한다는 데 한계점이 있다. 따라서 소비자사회화 연구에 있어서 이러한 한계점을 극복하기 위하여 인지발달이론을 적용한 소비자사회화 연구는 아동기뿐만 아니라 후기 청소년, 성인기 더 나아가 노년기까지 그 적용범위를 확대시켜 연령뿐만 아닌 생활주기를 통한 연구를 수행하였다(Mochins, 1987).

2) 사회학습이론

사회학습이론(Social learning theories)의 접근방법은 Neo−Skinnerian, Neo−Hullian, 그리고 사회학습이론들에 그 기원을 두고 있다(홍영기·최선경, 1988). 사회학습이론에서의 사회화란 한 개인과 그 개인이 속한 다양한 사회체계(social−setting)에서 사회화 인자들과의 상호작용 속에서 발생하는 것으로 간주한다. 다시 말해서 규범이나 행위, 동기 등을 학습자에게 전달시켜 주는 영향력의 전달주체(source)인 사회화 인자에 중점을 두고 있으며, 학습자는 모방(modeling), 강화(reinforcement), 사회적 상호작용(social interation)을 통하여 지식이나 행동을 습득하게 된다.

사회학습이론은 인지발달이론과는 달리 소비자사회화 과정을 학습자가 스스로 환경에 적응해 가는 능력을 개발하는 과정으로 보지 않고, 학습자(learner)와 사회화 인자(social agent)와의 상호작용과정으로 보고 있다. 즉 소비자사회화 과정에 있어서 개인이 소비자로서의 역할과 이에 필요한 지식, 태도, 기능을 습득하는 과정 그 자체를 논리의 초점으로 하고 있다.

사회학습이론은 크게 두 가지로 나누어 볼 수 있다. 첫째는 Bandura(1969)로 대표되는 모방이론이고, 둘째는 Skinner(1969)로 대표되는 행동주의 심리학에 기초를 둔 강화이론이다.

(1) 모방이론(modeling theory)

모방이론에서는 사회화란 어른의 행동을 모델로 하여 그것을 모방하고 배우는 것을 통하여 일어나며, 사회에서 승인받는 형식으로 행동하는 것이라고 주장한다. Bandura(1969)는 기능습득과정인 사회화에 있어서 특히 동일시학습이 중요한 역할을 한다고 주장했다. 같은 맥락에서 소비자사회화에서도 학습자는 소비자사회화 인자의 행동을 모방함으로써 역할수행에 필요한 기능학습이 이루어지는 것이다.

(2) 강화이론(reinforcement theory)

강화이론은 인간행동을 반응적 행위와 조작적 행위로 보는 행동주의 심리학을 이론적 근거로 하고 있다. 강화이론에서의 사회화란 상황에 맞추어 구체적인 방식으로 행동하게 개인을 조건화(conditioning)하는 과정으로 자극과 반응의 연상을 통하여 하나의 행동유형을 발전시키는 것을 의미한다(이석로, 1985).

이상에서 살펴본 것 같이 모방이론과 강화이론을 근간으로 하는 사회학습이론은 사회화를 개인에게 적용되는 환경적 영향력의 함수로 설명하고 있다. 아동의 인지와 행동형성은 의미 있는 타자(significant others), 즉 사회화 인자라고 알려져 있는 것이 학습자에게 태도, 규범, 동기, 행동 등을 전달함으로써 이루어지며, 상호작용과정을 중요시하고 있다. 사회적 상호작용이란 모방과 강화의 혼합인데, 상호작용 속에 포함된 특정한 사회규범이 자신의 태도, 가치, 행동을 형성하게 되는 것을 뜻한다. 결국 소비자사회화 과정은 모방과 강화를 혼합한 사회적 상호작용의 과정이라고 볼 수 있다

3) 사회체계이론

사회체계이론(Social system theories)은 영향력의 전달주체가 학습자가 구성원으로 있는 조직체나 집단 내에 있다고 단언한다. 개인은 종종 문화나 하위문화로 언급되어지는 사회의 특정 부분에 한정된 규범이나 행동을 획득하도록 기대된다. 사회화는 그 사람의 문화를 학습하는 과정이기 때문에 학습과정은 문화화(enculturation)로 알려져 왔다. 각기 다른 문화는 각기 다른 규범, 행동 및 가치지향성을 나타내며 따라서 학습의 결과도 문화 및 하위문화에 따라 다를 것으로 기대되었다. 인류학적인 관점은 특히 각기 다른 문화와 하위문화에서의 소비자사회화와 소비자행동을 설명하는데 유용하다(Moschis, 1990). 이러한 차이점은 각기 수용된 규범이 다르기 때문이기도 하지만 개개의 특정한 사회구조 속에서 다르게 작용하고 있는 사회화과정이 다르기 때문이다.

사회체계모델을 사용하는데 있어서 사회조직체의 직접적인 효과를 사람이 관계되는 사회조직체의 간접적 효과와 분리시키는 것이 필수적이다. 왜냐하면 사회체계모델은 사회조직체의 직접적인 효과에 초점을 두고 있기 때문이다. 사회학적인 관점뿐만 아니라 발달적인 관점의 함수이기도 한 학습은 개인과 특정환경 간 능동적인 상호작용의 함수이다(직접 학습). 또한 학습은 특정문화나 하위문화에서 독특하게 나타나는 학습과정에서의 차이에 기인한 것이다. 그러나 불행하게도 사회체계이론들은 학습과정을 분명하게 특정화하지 못했고 또 학습과정과 기준변수들의 기능적인 관계를 분명하게 특정화하지 못했다.

결국 소비자사회화는 소비자가 시장체계 내에서 소비자로서의 역할을 효율적으로 수행하는데 필요한 지식, 태도, 기능을 습득해 가는 과정이므로, 자신이 환경에 대하여 적응하는 인지발달과정과 주위환경과의 상호작용을 거치는 사회학습과정, 그리고 개개의 특정문화나 하위문화에 따라서 달라지는 학습과정으로 파악해야 한다.

3. 소비자사회화의 개념적 모델

앞서 언급한 바와 같이 소비자사회화는 한 개인의 환경에 대한 인지적·심리적 조정과정일 뿐만 아니라 각 문화나 하위문화 속에서 특정 구조를 따르면서 사회화 인자의 상호작용을 통한 사회적 과정으로도 함께 고려되어야 한다. 이러한 모든 과정들을 통합하여 소비자사회화 과정에 대한 개념적 모델이 Mochis와 Churchill(1978)에 의해 제시되었다.

소비자사회화 과정의 개념적 모델은 학습특성(learning property)에 직접적으로 영향을 미치거나 사회화 인자와의 상호작용에 영향을 줌으로써 학습특성에 간접적으로 영향을 미치는 선행변수, 사회화 인자와 학습자의 상호작용에 의한 사회화 과정, 그리고 이러한 사회화 과정의 결과 소비자가 학습하게 되는 학습특성을 근거로 하고 있다.

소비자사회화 과정의 개념적 모델인 그림 3-1에서의 선행변수(antecedent variable)는 사회구조적 변수와 연령 또는 생활주기상의 단계를 포함한다. 이러한 요인들은 소비자사회화 과정을 통하여 소비자사회화의 결과인 학습특성에 직접 또는 간접적으로 영향을 미친다.

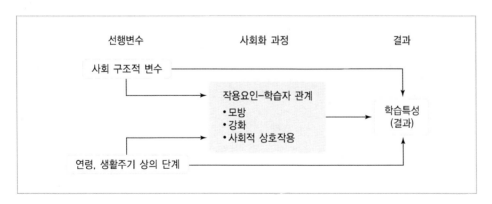

| 그림 3-1 | 소비자사회화의 개념적 모델

자료 : G.P. Moschis, and G.A. Jr. Churchil, "Consumer Socialization: A Theoretical and Empircal Analysis", Journal of Marketing Research 1 (Nov., 1978), p.600.

1) 사회구조적 제한

사회구조적 제한변수는 개인의 학습이 일어나는 환경을 의미하는 것으로, 각 구성원들의 행동이 상대적으로, 동질적으로 나타나는 학습자가 속한 사회계층, 성별, 인종과 같은 요소들이다. 결과적으로 이러한 사회구조적 변수는 직간접으로 소비자사회화에 영향을 미치기 때문에 종종 사회화연구에 있어서 유용한 통제변수로 사용된다. 사회구조적 변수는 개인을 각기 다른 소비자행동 패턴을 갖도록 하는 경향이 있는 특정 하위문화 속에 두기 때문에 하위문화요인(subcultural factors)으로 간주한다.

2) 연령 혹은 가족생활주기

연령 또는 생활주기상의 단계변수는 사람의 인지발달이나 생활주기 단계가 지수로 사용되며, 학습이 이루어지는 소비자의 일생기간을 의미한다. 소비자들은 연령에 따라 인생의 생활주기상의 제 단계를 거친다. 이러한 생활주기상의 제 단계마다 개인적인 차이는 보이나 일정한 유형의 생활양식을 따르게 되며, 이것은 소비자행동에 직접적인 영향을 미치게 된다. 즉 각기 다른 연령이나 생활주기단계에 있는 사람들은 환경변수들에 의해 다르게 영향을 받게 되고 일반적인 자극요인이나 특정한 상업적 자극요인에도 다르게 반응한다고 이론은 제시한다.

3) 사회화 인자

사회화 인자(socialization agents)는 개인일 수도 있고 사회화에 직접 연루한 조직일 수도 있다. 왜냐하면 조직체는 개인과 빈번한 계약관계를 갖고 개인을 지배하고 보상(rewards)과 벌(punishment)을 통해 개인을 통제할 수 있기 때문이다. 이러한 영향요인들은 개인들에게 빈번히 출몰함으로써 새로운 영향요인이 추가되고 예전 영향요인은 사라지면서 개인의 특성발달에 지속적으로 영향을 미친다. 이러한 상호작용의 결과에 따라 개인이 의미 있는 타자의 평가에 귀기울이고 그들의 역할지시에 따르는 일련의 자아-타아 체계(self-other systems)가 개발된다. 사회화모델에 특정 인자가 포함된다는 사실이 갖는 중요성은 분석단위가 인자-학습자 관계(agent-learner relationship)라는 것이다. 인자-학습자 관계는 인자 유형의 공식성과 학습자의 역할에 근거를 두어 네 가지 범주로 분류된다(Talman, 1963).

- 공식 조직체(인자), 특정된 학습자의 역할(예 : 학교)
- 공식 조직체, 특정되지 않은 학습자의 역할(예 : 대중매체)
- 비공식 조직체, 특정된 학습자의 역할(예 : 가족)
- 비공식 조직체, 특정되지 않은 학습자의 역할(예 : 동료집단)

선행연구들은 대중매체, 가족, 동료집단 및 학교가 아동기와 청소년기의 소비자사회화의 중요한 인자라고 밝히고 있으며, 또한 대중매체와 사적 원천들이 일반적으로 사회화의 중요한 인자라고 밝히고 있다. 그러나 Hess(1972)는 격심한 역할 변화에 직면한 노인의 사회화에 있어서 연령만큼 중요한 사회화 인자는 없다고 지적한다. 노인은 배우자, 친구 혹은 형제자매와 같은 동 연배나 어린 자손 혹은 성인 자손 등과 같은 후배에 의존해야만 한다.

4) 학습과정(learning process)

사회화과정에는 사회화 인자들과 학습자 간에 실제로 발생하는 사회화 인자-학습자 간의 관계형태가 포함된다. 소비자사회화에 영향을 미치는 주요 사회화 인자로는 사회화에 직접적으로 관련되는 사람들과 제도들로, 가정, 동료집단, 대중매체, 학교 등을 들 수 있다.

사회화 인자-학습자 간의 관계형태는 모방, 강화, 사회적 상호작용으로 분류된다. 모방은 관찰학습으로 알려진 것으로 학습자가 인자의 행동을 모방함으로써 사회화, 즉 학습이 이루어진다. 강화는 사회화 인자에 의해 학습자에게 주어지는 긍정적 강화(예컨대 상)와 부정적 강화(예컨대 벌)를 의미한다. 사회적 상호작용은 모방과 강화의 혼합이며, 학습유형으로는 다소 덜 구체적이나 사회화 인자와 학습자 간의 명백하고 인지적인 의사소통이 포함된다.

5) 내용 혹은 기준행동

내용 혹은 기준행동은 일정한 사회역할의 수행에 필요한 학습특성(learning properties)을 말한다. 앞서 언급한 소비자사회화 과정을 거쳐 나타난 사회화 결과인 학습특성은 각 소비자의 행동 속성에 따라 매우 다양하게 나타난다. 모델에 따르면 학습결과로서 소비자기능이라 불리는 다양한 인지적 특성과 행동적 특성을 습득하게 된다고 하였다. 즉, 가치, 태도 및 신념 등과 같은 인지적 구성 요소뿐만 아니라 특정한 행동적 특성들을 포함한다. 예를 들면 소비자역할과 관련된 특성으로는 소비자지식, 소비자로서의 활동성, 금전관리능력, 가격에 대한 태도, 물질주의 태도, 소비에 대한 경제적·사회적 동기, 정보탐색활동 등이 고려된다. 좀 더 구체적으로 살펴보면 사회화 인자가 가족, 동료집단 혹은 대중매체 등 무엇이든지 간에 그것을 통하여 다음과 같은 결과가 초래된다.

첫째, 어떤 특정 제품을 단순하게 수용하게 된다. 광고나 가정에서 사용하는 것을 봄으로서 그것을 알게 되고 만족스런 사용 경험을 통하여 강화될 뿐 아니라 이러한 상품과 상표에 대한 기호도 형성될 수 있다.

둘째, 바람직한 제품의 형태, 대체상품이나 상표, 상점 등 시장에서 제공되는 것들에 대하여 알게 되며 이러한 정보들은 시장지식을 축적할 수 있게 한다.

셋째, 현명한 선택을 할 수 있는 지식과 기술을 배우게 된다. 그들은 쿠폰을 모으거나 제품을 비교할 수 있고 우편 카탈로그를 보고 필요한 것을 선택할 수 있다.

학습특성은 다음의 두 가지로 분류되는데, 첫째, 어떤 일정한 사회체계 속에서 개인이 기능하도록 돕는 특성(사회적 특성), 둘째, 어떤 거대한 체계에 의해서 설정된 표준이 무엇이든지 관계없이 개인의 개별적 행동에만 연루되는 특성이 있다(개별적 특성).

일정한 사회체계의 기능에 적절한 기준은 사회에 의해 지시되어지는 것으로 이것은 인간행동의 규범적 이론에 근거를 두고 있다. 여기에서는 사회의 일부 구성원들의 노력으로 다른 구성원들이 어떤 바람직한 결과를 도출해 내도록 규정짓고 있다. 한편, 어떤 행동이 더 큰 체계에 기능적인지 여부에 관계없이 개인으로 하여금 일정한 사회역할을 수행하도록 돕는 인지특성과 행동특성을 포함하는 개인행동에 적합한 개별적 기준이 있다.

4. 소비자사회화 관련 요인

1) 가족

가족은 사회화를 발달시키는 첫 번째 환경이다. 가정교육을 통해서 가족의 구성원들에게 사회가 요구하는 역할과 그 사회의 문화적 가치를 가르쳐 줄 수 있다. 자녀들이 소비자로서 올바른 선택 및 사용행동을 할 수 있도록 필요한 지식과 태도를 가정에서 지도할 수 있다. 제품의 구매필요성의 인식, 평가기준, 제품에 대한 태도와 지식 등을 가족구성원들로부터 사회화과정을 통하여 배운다. 부모는 자녀로부터 유행의 변화를 배우기도 하고 아내는 남편으로부터, 자녀는 부모로부터 새로운 소비생활양식을 배운다.

비공식적 개인 간 의사소통 과정이 몇 가지 유형의 사회조직 속에서 발생하지만(가령 동료집단 혹은 형제자매), 개인 간 의사소통에 대한 가족적 측면이 소비자사회화에 가장 큰 영향을 미친다. 소비자학습에 미치는 가족의사소통의 영향력은 다음의 네 가지 측면에서 논의될 수 있다.

- 부모가 자녀에게 미치는 영향
- 자녀가 부모에게 미치는 영향
- 한 배우자가 다른 한쪽 배우자에게 미치는 영향
- 한 형제나 자매가 다른 형제자매에게 미치는 영향

(1) 부모가 자녀에게 미치는 영향

부모와 자녀 관계는 가장 기본적이고 영구적인 관계로 인간의 성장, 발달에 있어서 가장 중요한 결정요인의 하나이다. 부모의 언어적 상호작용, 즉 의사소통은 자녀의 성장과 발달에 가장 큰 영향을 미친다. 특히 어린 자녀에 대한 부모의 영향력은 매우 큰데, 부모는 정보통제자의 역할을 하며, 부모 판단에 의하여 행동이 비합리적인 것은 행동에 제재를 가함으로써 영향을 미친다. 그러나 부모의 영향력은 자녀의 연령이 증가할수록 감소하는 것으로 나타나 있다.

(2) 자녀가 부모에게 미치는 영향

자녀가 부모의 소비자학습에 미치는 영향은 생애주기에 걸친 다양한 상황 속에서 연구되어졌는데, 예를 들면 Ward와 Wackman(1971)은 어떤 상품을 요구하는 자녀가 어머니의 소비자행동에 미치는 영향을 연구하였는데, 자녀의 요구에 대한 그러한 양보는 부모의 행동수정이라는 장기적 효과를 가지는 것으로 보고되었다. 이는 일종의 소급적 사회화(retroactive socialization)로 자녀가 부모의 소비자행동에 변화를 가져오는 인자로 기여한다.

(3) 배우자에게 미치는 영향

자녀와 부모 간 상호적인 영향력이 의사소통 측면에서 조사된 반면, 소비자학습에 미치는 배우자의 영향력은 가계의사결정의 측면에서 조사되었다. 즉 주로 의사소통과정보다는 권력관계(예를 들면 남편 지배적 경향이냐, 아내 지배적 경향이냐 혹은 자율적이냐, 공동적 경향이냐)에 초점이 맞추어졌으며, 소비자사회화에 미치는 배우자 간 의사소통의 영향력을 연구한 연구는 매우 드물다.

(4) 형제자매에게 미치는 영향

형제자매는 자신들의 소비에 대해 자주 의논하고 그러한 의사소통의 결과가 소비자학습에 영향을 미치는 경향이 있지만 선행연구에서는 소비자결정에 미치는 형제자매의 영향력을 '친척'에 포함시켜 연구했으며, 그 자체로 적절히 연구된 결과가 극히 적다.

가족구성원 간의 의사소통은 명시적·묵시적으로 소비자학습을 형성하는데 중요한 역할을 한다. 이러한 의사소통은 직간접으로 영향을 미치며, 소비자정보의 다른 비가족 전달주체가 갖는 효과를 중재할 수 있다. 가족의사소통이 개인의 소비자행동에 미치는 직접적 영향력은 다른 구성원으로부터의 소비 관련 정보의 획득과 다른 구성원으로부터의 신념, 규범 및 행동패턴의 후속적 형성과 관계가 있다. 간접영향력은 거꾸로 소비자학습에 영향을 미치는 다른 소비자정보의 전달주체와 상호작용하는 패턴의 학습과 관계된다. 결과적으로 가족의사소통은 대

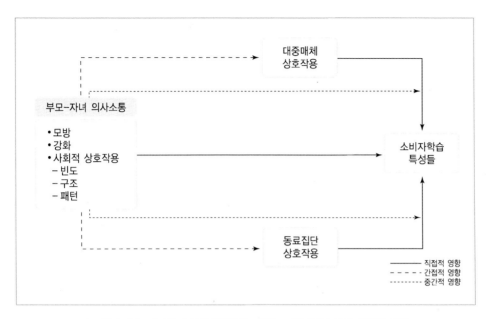

안에 포함된 다이어그램의 텍스트:

대중매체
상호작용

부모-자녀 의사소통

• 모방
• 강화
• 사회적 상호작용
  - 빈도
  - 구조
  - 패턴

소비자학습
특성들

동료집단
상호작용

―― 직접적 영향
- - - 간접적 영향
······ 중간적 영향

| 그림 3-2 | 자녀의 소비자사회화에 미치는 가족의사소통의 영향력 모델

자료 : Moschis, G.P.(1987). Consumer Socialization: A life-cycle perspective. Lexington Books, p.94.

중매체와 동료집단 등과 같은 가족 외부의 다른 소비자학습 전달주체의 효과를 중재함으로써 소비자학습에 영향을 미친다.

이런 직간접 효과가 실증연구에서 보고되었는데, 아동의 소비자사회화에 관한 연구를 고찰해보면 가족의 환경은 아동소비자가 부모의 소비행동을 관찰하고 모방함으로써 아동이 소비자로서 행동할 기회와 경험을 갖게 하는 강화기제를 사용함으로써 명백한 의사소통과정을 통하여 소비자사회화에 직접적으로 영향을 미친다. 그리고 가족환경은 TV광고와 같은 다른 소비자사회화 인자의 효과를 중재하여 간접적으로도 영향을 미친다(박수경, 1990).

2) 동료집단

개인의 모든 생애주기 단계에서 동료집단은 소비자사회화에 중요한 역할을 수행한다. 인간은 친구, 직장동료, 학교친구 및 공식조직체의 구성원들과 같은 다양한 집단과의 사회적 상호작용을 필요로 한다.

개인의 행동과 순차적 사회화에 미치는 동료집단의 영향력 정도는 영향력 행사자와 영향을 받는 자, 영향과정과 선행요인들의 특성들 간의 복잡한 상호작용의 함수이다. 예를 들면, 동료집단(예를 들면 영향인자의 권력을 포함한)과 영향을 받는 자(예를 들면 사회적 의존성)의 개성은 동료집단에 의해 (영향을 받는 자가) 어느 정도나 영향을 받게 될지를 결정하는 경향이 있다. 마찬가지로 동료집단의 특성에 따라 학습과정이 어떻게 작용하게 되는지가 규정된다. 예를 들면 사회학자들은 준거집단을 두 가지 유형으로 분류하였다. 하나는 자아에 대한 기대를 가지고 개인에게 직접적으로 그것을 전달하는 준거집단(명시자)이고, 다른 하나는 그들 자신의 열망이나 위업 수준을 통해 간접적으로 자아에 영향을 미치는 준거집단(모델)(Haller & Porters, 1973)이다. 정적, 부적 강화와 목적적인 소비자연수와 같은 사회적 상호작용기제는 명시자로부터 학습자로 작용하는 경향이 있는데, 여기에서는 모방과정이 모델에서 학습자관계로 작용한다.

사회화에 관계된 사회적 영향력에 대한 한 가지 흥미로운 유형학이 Kelman(1961)에 의해 개진되었는데, Kelman은 사회적 영향력을 수용하는데 있어서 질적인 차이를 고려하여 세 가지 영향력 과정을 개념화하였다.

(1) 순응

순응(compliance)이란 개인이 다른 사람이나 집단으로부터 호의적인 반응을 얻어내기 위해 의도적인 행동을 할 때 적용되는 용어이다. 따라서 행동이 행동자의 신념을 대변하지는 않는다. 순응은 개인이 만족시키고자 하는 사람이나 집단에 의해 감독되어질 때 그들에 맞게 행동되어지는 것이며 다른 사람들이 보지 않을 때는 같은 식으로 행동되지 않는다.

(2) 동일시

동일시(identification)는 개인이 영향력 있는 사람이나 집단과 관계가 있음을 표현하는 행동에 사용되는 용어이다. 동일시과정은 상호적인 역할관계의 존재를 나타내며 매력적인 사람이나 집단과의 관계수립을 시도하는 것을 나타낸다. 그 행동이 행동수행자를 본질적으로 만족시키지는 않지만, 공적, 사적 상황 속에서 그러한 행동이 이루어진다. 그 행동은 영향력 행사자의 기대와 일치하며 양자 간 바람직한 관계에 맞는 방식으로 영향수용자도 행동한다.

(3) 내재화

내재화(internalization)는 영향을 미치는 요인들이 행동자가 보유하고 있는 가치에 수용됨을 서술한다. 행동 그 자체는 이런 경우 본질적으로 보상적인 것인데, 그 이유는 영향력 행사자와의 잠재적 혹은 진행되고 있는 관계 때문에 그 행동을 하는 것이 개인의 가치체계와 일치하기 때문에 그 행동을 하기 때문이다.

선행연구에 따르면 아동소비자가 동료집단으로부터 정보적인 소비, 즉 소비스타일, 분위기 등을 학습한다고 하였으며, 청소년기에 부모로부터 독립하려는 욕구는 동료에 대한 의존으로 연결되어 청소년소비자에게 동료집단은 특히 의미 있는 영향을 미친다. 즉 청소년기에는 부모나 교사보다도 동료집단의 의견을 더욱 중요시하는 경향이 있어, 청소년소비자의 경우 상표와 제품에 대한 선호가 동료집단의 영향을 받으며, 청소년소비자가 동료집단과 소비문제에 대하여 상호작용을 많이 할수록 더 많은 영향을 받는 것으로 보고되고 있다(Coleman, 1961). 또한 대중매체에 대한 민감성이 단지 개인의 특성에 기인한 것이라기보다는 개인이 소비자로서의 동료집단의 지식과 기술을 낮게 평가하거나 동료집단과의 상호작용이 작을 때 더 커진다고 하였다.

3) 대중매체

소비자사회화 인자 중 대중매체만큼 관심의 초점이 된 것은 없다. 신문, 라디오, 잡지, TV 등과 같은 대중매체들은 소비자사회화에 모두 영향을 미치지만 음향과 영상이 결합되어 수용자에게 표현적인 이미지를 제시하는 힘을 지니고 있는 TV가 특히 큰 영향을 미친다고 할 수 있다. 많은 소비자사회화 연구가 어린이와 가족에 미치는 광고의 영향을 둘러싼 이슈에 초점을 두었기 때문에 대중매체광고(특히 TV)는 그러한 연구의 초점이 되어 왔다.

대중매체광고는 소비자사회화에 긍정적인 영향과 부정적이 영향을 동시에 미친다. TV광고의 목적이나 특성을 이해하고 있다면 TV광고는 소비자사회화에 순기능을 하지만, TV광고의 무비판적인 수용은 소비자사회화에 역기능을 할 것이다(박수경, 1990). 아동과 청소년을 대상으로 한 선행연구들은 TV광고가 미치는 영향에 대해 상반된 견해를 보이고 있는데, 즉 TV광고가 아동과 청소년의 소비자사회화의 주요 인자로서 긍정적인 역할을 한다는 견해와 TV광고가 아동과 청소년의 소비자행동에 강력한 영향을 미치기는 하지만, 그 영향의 방향이 비합리적 선택 유발, 충동구매의 유발 및 물질주의적 태도의 형성 등과 같이 부정적이라는 견해이다. 또한 노인소비자를 대상으로 한 선행연구에서 대중매체광고에 많이 노출될수록 부적합한 정보가 부적합한 것으로 인식되지 못하기 때문에 잘못된 학습의 양이 증가할 수 있는 연구(Bikson, 1976)와 소비자정보원으로서 대중매체에 많이 노출될수록 광고판별능력이 높아졌다는 연구도 있다(Smith & Mochins, 1985).

청소년의 소비자사회화에 미치는 TV의 영향은 프로그램의 영향과 광고의 영향으로 나누어 생각해 볼 수 있다. TV프로그램은 소비자학습에 직간접으로 영향을 미친다. 예를 들어 청소년들은 특정한 드라마의 등장인물이 누리고 있는 물질적 재화를 갖고 싶어 한다. 인기 드라마에 출연한 남녀 주인공이 입었던 옷이나 액세서리가 대유행하는 것도 같은 맥락에서 이야기할 수 있다.

TV프로그램보다는 광고가 소비자학습에 더 큰 영향을 미친다고 하는 의견이 강한데(Ward, 1974), 소비자사회화에 있어 TV광고의 영향력을 설명하는 데는 두 가지의 이론이 있다. 첫째는 광고내용 그 자체가 바로 직접적인 설득 기능을 가지고 있기 때문에 자극, 반응 모델에 의해 소비자에게 직접적인 영향을 미친다는 것이다. 둘째는 제한된 효과로서 소비자의 선택적 노출을 통하여 이미 지니고 있는 내적 성향을 강화하는 역할을 하며, 인적 상호작용을 통하여 조정된다는 것이다. 후자의 견해가 소비자사회화에 있어 TV광고의 영향과 더 직접적인 관련이 있다.

Bandura(1971)는 TV광고를 제품정보의 전달자로 간주하고, TV광고의 모방과 관찰을 통해서 사람들은 물질적 재화에 대한 사회적 의미, 즉 소비의 표현적 요소와 정서적 요소를 부여하는 방법을 학습한다고 하였다. 한편 TV시청량이 많을

수록 소비에 대한 사회적 동기가 높으며 개인의 태도가 물질주의적으로 된다는 결과도 있다(Mochins & Churchill, 1978).

4) 학교

학교교육이란 훌륭한 시민으로 또는 경제적으로 자립할 수 있는 인간으로 성장하는데 필요한 지식, 태도, 기술을 아동에게 제공하는 역할을 가지고 있다. 학교교육은 다른 사회화 인자인 가족, TV광고, 친구에 비해 가장 의도적이고 체계적인 사회화과정이기 때문에 이러한 교육을 담당하고 있는 각급 학교의 역할이 소비자사회화에 미치는 영향은 매우 크다고 할 수 있다.

미국에서 경제능력(economic competence)은 초등학교 과정에서 배우는 과목이다. 이러한 학교의 경제교육은 실질적인 교육으로 기본적인 경제용어의 이해에 흥미를 느끼도록 도와주는 것이다.

조직적이고 의도적이며 체계적인 학교의 교육은 아동의 소비자사회화에 미치는 영향도 매우 크다고 할 수 있다. 그러나 Moschis와 Churchill(1978)의 연구에 따르면 학교의 영향력의 중요성에 비해 실제 아동이나 청소년들의 소비자행동에 미치는 영향은 매우 미약한 것으로 나타났다. 이들은 아동이나 청소년들의 소비자사회화에 미치는 영향력이 미약한 이유를 다음과 같이 설명하고 있다. 첫째는 아동이나 청소년들이 효과적인 소비역할을 수행하는데 필요한 유용한 정보가 교육자료에 포함되어 있지 않기 때문이며, 둘째는 교수방법이 비효과적이기 때문이다. 셋째는 학습효과와 다른 변수들이 혼재되어 있기 때문이다. 예를 들면 성적이 낮은 학생들이 소비자과목이 어렵지 않다는 이유로 그 과목을 많이 선택하기 때문이라고 설명하고 있다.

이와 같이 학교교육은 조기교육의 효율성이나 대상의 광범위성 등 중요성에도 불구하고 소비자교육의 교육내용이나 교육방법 등의 비효율성으로 인해 그 역할을 다하지 못하고 있다. 우리나라 학교에서의 소비자교육은 초·중·고등학교 및 대학을 불문하고 교육과정에 의한 교과수업이나 여타의 어떠한 교육활동에도 효율적인 교육이 시행되고 있지 않으며 이를 위한 기본적인 연구도 되어 있지 않다. 다만 교과내용의 일부가 간접적으로 관련되어 교육활동에 결과적으로 기여할 뿐이다.

5) 연령 및 생활주기

발달의 지표로서 연령은 사회화과정의 중요한 선행변수가 된다는 사실은 아동기와 청소년기뿐만 아니라 노년기에도 적용된다. 성인사회화에서는 대부분의 중요한 사회화과정이 사회적이라는 특성을 지니고 있으나, 아동기와 노인기는 생리적인 압력이 더 강해진다고 볼 수 있다. 그러나 연령변수 하나만을 고려하게 되면 다른 사회화과정을 함께 고려하는 것보다는 설명력이 낮을 것이다(Smith & Moschis, 1985).

6) 문화와 하위문화

문화는 인간이 태어난 후 사회생활을 통하여 학습한 모든 것, 즉 지식, 신앙, 예술, 법률, 관습, 도덕, 식습관, 결혼풍습, 사회가치 등이 한곳에 녹아 복합적으로 나타나는 현상을 의미한다. 이렇게 한 세대가 학습한 모든 것을 그대로 다음 세대에게 학습시킴으로써 문화는 대대로 계승되는 특성을 갖는다. 이러한 문화의 특성을 구체적으로 나열하면 다음과 같다(Statt, 1997).

첫째, 문화는 무형이며 비가시적이다.
둘째, 문화는 놀이문화나 패션 등으로 욕구를 충족시켜 준다.
셋째, 문화는 학습된다.
넷째, 문화는 다수에 의해 공유된다. 가족, 교육기관, 종교기관 같은 사회제보뿐만 아니라 대중매체나 광고를 통해서 다수의 사람이 공유한다.
다섯째, 문화는 계속 변화한다.
여섯째, 문화는 사람들에 의해 창조된다.
일곱째, 문화는 지식, 신앙, 예술, 도덕, 법, 관습 등이 합쳐져 하나로 녹아든 것이다.

여덟째, 문화는 보편적이지만 동시에 다양하다.

아홉째, 문화는 개인생활, 가정생활, 직장생활 등 일종의 생활설계이다.

열째, 문화는 환경적응적이므로 인간이 적응해야 할 환경이기도 하다.

서로 다른 공간에서 성장한 사람들은 그들만의 공통된 학습경험을 통하여 고유문화라는 공통된 특성을 갖는다. 또한 문화가 세대 간 격차를 보이는 것은 사회환경의 변화와 함께 세대별 학습내용이 달라지기 때문이다. 따라서 문화는 시간의 흐름에 따라 변화한다.

개인은 개인이 속한 공통된 문화의 학습과 계승을 통해 그 사회구성원들의 대부분에 의해 공유되는 모든 종류의 인지-사고, 상식, 미신, 신화 등-에 따라 행동해야 하는 것(문화적 신념)과 바람직하고 해야 하는 것과 그렇지 않은 것(문화적 가치), 적합한 것과 적합하지 않은 것(문화적 규범, 가령 경로효친 관습 등) 등을 알게 된다.

하위문화(subculture)는 문화(예 : 한국문화)라는 공통된 부류 내에서 하위적으로 갖는 공통된 부류(예 : 청소년문화)를 말한다. Williams(1970)는 하위문화를 "보다 크고 복잡한 사회 내에서 식별될 수 있게 존재하는 독특한 사회집단"이라 정의하였는데, 하위문화의 범주는 크게 국적, 종교, 지역, 인종, 연령, 성별, 직업, 사회계층 등으로 나눌 수 있다.

7) 사회계층

하나의 하위문화이기도 한 사회계층(social class)은 한 사회 내에서 거의 동일한 지위에 있는 사람들로 구성된 집단을 말한다. 즉 사회계층은 생활관습, 가치관, 그리고 관심사나 행동유형에 있어서 비교적 오랫동안 서로 동질성과 유사성을 유지하는 집단이다.

사회계층을 평가하는 기준은 일반적으로 소득 수준, 교육 수준, 직업 종류, 거주지, 주택 형태, 소유 자산 등이 이용되며, 이들을 종합적으로 평가하여 사회계층을 결정한다. 동일한 사회계층은 유사한 교육, 소득 수준 등을 가지고 있어 유사한 가치관, 신념, 취미 등을 가질 확률이 높으며, 이에 따라 쉽게 어떤 제품이 어느 때 필요하며 어느 장소에서 구입할 수 있다는 등에 관한 정보를 교환하는 등 서로 영향을 주고받게 된다.

5. 역소비자사회화(Reverse Consumer Socialization)

1) 개념

사회화가 인간의 일생을 통하여 발생되는 과정이지만 성인들의 사회화과정에 대해서는 거의 연구된 바가 없다. 일반적으로 어린 자녀의 사회화에 부모가 많은 역할을 수행하는 것으로 이해되고 있다. 그러나 현대사회에서는 자녀가 부모에게 많은 영향력을 행사할 수 있으므로 성인의 소비자사회화에 있어서 자녀의 영향력은 소홀히 할 수 없다. 왜냐하면 급속한 기술의 발전으로 그에 따른 지식과 기술을 부모가 미처 습득하지 못하는 경우가 많고, 이에 따라 가족의 의사결정에 자녀의 지식 수준이 많은 영향을 미칠 수 있기 때문이다. 그리고 가족구조의 변화와 자녀 수의 감소로 인하여 가정 내에서 이루어지는 의사결정에 있어서 자녀가 차지하는 비중이 상대적으로 높아졌기 때문에 연소자인 자녀가 상대적으로 연장자인 부모나 성인에게 영향을 미칠 수 있는 가능성이 크게 증가하였다. 이러한 현상을 소비자사회화 개념에 근거하여 역소비자사회화 또는 호혜적 소비자사회화(Reciprocal consumer socialization)라 한다. 다음과 같은 것을 역소비자사회화라 할 수 있다.

- 중년에 젊은이의 문화를 배우는 것
- 과학과 기술의 급격한 발달로 젊은 세대가 많은 지식을 가지고 있는 것을 기성세대가 배우는 것
- 형성된 가치나 형성되고 있는 문화, 가치 등이 기존세대에게 전달되는 것 (과정)

2) 역소비자사회화에 영향을 미치는 요인

부모와 자녀 사이에 커뮤니케이션의 양이 많을수록 역소비자사회화의 양이 증가한다.

3) 가족구조

전체 가족 중 자녀가 차지하는 비중이 핵가족이 크기 때문에 확대가족 유형보다는 핵가족 유형에서 역소비자사회화의 양이 많다.

이는 자녀의 지위와 비중이 핵가족에서 더 높아서 의사발언권이 많이 주어지기 때문이다. 이와 같은 이유로 정상 가족보다 편부모 가족에서 역소비자사회화가 잘 일어난다.

4) 사회 경제적 특성

맞벌이를 하거나 소득액이 커 절대적 소비빈도가 많은 가정에서 구매의사결정에 어린이의 참여가 많고, 어린이가 참여를 많이 하지 않는 가정보다 역사회화가 잘 일어난다.

5) 개인적인 자원의 양

부모와 자녀 간의 상대적인 자원은 가족의사결정을 지배한다. 어렸을 때는 인적·물적 자원이 많은 부모로부터 자녀가 배우는 소비자사회화가 많이 일어난다. 성장한 후에 이루어지는 역소비자사회화도 자원의 양에 따라 영향력의 정도가 다르게 나타난다.

자녀의 개인적인 자원은 가계소득에의 기여, 취업상태, 교육, 학교에서의 성과, 부모의 사랑과 애정 등을 의미하는데 구성원의 자원 수준이 높으면 높을수록 의사결정의 권력이 높아진다. 그러므로 자원을 많이 가진 자녀가 그렇지 않은 자녀보다 부모를 많이 교육시킬 수 있으며, 딸보다 아들, 차남보다 장남, 공부 잘하는 자녀, 취업이 잘 된 자녀가 부모에게 더 많은 영향을 미친다.

6) 제품과 관련된 요인(Product related factor)

　제품을 사용하는 사람, 제품에 대한 정보를 많이 가진 사람이 다른 사람에게 영향을 미칠 수 있다.

---

6. 소비자교육과 소비자사회화

　소비자교육은 현대 경제사회에서 다양한 소비자역할을 수행할 수 있는 소비자 능력을 양성하고, 소비자사회화를 촉진하여 합리적이고 건전한 소비자시민의 자질을 갖추게 한다. 결국 소비자교육은 개인이 소비자로서의 다양한 역할을 수행하기 위하여 필요로 하는 소비자능력을 개발할 수 있도록 도와 주는 것이다. 이러한 소비자능력은 소비자역할을 현명하게, 그리고 효율적으로 수행하기 위하여 필요한 소비자지식, 소비자태도, 소비자기능의 총체인데, 이는 소비자사회화를 통해 성취될 수 있는 것이다. 즉 소비자사회화의 결과물인 학습특성으로서 소비자능력이 개발된다.

　결론적으로 기능적인 소비자사회화는 효과적인 소비자교육을 통해 이루어지며, 이를 통해 소비자능력이 극대화되는 것이다. 이런 측면에서 본다면 이미 앞서 인구연령별로 적용할 수 있는 소비자교육 방법에 대해 논의했던 바 이런 교육이 실질적으로 수행된다면 기능적 소비자사회화가 이루어질 것이다. 교육이라는 관점에서 소비자교육은 가능한 한 빨리 실시될수록 더욱 효과적이며, 이를 통해 소비자사회화가 긍정적으로 개발·진행될 수 있다. 따라서 소비자교육과 관련된 소비자능력 개발은 아동기부터 일찍이 수행되어져야 하기 때문에 특히 아동의 소비자사회화에 좀 더 초점을 맞추어 정리하면 다음과 같다.

　첫째, 소비자사회화 인자로서 가정의 중요성은 이론적, 실증적으로 입증되었기 때문에 가족구성원 간 능력개발, 특히 자녀의 능력개발을 위해서는 소비자학습을 위한 풍부한 환경을 제공하여 주며, 부모, 특히 어머니들은 자녀들에게 자신의 행동을 관찰, 모방하게 하고, 자녀와 소비생활에 대한 의사소통을 함으로써 소비자학습의 기회를 제공하여 줄 필요가 있다. 따라서 자녀에게 소비자경험을 부여하고, 직접적인 소비자교육을 통하여 자녀의 소비자능력 수준을 향상시킬 수 있다. 특히 어머니는 자녀의 소비자사회화를 담당하는 가장 중요한 역할을 하므로 어머니를 대상으로 한 소비자교육이 공식적인 소비자단체나 조직의 체계적인 교육프로그램을 통해서는 물론이고, 어머니들에게 홍보활동 및 대중매체를 통하여 성인기 이후의 소비자사회화가 지속적으로 이루어질 수 있도록 해야 한다.

둘째, 학교는 체계적인 소비자교육을 통하여 아동의 소비자능력을 개발할 수 있는 가장 중요한 제도이다. 또한 TV광고는 아동의 소비자 능력발달을 저해하는 요인으로서 이를 통한 능력개발은 TV광고 규제 측면에서 강구되어야 한다. 소비자로서의 아동이 스스로를 보호하기 위해서는 제도적으로 학교교육을 통한 올바른 소비자교육이 이루어지고, 광고규제를 통하여 아동에게 저해한 요인을 규제하는 두 가지 방안이 동시에 이루어져야 하겠다. 아동이 광고에 대해서 스스로의 방어능력이 형성되는 것은 경제 환경에 대한 일반적인 이해에 기여하고, 아동의 상품지식과 소비자 기능발달에 기여하게 된다. 그렇지만 광고에 대해서 스스로의 방어능력이 형성되지 못하면, 아동은 광고로부터 바람직하지 못한 물질주의적인 가치관을 심어줄 수 있다. TV광고가 모든 연령층의 아동의 소비행동에 중요한 역할을 한다는 것은 의심할 바 없다. 특히 상품 광고는 TV에서 광고된 상품을 위한 중요한 정보의 원천으로서 기여한다. 그렇지만 부가적으로 광고에 대한 방어능력을 심어 주는 역할은 공익광고와 같은 교육적인 차원에서 TV의 또하나의 의무라 생각할 수 있다. 방어능력이 힘든 부분은 자율규제에 의해서 적절하게 규제되어야 하겠다.

셋째, 소비자사회화 인자들의 체계화가 이루어져야 한다. 일반적으로 대중매체와 사적 전달주체는 모든 연령대에서 중요한 사회화 인자이며, 아동과 청소년에게는 대중매체, 가족, 동료집단, 학교가 중요한 사회화 인자이다. 한편 노인의 경우에는 연령이 가장 중요한 변수로 작용하는데, 노인은 배우자, 친구, 형제자매와 같은 동 연배나 성인자녀와 같은 후배에게 의존하는 경향이 있다.

따라서 대상의 연령대에 따른 이러한 사적·공적 사회화 인자들의 상대적 중요성을 고려하여 각 인자들이 유기적인 관계를 갖도록 조직화해야 한다. 각 인자는 각각의 상황과 관계 속에서 작용하기 때문에 소비자교육의 개념과 내용에 관하여 완전하게 합의하기는 힘들다. 소비자교육을 담당하는 사회화 인자가 소비자교육의 차이와 역할을 서로 인식·인정하면서 궁극적으로는 소비자능력 개발과 소비자복지에 초점을 맞추어 가는 상대주의적인 과정의 개념으로 소비자교육의 관점을 형성해야 한다.

소비자교육
프로그램의 설계

04 │ 소비자교육 프로그램의 설계

 소비자를 교육하기 위한 소비자교육 프로그램은 교육대상 소비자집단의 교육요구를 충족시킬 수 있도록 만들어져야 한다. 그러므로 소비자교육 프로그램의 설계에 앞서 소비자의 지식 수준의 측정과 교육요구에 대한 분석이 이루어져야 한다. 그리고 이런 분석에 의해 파악된 소비자의 교육요구에 기초하여 소비자교육 내용을 선정한다 하더라도 실제 교육을 실행하기 위해서는 구체적인 교육프로그램이 만들어져야 한다.

 이 장에서는 일반적인 소비자교육 내용들과 이를 어떻게 조직하고 체계화할 것인가를 살펴보고, 소비자교육 프로그램 작성에 앞선 소비자의 교육요구와 소비자지식을 측정하는 방법, 그리고 소비자의 교육요구분석에 기초하여 소비자교육 프로그램을 설계 시 프로그램의 구체적인 내용선정 및 설계과정에서의 유의사항과 소비자교육 프로그램의 평가에 관한 사항을 점검해 보도록 하자.

1. 소비자교육 내용의 분류

 과거에 소비자교육은 금전관리와 구매기능에 초점을 맞추어 왔으나 오늘날에는 소비자의 합리적인 의사결정을 위한 교육과 소비자의 권리와 역할에 대한 교육을 포함하는 것으로 그 내용이 확대되고 있다. 더욱이 최근에 소비생활이 복잡해지고 소비자문제가 점점 더 심각해짐에 따라 소비자문제가 단순히 경제적 측면의 문제만이 아니라 생활 전반에 걸친 문제로 확대되면서 소비자교육 내용도 다양한 영역을 포함하게 되었다.

한정적인 자원과 시간의 제약 속에서 효과 높은 소비자교육이 이루어지기 위해서는 기본적인 소비자교육 주제에 관하여 일치된 견해가 필요하고 소비자와 사회의 교육적 요구를 충족시켜 주는 내용을 파악하여 이러한 주제들이 체계화된 소비자교육 프로그램을 통하여 소비자에게 잘 전달되어야 한다. 그러므로 구체적인 소비자교육 프로그램을 마련하기 위해서는 주요 소비자교육 주제와 그하위 주제들을 잘 조직화하고 체계화하는 작업이 선행되어야 한다.

1) 소비자교육 내용의 분류와 체계화

소비자교육의 내용은 광범위하고 포괄적인 만큼 학자들마다 다양하게 분류해 왔다. 그동안 소비자교육의 내용분류에 있어서 가장 많이 사용되어 온 것은 바니스터와 몬스마(Banister & Monsma, 1980)의 분류였다. 이 분류는 내용체계와 위계가 분명하여 소비자교육 주제를 선정하고 교육프로그램을 작성하는데 매우 유용한 지침으로 세계적으로 많이 거론되는 분류이다. 그러나 이 분류는 분류체계가 작성된 시대적 상황을 반영하여 합리적 의사결정에 초점을 맞추고 있어 주요영역을 크게 의사결정, 자원관리, 시민참여로 나누고 있으며, 그 하위영역의 내용에 있어서 금전 관련 부분이 많이 강조되었다. 이는 미국의 소비자교육 상황을 반영하는 것으로 소비자안전과 관련된 법과 제도들이 잘 정비되어 있어 이러한 부분의 교육적 함의가 높지 않은 점, 경제교육의 전통과 영향 때문이라 할 수 있다(배순영·이기춘, 2001).

소비자교육은 소비자로서의 올바른 자질을 갖추기 위한 지식, 태도, 기능의 전달을 위한 것이지만 소비자의 실생활에서의 요구를 반영하지 않으면 실질적인 교육효과를 거두기 어렵다. 그러나 동시에 소비자의 요구만을 수용하고 기초적인 지식의 교육에 소홀해서는 안 될 것이다.

그러므로 소비자교육 내용의 분류와 체계화도 사회의 변화를 수용하고 우리나라의 실정에 맞게 이루어져야 한다. 그동안 정보통신기술의 눈부신 발달로 새롭게 부각된 전자상거래와 관련된 내용과 심각한 사회문제로 떠오른 환경문제와 관련된 내용, 그리고 생명공학기술의 발달로 새롭게 부상하고 있는 식품의 안전성에 대한 내용 등이 포함되어야 할 것이다.

2) 소비자교육 프로그램의 체계화 방안

- 소비자교육 프로그램의 내용이 편중됨을 지양하고 다양화를 꾀해야 하며, 소비자의 입장에서 생활가치를 수호하기 위한 소비자교육 프로그램이 연구, 개발되어야 한다.
- 현재의 경제적, 사회적, 문화적 상태와 국가적, 지역적 수준의 욕구를 충족시키도록 프로그램의 내용을 설정해야 한다.
- 우리나라 소비자교육의 경우 이론에 중점을 둔 소비자교육 프로그램이다. 소비자교육을 내재화, 생활화하기 위해서는 학습자 중심, 실생활 문제 중심으로 이루어져야 한다.
- 소비자교육 프로그램 내용의 유용성을 높이기 위해 소비자교육의 내용영역을 고려하고 사정, 학교, 지역사회의 긴밀한 상호관련성을 고려하여 자립인간능력의 개발이라는 소비자교육의 궁극적인 목적에 입각한 과정별 교육이 필요하다.

3) 주요 소비자교육 주제

소비자교육은 전형적으로 개별 소비자의 선택 및 사적 재화의 구매에 관한 내용을 주로 다루어 합리적인 소비생활을 강조해 왔지만, 그 개별 선택이 어떠한 사회적 결과를 가져오는가에 대하여는 많은 관심을 기울이지 않아 온 것이 사실이다. 앞으로 소비자교육은 개별 소비자의 복지 수준 향상과 관련된 내용뿐만 아니라 개인 소비자의 선택이 전체 사회에 미치는 영향, 그리고 현재뿐만 아니라 미래를 고려한 소비자행동에 관한 내용이 포함되어야 한다.

소비자교육은 두 가지를 전제로 구성되어야 한다. 하나는 이용할 수 있는 재화와 서비스에 단지 반응만 하는 소극적인 역할을 하기보다는 생산되는 재화와 서비스에 영향력을 행사하는 능동적인 소비자역할이며, 다른 하나는 전통적으로 가르쳐 왔던 시장 및 금전관리기술의 내용을 확대하여 소비자와 소비자행동이 일어나는 경제·정치·사회·물리 조직 간의 상호관계이다. 이러한 내용들을 실질적으로 교육하기 위해서 소비자교육에는 다음과 같은 주제들이 포함되어야 한다.

(1) 의사결정과정

오늘날 소비자는 거의 매일 자신과 가족을 위해 또는 자신과 관련된 타인을 위해 소비를 위한 선택을 하고 있다. 소비자는 무엇을 살 것인가부터 얼마나, 어디서, 어떻게 구매할 것인가까지 일련의 선택과정이 끊임없이 이어지는 생활을 한다.

사소한 선택에서 중대한 선택에 이르기까지 많은 선택은 결과도 중요하지만 그 선택을 하기까지의 과정과 선택한 후의 과정, 즉 문제의 인식, 정보탐색, 대안평가, 의사결정과 선택, 그리고 구매 후의 평가로 이어지는 일련의 과정이 모두 연결되어 있기 때문에 어느 하나 소홀히 해서는 안 되는 것이다. 그러므로 소비자를 교육함에 있어서 선택의 과정에 관한 내용을 교육하는 것은 아주 기본적인 일이라 할 수 있다.

일반적으로 소비자의 의사결정과정은 다음과 같은 5단계를 거친다.

- 문제(욕구)인식(Need recognition) : 소비자가 의사결정과정을 바라보는 상태와 실제의 상태 간의 차이를 지각하는 단계
- 정보탐색(Search for information) : 소비자가 기억에 저장된 정보를 탐색하거나(내적 탐색) 환경으로부터 의사결정과 관련된 정보를 습득하는(외적 탐색) 단계
- 대안평가(Alternative evalution) : 소비자가 기대한 이익의 견지에서 대안을 평가하고 상표 대안의 선택의 폭을 좁히는 단계

- 구매(Purchase) : 소비자가 선호하는 대안 또는 수용할 수 있는 대체안을 획득하는 단계
- 결과(Output) : 대안이 일단 선택되었다면 소비자는 선택대안이 욕구와 기대에 부합하는지를 평가(만족, 불만족)하는 단계

(2) 소비자정보의 유형과 내용 및 획득방법

의사결정의 과정에 중대한 영향을 미치는 것이 정보의 소유 여부라 할 수 있다. 그러므로 소비자들의 의사결정과정에 필요한 정보의 유형과 내용에 대한 교육이 필요하다. 그러나 소비자에게 필요한 정보를 직접 제공하는 것보다는 필요한 정보를 어디에서 어떠한 방법으로 획득할 수 있는지를 교육하는 것이 보다 바람직한 교육방법이다.

소비자가 보다 적극적으로 정보를 탐색하고 이를 활용하면 현재 시장환경에서 정보를 활용하지 않을 때보다 합리적인 선택을 하게 되어 생산자들 사이에 경쟁을 유발하게 된다. 그리고 다양한 경로를 통해 소비자에게 정보를 제공하면 생산자들의 경쟁을 유발하므로 실제 소비자가 제공되는 정보를 사용하지 않는다 하더라도 소비자에게 득이 되는 비사용이익(non-use benefit)을 가져올 수 있다.

그러나 정보제공의 효과를 극대화하기 위해서는 무엇보다도 소비자들이 제공되는 정보를 적극적으로 사용하도록 교육해야 한다. 정보제공과 함께 바르고 확고한 가치관을 가지고 그에 근거하여 직접 실천할 수 있는 자신감을 갖도록 교육하는 것이 필요하다.

(3) 합리적 소비

소비자교육의 중요한 목표 중의 하나는 개개인의 소비자들이 교육을 통하여 합리적인 소비행위를 하도록 하는 데 있다. 그러므로 소비자교육을 통해서 합리적인 소비가 무엇인지를 소비자에게 분명히 전달해야 한다.

합리적 소비를 하기 위해서는 무엇보다도 가족원이 가진 자원, 즉 소득을 얻을 수 있는 능력을 정확히 판단할 수 있어야 한다. 그리고 한정된 소득을 잘 분배하여 가족원들의 욕구를 가능한 한 최대로 충족시켜 최대의 만족을 얻도록 사

용하는 것이 합리적인 소비라 할 수 있다. 이러한 합리적인 소비의 기본적인 개념 이외에 이러한 소비의 과정에 영향을 미치는 다양한 요인들도 같이 고려해야 할 것이다.

일반적으로 합리적이란 용어는 여러 가지 의미로 사용될 수 있다. 그러나 동일한 자원을 투입하여 최대의 만족을 얻거나 동일한 결과를 얻기 위해서 최소의 자원을 사용하는 것을 의미하는 것은 아니다. 즉 최소의 비용으로 최대의 효용을 얻도록 하는 것은 경제학적인 개념인 효율성과 관련된 문제이며 합리적인 것이 반드시 효율적이지는 않은 것이다. 소비자 각자의 욕구가 다르기 때문에 효율성만을 강조하는 것은 인간의 다양한 욕구를 반영하지 못하는 것이다. 대부분의 소비자들은 욕구 충족을 위해 나름대로 충분히 생각하고 결정하여 자신에게 가장 적합하다고 생각한 재화나 서비스를 획득하므로 이러한 과정을 거쳐 소비자가 만족하였다면 소비자의 소비행동은 나름대로 합리적이라고 할 수 있다.

그러나 합리적인 소비에 대한 교육을 한다는 것은 소비자의 모든 소비행동의 타당성을 인정해 주자는 것이 아니다. 다시 말해서 소비자교육은 의사결정과정을 거쳐서 나름대로 타당한 이유가 있어 이루어지는 소비자의 합리적인 소비행동이 효율적인 결과를 가져오도록 하기 위한 것이다.

(4) 재무관리

소비자의 소비행동은 소득이라는 화폐자원의 제약을 크게 받는다. 장기적으로는 소득을 증가시키는데 사용할 수 있는 인적 자본에 대한 투자와 이러한 투자에 의해 형성된 인적 자원의 크기에 의해서 많은 차이를 보이게 된다. 이러한 점을 고려한다면 경제자원의 관리는 소비자교육에 있어서 필수적인 영역이라고 할 수 있다.

일반적으로 소비자는 제한된 소득을 초과하지 않는 범위 내에서 소비행동을 할 때 큰 문제없이 생활할 수 있다. 그러나 인간의 욕망은 무한하고 소득은 한정되어 있기 때문에 소득의 범위 내에서 지출을 맞추는 것은 매우 힘든 일이다. 그러므로 소득과 지출의 균형을 맞추는데 필요한 알뜰 쇼핑 요령이나 가계부 기록 등과 같은 것을 교육하는 것은 소비자에게 매우 유익한 것이다.

그러나 소비자교육은 단순히 현재의 소비생활의 균형을 위한 수지결산에 중점을 두는 교육이 되어서는 안 된다. 인간의 일반적인 생활유형을 살펴볼 때 생활주기에 따라 요구되는 경제자원의 크기가 다르기 때문에 단순히 현재의 수지결산에 급급하다 보면 장기적으로 보다 큰 만족을 얻을 수 있는 기회를 놓쳐 버릴 수가 있다.

경제환경이 급변하고 있는 현 상황에서 재무관리와 관련된 지식은 소비자의 소비행동을 크게 제약하는 경제자원의 크기를 조절할 수 있는 능력으로 이어지며, 장기적인 생활설계와 함께 그에 따른 필요자원을 예측하고 미리 준비하는 장기적인 재무관리에 대한 교육이 소비자들의 합리적인 소비생활을 위한 초석이 되므로 소비자교육에는 재무관리에 관한 내용이 반드시 포함되어야 한다.

(5) 가치선택

재화와 용역의 실제 소비만이 만족을 제공한다는 소비의 효용에 대한 생각을 재검토해야 한다. 식사를 준비한다든지 아름다운 자연경관을 바라보는 것과 같이 우리가 만족을 느끼는 많은 행동은 소비라고 분류하기는 어려운 범주에 속한다. 그러므로 소비자들은 재화나 용역의 실제 소비 이외에도 소비의 과정에서, 그리고 이와 직간접적으로 관련된 많은 활동에서 만족을 느끼게 되는데, 어느 활동에 얼마나 만족을 느끼는가는 소비자가 어떤 가치관을 가지고 있느냐에 따라 다르다. 어느 것을 중요하게 여기느냐는 소비자가 속한 사회의 판단 기준과도 매우 밀접한 관련이 있다.

가치의 문제는 경제성의 문제와 함께 소비자행동에 영향을 미치는 중요 요인이다. 이 두 가지 중심 요인의 상대적 비중과 상호 영향력의 크기는 조건에 따라 달라지지만 대체로 한편의 요인은 다른 편의 요인에 부분적인 영향을 줄 뿐이며 각 요소는 상당히 자율적으로 소비자행동에 영향을 미친다고 할 수 있다.

자본주의 시장경제 하에서 자유경쟁이 존속하는 한 소비자는 상품의 구입결정에 대해서 모든 소비활동의 개인적인 목표와 사회적으로 바람직한 보다 높은 가치와 조화를 추구하지 않으면 안 된다. 그러므로 사회적으로 요구되는 바람직한 가치를 교육하고 소비자가 그 가치를 수용하고 내면화하여 실천하도록 하는 것은 소비자 개인의 소비생활뿐만 아니라 소비자가 속한 사회의 지속과 발전을 위해 필요하다.

(6) 소비자시민의식

소비자문제의 대부분은 현실적으로 약자인 소비자와 강자인 기업의 능력의 차이에서 발생하는 것으로 볼 수 있다. 이러한 배경에서 발생한 소비자의 피해는 소비자 개개인의 힘으로 해결하기가 어렵고 설사 개인적인 소비자피해가 해결이 된다 하더라도 소비자와 기업 사이의 힘의 불균형이 개선되기는 매우 어렵다.

소비자가 경험하는 다양한 유형의 피해를 예방하거나 해결하기 위한 많은 제도적 장치들은 소비자가 적극적으로 이용하지 않으면 그 효력을 발휘할 수 없다. 그리고 개별적으로 현명하고 합리적인 소비자가 되는 것만으로는 현재의 기업 주도적인 시장조건 하에서 최대의 만족을 얻는 것에 불과하다. 시장조건이 개선된다면 더 적은 비용으로 같은 만족을 얻거나 같은 비용으로 더 큰 만족을 얻을 수 있기 때문이다.

그러나 소비자들은 거래의 상대인 기업과 비교하여 기술, 지식, 조직력 등 여러 가지 측면에서 약세이다. 이것을 어떻게 극복하여 현재의 기업 주도적인 시장구조를 소비자 주도로 바꿀 수 있을 것인가?

예를 들어 내가 구매한 별로 비싸지 않은 물건에 문제가 생겼을 경우에 어떻게 행동하는지 생각해 보자. 대부분의 소비자는 아쉽고 기분이 나쁘지만 그 문제를 수정하기 위한 노력이 귀찮아서 '다음에는 그 물건을 사지 말아야지.'라고 생각하며 그냥 지나쳐 버린다. 그 물건의 문제점, 결함에 대한 지적을 하지 않으므로 그 소비자는 의도하지는 않았지만 기업이 그 문제를 수정하지 않고 계속 그 물건을 생산하여 판매하게 하므로 또 다른 소비자가 같은 문제를 경험하도록 방관하는 것이다. 이때 소비자가 비록 값이 싼 물건이지만 문제를 해결하기 위해서 노력한다면 기업이 물건의 결함과 관련하여 개선할 가능성이 높아진다.

중요한 것은 소비자들의 연대의식과 조직적인 참여의식이다. 아무리 정부가 정책적, 행정적으로 소비자를 지원한다 하더라도 이를 소비자들이 수용하여 적극적으로 활용하지 못한다면 소비자보호를 위한 정부의 노력은 실효를 거두지 못한다.

그러므로 사소한 일이라 할지라도 소비자들이 나 하나쯤은 하는 의식을 벗어 버리고 나부터라는 마음가짐으로 참여하는 자세를 확립하도록 교육해야 한다.

(7) 환경보호적 소비

소비자로서 개개인은 지역, 국가, 세계 경제의 흥망에 매우 중요한 역할을 수행한다. 한 사람 한 사람의 소비자가 내리는 소비행동에 관한 결정이 천연자원이나 교통, 생산, 금융 등 많은 재화의 수요에 영향을 미친다. 이것들은 노동자의 고용과 자원의 개발, 기업의 성쇠에 영향을 미치게 되므로 소비자의 소비행동은 소비자 개인이 속해 있는 현대 사회에 있어서 모든 업무에 영향을 미치는 중심적 요인이 된다. 소비자의 많은 소비행동들은 사회와 떨어져 독립적으로 이루어질 수 없으므로 소비자가 개인적인 소비행동에 관한 의사결정을 할 때 그 행동의 결과가 가져오는 사회적인 파급효과를 고려해야 할 것을 교육해야 한다.

그리고 새롭게 부각되고 있는 현실문제인 자원의 고갈문제, 환경오염과 관련하여 개인적인 의사결정이나 더 나아가 집단적인 의사결정이 요구될 때 그 시점에만 국한하지 않고 미래의 가능성을 고려해야 함을 교육해야 한다.

(8) 정보화와 전자상거래

최근 급속한 정보통신 기술의 발달과 인터넷의 확산에 의한 디지털혁명으로 정보화와 글로벌화가 촉진되고, 지식과 정보의 중요성이 날로 증대되는 등 21세기 세계경제는 전통적인 산업경제에서 디지털 경제시대로 빠르게 전환되고 있다. 디지털 경제는 산업경제와 뚜렷한 차이점을 보이는데, 우선 노동이나 자본이 중요한 생산요소로 여겨지던 산업경제와 달리 지식과 정보가 중요한 생산요소로 여겨진다. 이러한 사회를 정보사회라 하는데, 정보사회란 주요 인간 활동이 정보 및 통신기술의 지원을 받아 이루어지는 사회를 말한다. 즉 정보가 생산성과 권력의 원천이 되는 사회로 엄청나게 많은 양의 정보가 신속하게 처리되고 전달·공급되며, 핵심적인 정보가 그 사회 운영의 중심을 구성한다는 점에서 산업사회와 구분된다.

- 정보의 생산량과 유통량이 급속히 증대되고, 이런 정보의 대량화로 인해 사회의 변화가 가속화된다.
- 사회의 시스템화로 인해 정보 상호 간의 관련성이 깊어지며, 인구가 정보산업으로 이동하고 생활양식이 변화하게 된다.
- 경제·정치·사회 제 분야에서 정보의 가치가 증대하는 등 정보가 사회의 지배적 자원으로 등장하게 된다.
- 소비양식과 소비자의 기호가 다양해지고 이에 따라 생산방식도 다품종 소량생산의 형태로 바뀌는 등 시장상황의 급격한 변화로 인해 소비생활에 많은 변화가 나타날 것이다.

그러나 정보사회에 살고 있다고 해서 모든 사람들이 정보화의 혜택을 누릴 수 있는 것은 아니며 정보화된 소비자만이 제대로 권리를 행사하고 책임을 다할 수 있다. 정보화사회의 여러 가지 변화 중에서도 재화와 서비스를 생산하는 기업과 그러한 재화의 서비스를 구매하여 사용하는 소비자 사이의 유통단계에 혁명적인 변화를 가져온 전자상거래는 저렴한 거래비용, 공간제약의 탈피, 제품소비와 쇼핑시간의 단축 등의 장점을 기반으로 급속도로 확산되고 있는 실정이다.

일반적으로 전자상거래는 개인, 기업, 정부 등의 경제주체들 사이에서 개방형 네트워크인 컴퓨터 통신망을 활용하여 전자적으로 이루어지는 제반 경제활동을 지칭하는 것으로, 인터넷을 기반으로 하여 행하는 가치 있는 정보의 획득, 광고, 수주·발주 업무, 제품의 홍보 및 판매, 대금 결제 등 모든 경제활동을 뜻한다.

전자상거래는 공간적·시간적 제약이 없고, 유통비 절감에 따른 상품가격 인하가 가능할 뿐만 아니라 소비자의 정보탐색비용도 절감시킨다. 더 나아가 전통적인 시장에서는 불가능하거나 어렵던 새로운 공동구매나 역경매방식 등 소비자에게 유리한 거래방식이 속속 등장하고 있다. 그러나 전자상거래가 기본적으로 거래의 상대방이 서로 대면하지 못하는 가운데 거래가 이루어진다는 특성 때문에 프라이버시 침해나 거래과정에서의 불이익 등 다양한 소비자문제가 야기된다. 그럼에도 불구하고 전자상거래를 통한 거래의 증가는 불가피한 현상이므로, 이에 소비자들이 보다 효율적인 정보화에 의한 이익을 획득하고 전자상거래를 활용하게 하기 위해서는 이에 대한 교육이 아주 중요하다.

(9) 안전의 확보

　소비자의 권리 중에서 가장 먼저 언급되는 기본적이고 중요한 권리가 안전할 권리이다. 이는 안전이라는 것이 생명의 유지에 관한 것이기 때문이라 생각할 수 있다. 안전이라는 것은 위해나 위험과는 반대의 개념이다. 그러나 안전하다는 것이 100% 위험이 없는 상태를 의미하는 것은 아니다. 사실 위험이 전혀 없는 상태는 이상적일지는 모르지만 현실적으로 불가능할 뿐만 아니라 경제적으로도 비효율적이다. 즉 위험을 제거하는데 드는 비용에 비해 얻어지는 안전의 증가분이 매우 적다는 것이다. 그러므로 안전하다는 것은 위험이 무시될 수 있거나 또는 위험을 수용하는 이익이 더 크기 때문에 받아들일 수 있다는 의미로, 상대적인 안전성이라 할 수 있다.

　일반적으로 사회에서 허용하는 안전성의 수준은 사회 전체의 경제 수준, 교육 수준, 사회구성원의 의식 수준에 따라 다르다. 일반적으로 선진국이 후진국에 비해서 높은 안전 수준을 추구하며 실제 위험의 사전적 예방정책인 안전규제정책에 이러한 사회의 인식이 반영된다. 소비자는 안전과 관련하여 자신의 소비생활과 관련한 모든 재화와 용역에 대해서 효율적이면서 수용할 만한 위험 수준을 스스로 결정할 수 있어야 한다. 이때 위험은 단순히 드러난 위해뿐만 아니라 좋지 않은 결과가 발생할 확률과 그 결과의 심각성으로 정의된다. 그러므로 소비자 안전은 안전사고 혹은 사건으로 나타나지 않았으나 좋지 않은 결과를 가져올 잠재력을 가진 것으로부터 보호받는 것도 포함된다.

　정부가 최소한의 안전성을 유지하도록 기준을 정하고 이 기준에 미치지 못하는 것을 규제하지만 이때의 규제기준은 위험이 전혀 없는 상태가 아니기 때문에 소비자는 스스로 자신의 안전을 위해 추가적인 노력을 기울여야 한다. 이때 소비자가 사용할 수 있는 안전에 관한 중요 판단기준에 대한 기본적인 지식들을 소비자교육을 통해 전달하므로 소비자 개인의 안전 수준을 높이는 동시에 안전에 대해 알고 합리적으로 행동하는 소비자로 육성하여 안전을 유지하기 위한 사회의 비용을 줄임과 동시에 사회의 전체적인 안전 수준을 높이는 것이 필요하다.

　이상과 같은 주요 소비자교육 주제들을 살펴보면 결론적으로 소비자교육은 다양한 자원의 사용에 관하여 개인적 가치와 사회적 요구에 부응하여 합리적이고 효율적인 소비자 선택을 할 수 있도록 교육하는 것이라 할 수 있다.

4) 연령별 소비자교육의 내용과 목표의 예

(1) 어린이 성장에 따른 단계별 소비자교육의 내용과 목표

구 분		1단계 만 5~8세 (유치원, 초등 저학년)	2단계 만 9~11세 (초등 고학년)	3단계 만 12~17세 (중·고등학생)
소비자 가치와 행동	책임 있는 선택	소비자가 누구인지 이해하기	선택의 이유와 방법 알기	생활양식에 따라 선택 욕구와 요구가 다름을 인식하기
	자원 관리	자원의 효과적이고 책임 있는 사용 이해하기	자원에 영향을 주는 요소 이해하기(지역 / 전국 / 세계 차원)	사용가능한 자원을 충분히 이해하고 활용하기
	소비자행동 및 영향	소비자가 상품 생산에 영향을 줄 수 있음을 이해하기	• 소비자 행동이 미치는 결과(일부분이라도) 이해하기 • 소비자 이슈 토론에 참여하기	• 소비자 행동의 비용과 이익을 평가하기 • 생산자에게 영향을 미치는 소비자 행동 방법 알기
시장에서의 소비자	제품 정보	제품 정보를 이해하고 그 목적에 대해 인식하기	제품비교를 위한 다양한 소비자정보 수집 및 기록하기	복잡한 제품 정보를 읽고 이해하기
	광고와 판매기법	생산자가 광고한다는 사실 알기	광고·마케팅 정보의 목적과 소비자 선택에 미치는 영향을 이해하기	소비자정보와 광고 및 마케팅 정보 간의 차이점 이해하기
	상품과 서비스 사용	상품과 서비스 간의 차이점 알기	상이한 상품과 서비스 간의 선택 이유 설명하기	인터넷과 같은 신기술이 생산자, 소비자, 유통업자에 미친 변화 이해하기
소비자 권리와 책임	권리와 책임	소비자 권리 알기	소비자 권리뿐만 아니라 소비자 책임 이해하기	소비자가 가족 및 공동체를 위해 책임감 있게 행동해야 함을 이해하기
	만족과 불만족의 표현	소비자는 좋은 서비스를 기대할 수 있음을 알기	상품과 서비스의 장단점을 평가하고, 필요한 경우 적절히 불만 제기하기	불만과 의견을 제시하는 다양한 방식―서면·구두―알고 실천할 수 있기

자료 : 배순영(2002). "바람직한 어린이 소비자교육 : 풍부한 경험과 끊임없는 대화 올바른 소비 생활 태도 형성에 중요". 소비자시대 2002년 5월호. 한국소비자보호원. p.7.

(2) 아동 및 청소년 소비자교육 정보 디렉토리 안

초등학생	중·고등학생	
• 소비와 환경 • 금전 • 광고 • 건강과 안전 • 인터넷 • 재미난 시장 • 소비자책임과 권리	• 음악 • 음식 • 미디어 / 스포츠 • 금전 / 신용 • 광고와 설득 • 저작권 • 소비주의 : 어제와 오늘	• 패션 • 다이어트와 미용 • 안전 • 계약 Q&A • 청소년의 소비문화 • 인터넷과 전자상거래 • 미래의 소비생활

자료 : 배순영(2001). 온라인 소비자교육체제 구축방안 연구, 연구보고서 2001-01. 한국소비자보호원. p.155.

(3) 노인소비자교육 프로그램 안

문제인식 교육			구매 교육		자립 교육		
현대사회와 소비자	소비자의 개념	• 소비자개념 • 노인소비생활의 변화와 노인소비자의 등장	상품	식품	• 식품 관련 소비자피해 사례 • 식품표시제도 • 식품과 소비자안전 • 건강보조식품의 기능 • 식품 관련 소비자피해 보상방법	소비자 권리	소비자 권리	소비자의 권리
	현대사회에서 소비자의 지위	• 노인소비자의 특성 • 자본주의 경제구조의 특성 • 소비자와 생산자의 지위의 비대등성 요인		의류	• 의류 관련 소비자피해 사례 • 의류표시제도 • 노인용 의류구입 정보 • 의류 관련 소비자피해 보상방법		
소비자문제의 배경 및 본질	소비자문제의 배경	• 기술혁신·대량생산판매, 마케팅 등 경제적 변화와 소비자문제와의 관계 • 소비생활 변화, 소비자행동 변화, 노동시간 / 여가 변화와 소비자문제와의 관계		주택	• 주택 내 노인안전사고 실태 및 예방방법 • 주택 관련 소비자피해 사례 • 노인을 위한 주택설계 • 주택임대차보호법	소비자 보호 법제	• 소비자보호법 및 소비자 관련법 • 노인소비자 보호제도
	소비자문제의 본질	• 기업, 정부, 소비자단체 및 소비자참여와 소비자문제와의 관계 • 소비자문제에 대한 시각 • 소비자문제의 특성		가구·가정기기	• 가구 관련 소비자피해 사례 • 가정기기 관련 소비자피해 사례 • 가정기기의 올바른 사용법 • 가구 및 가정기기의 AS요령 • 가구 및 가정기기 처분요령 • 가구 및 가정기기의 소비자피해 대처방법		
소비자문제의 현황	안전·위해	• 노인소비자안전·위해사고 현황 • 안전·위해사고 대처 요령 • 소비자안전관리제도		건강관련 제품	• 의약품 소비자피해 사례 • 가정용 의료기기 관련 소비자피해 사례 • 의약품 표시 • 가정용 의료기기 표시와 구입요령 • 노인가구의 상비약품 종류 및 특정 질병 주의 약품 • 가정용 의료기기의 종류와 구매처	소비자 보호 기관	소비자보호기관의 종류 및 특성
	품질·기능	• 제품 품질·기능 관련 소비자피해 사례 • 품질·기능관련 소비자피해 대처요령 • 품질관리제도 및 실태					

(계속)

문제인식 교육		구매 교육		자립 교육	

소
비
자
문
제
의
현
황
	가격·요금
	• 가격·요금 관련 소비
	  자피해 사례
	• 적정가격 구입 요령
	• 가격에 관한 정보수집
	  방법
	• 품목별 가격 관련 제도
		상품 / 건강
		관련
		제품
			• 의약품 및 가정용 의료기
			  기에 의한 소비자피해 대
			  처요령
				소비
				행위의
				사회적
				책임
					• 개인적인 소비
					  행위의 사회적
					  결과
					• 사회적 책임과
					  실천요령

		주거 서비스	• 노인을 위한 주거서비스 종류 • 주거서비스 실태 • 주거서비스 구입요령		

	표시
	• 표시상의 피해 사례
	• 표시제도 및 실태
		재가
		서비스
			• 재가서비스 종류
			• 재가서비스 이용방법
			• 재가서비스 관련 소비자
			  피해사례
				소비
				행위의
				생태
				학적
				책임
					• 소비행위의 생
					  태학적 결과
					• 생태학적 책임
					  과 실천요령

	광고 • 허위·과장광고 피해 사례 • 허위·과장광고 대처요령	보건 서비스	• 병원 이용방법 • 병원 이용 관련 소비자피 해사례 • 의료보험 및 요양급여 • 노인전문병원 종류 및 현황		

	계량·규격
	• 계량·규격 피해 사례
	• 계량·규격관리제도 및
	  실태
		금융
		서비스
			• 노인을 위한 금융기관별
			  금융상품 종류
			• 금융상품의 상담 이용
			• 현금입출금기 이용 및 텔
			  레뱅킹, 인터넷 뱅킹 이
			  용법
			• 신용카드의 발급과 이용
			• 금융기관 이용 관련 소비
			  자피해 사례
			• 금융기관 이용 관련 소비
			  자피해 대처요령
				소비자
				피해
				보상
				제도
					• 품목별 피해보
					  상 기준
					• 피해대비 요령

	거래·계약
	• 부당거래 유형 및 피해
	  사례
	• 부당거래 대처요령
	• 특수거래 유형
	• 특수거래에서의 피해 사례
	• 특수거래에서의 소비자
	  피해에 대한 대처요령
		서
		비
		스
				소
				비
				자
				피
				해
				와
				불
				만
				처
				리	

	판매방법·상술
	• 악덕상술 유형
	• 악덕상술에 의한 피해
	  사례
	• 악덕상술에 의한 소비
	  자피해 대처요령
		교육·
		여가
		서비스
			• 노인을 위한 교육·여가
			  시설의 종류와 실태
			• 교육·여가시설 종류와
			  이용방법
			• 관광·여행서비스 관련 소
			  비자피해 사례
			• 관광·여행서비스 관련 소
			  비자피해 대처요령
				소비자
				불만
				처리
				체계
					• 피해구제기관
					• 피해구제절차
					  ·방법

자료 : 송순영(2001). 노인소비자를 위한 소비자교육 프로그램 개발, 연구보고서 2001-07. 한국소비자보호원.
　　　 pp.91-98을 재정리함.

(4) 정보사회의 소비자교육 내용 체계화 구성안

정보기술			구매의사결정		
인터넷 거래 이용법	PC의 사용	• PC의 기능과 작동법 • PC통신과 인터넷사용의 이해	소비자 의사결정에 영향을 미치는 외적요인	생태학적 영향	환경보호와 자원의 보존
				기술적 영향	정보통신기술
	쇼핑몰의 이용	• 쇼핑몰 사이트의 접근 • 구매절차 • 결제시스템		경제체제	시장경쟁원리와 경제문제 및 경제체제
	전자 금융거래	• 인터넷 주식거래 • 인터넷 은행서비스		정체체제	• 공공정책/규제/이익집단 • 전자정부
	각종 서비스 사이트	• 원격의료서비스 • 원격교육 • 온라인저널		사회문화체제	• 생활표준과 삶의 질 • 사회변화와 문화 • 역할과 지위
정보 활용법	정보의 수집과 축적	• 정리와 분류 (database) • 정보의 근원	소비자 의사결정에 영향을 미치는 개인적 요인	라이프스타일	생활양식의 구성요소
				욕구와 욕망	사회적·개인적 욕구와 욕망
	정보의 관리	• 정보의 결합과 보충 • 정보의 이용가치 및 이용권리		자원	• 인적 자원 • 금전/천연/지역사회/정보자원
				가치와 목표	• 사회적·개인적 가치 • 목표설정
	정보전달	정보통신 기기		생활주기	연령/소득/가족구성
			의사 결정과정	평가	소비자 만족/불만족과 소비자대응행동
				정보탐색	• 정보의 원천과 수집 • 정보비용과 정보평가
				선택	기회비용과 상충작용 개념
				대안	대안평가
				문제의 인식	결제·희망상태의 불일치

재무관리			소비자주의		
수입과 지출의 관리	세금관리	세금의 납부	소비자 권리와 책임	소비자권리	• 소비자의 법적인 권리 • 네티즌으로서의 권리
	자금관리	금융기과 선택과 금융서비스 활용			
	지출관리	합리적인 지출		소비자책임	• 소비자의 책임 • 환경의식적 소비자 • 네티즌의 윤리적 책임
	차용관리	• 차용의 이익과 불이익 • 신용카드관리			

(계속)

재무관리			소비자주의		
소득과 자산의 보호	위험관리	위험의 관리	소비자 보호	소비자 관련법	• 소비자보호법 • 제조물책임법 • 소비자거래규제
	보험	• 보험상품의 선택 및 계약과 가입 • 보험관리		소비자 보호행정 서비스	• 중앙행정부처/지방자치단체의 소비자보호행정 서비스 • 한국소비자보호원
자산의 증대	저축	금융상품의 선택	소비자 활동	소비자참여	소비자네트워크
	투자	• 증권투자 • 투자계획 • 부동산투자		소비자단체	• 소비자단체의 활동 • 전국의 소비자단체 안내
노후 설계와 상속	노후설계	• 국민연금과 개인연금 • 은퇴 후의 소득과 지출 • 기업퇴직금			
	증여와 상속	증여와 상속			

자료 : 배윤정·김기옥(2000). "정보사회의 소비자교육 내용 구성에 대한 전문가-소비자의 의견 비교 분석". 대한가정학회지, 38(12). p.238.

(5) 사회 소비자교육 차원의 교수-학습 사이트 콘텐츠 안

	주 제	주요 내용 및 접근방식
1	이럴 때 어떻게 할까?	• 소비생활에서 발생할 수 있는 각종 곤란한 의사결정상황을 예로 들고, 그럴 때 어떻게 처신하는 것이 좋은지 자유롭게 의견을 나눌 수 있도록 유도 • 만화 등을 통해서 재미있게 제시하고 교육적 가이드를 제공하여 비판적 사고를 촉진 (예) - 아빠에게 거짓말하고 친구들과 야구장에 갔는데, 아빠를 만나면 어떻게 처신해야 할까? 　　- 좋은 MP3를 사고 싶은데 엄마가 저렴한 것으로 구입하라고 할 경우 어떻게 할까? 　　- 인터넷에서 회원가입을 했더니 엉뚱한 곳에서 스팸메일이 날아오는데 어떻게 할까?
2	지구를 구하라!	우리의 일상생활에서 비환경친화적 행동을 찾아내고 분석, 토론하는 장을 제공 (예) 세수시간, 아침식사, 학교로 가는 도중, 쇼핑 때, 가사노동, 집에 있는 저녁시간, 잠잘 때, 공부할 때, 영화 보러 갈 때 등의 상황 설정
3	나는야 금융·계약 전문가	계약퀴즈 Q & A, 금융지식 Q & A 제작, 전문가 인정 금전교육용으로 유익한 투자클럽 구성, 아동·청소년의 참여 유도, 간접경험, 정보공유, 각종 사례 제안

(계속)

주 제		주요 내용 및 접근방식

4	소비생활 투표	• 생활 속의 다양한 상황에 대한 투표 혹은 조사
		• 다양한 항목에 대해 묻고 답하는 과정에서 스스로 행동을 정리하고, 타인의 대답을 통해 비교, 비판
		(예) - 야구장에 갈 때 음식은 집에서 가져가나, 아니면?
		    - 야구장에서 핫도그 사먹은 경험?
		    - 핫도그에 대한 가격, 불만, 허위광고는?

5	상품테스트	• 아동·청소년과 관련된 객관적 상품테스트 탑재 • 이에 대한 주관적인 상품평가 탑재 • 테스트 안건을 아동·청소년 기장단이 스스로 올리고 평가도 스스로 하도록 유도 • 이에 첨부하여 각 상품의 올바른 사용법 제시 (예) 스쿠터, 헬멧, 인형장난감, MP3, 놀이동산

자료 : 배순영(2001). 온라인 소비자교육체제 구축방안 연구, 연구보고서 2001-01. 한국소비자보호원. p.160.

2. 소비자교육 요구분석

1) 소비자교육 요구분석의 개념

효과 높은 소비자교육이 이루어지기 위해서는 소비자교육 내용에 대한 요구를 파악하는 것이 우선적으로 이루어져야 한다. 요구(needs)는 현재 상태와 이상적인 상태와의 차이 때문에 생기는 것이며, 소비자교육 요구분석(needs assessment)이란 소비자의 배우고자 하는 교육적 요구를 조사, 분석하여 파악하는 것을 말한다. 요구분석을 할 때는 ① 학습자의 요구 및 흥미, ② 교육을 지원하는 조직이나 기관의 요구 및 흥미, ③ 지역사회의 요구 및 흥미를 고려해야 한다.

요구분석은 교육적 요구(educational need)들을 확인하고 그것들의 우선순위를 결정하기 위해서 사용되는 방법으로 핵심적인 요구들을 확인할 수 있어, 소비자교육 내용의 범위에 대한 연구자 간의 합의가 이루어지지 않아 통일된 견해가 없을 경우에도 소비자교육에 어떤 내용을 포함하고 제외시킬 것인가에 공유된 가치를 전달할 수 있기 때문에 자주 사용된다. 더 나아가 교육요구분석에 기초하여 교육프로그램을 마련하게 되면 소비자들의 교육프로그램 참가 가능성이 증가할 뿐 아니라 참가자들이 프로그램을 통해서 습득한 지식의 활용가능성이 높아진다. 특히 성인을 대상으로 하는 교육은 학습자의 자발적인 동기와 참여에 의한 주체적인 자기학습이라는 점에서 요구분석이 필요하다. 반면에 아동이나 청소년 소비자의 경우에는 학교교육이 중심이 되므로 이들의 요구를 분석하여 기초로 하되 학교라는 기관의 요구나 교사의 요구가 함께 분석되어야 한다.

2) 요구분석의 절차

요구분석이 잘 이루어지기 위해서는 요구분석을 실시하기에 앞서 치밀한 계획을 세우고 그에 근거하여 요구분석을 진행하는 것이 바람직하다.

(1) 상황분석

문제들을 창출하고 해결하는 과정에서 실수하지 않기 위해서는 요구분석이 실시될 상황, 특히 학습자와 지역사회에 대한 충분한 정보를 파악하는 것이 필요하다. 또한 이때 얻어진 상황에 대한 자료는 교육프로그램이 실시된 환경이나 제약조건에 대한 정보를 제공하므로 후에 실제 교육프로그램을 작성할 때에도 매우 유용한 자료가 된다.

(2) 요구분석의 목적결정

요구분석을 할 때에는 요구분석을 하는 사람이나 응하는 사람 모두 요구분석의 목적을 정확히 알고 임해야 한다.

(3) 목적에 입각한 기법과 도구의 선정

요구분석에 이용될 기법과 도구는 목적에 영향을 받는다는 것을 인식하고 가장 적절한 방법을 선정해야 한다.

(4) 전체 요구분석을 위한 시안과 일반적 계획의 개발

문제와 관련한 전후관계, 목적, 정보들을 이해하고 문서화하는 단계로, 이전 단계의 내용들이 체계화된다.

(5) 단계별 계획의 개발

각 단계마다 해야 할 것들을 정확하게 이해하고 실행할 수 있도록 세부적으로 계획하고 개발한다.

(6) 요구분석의 실시

계획에 따라서 요구분석을 실시한다.

(7) 요구분석 결과의 커뮤니케이션

요구분석 결과와 관련된 커뮤니케이션은 요구분석을 실시하는 동안과 요구분석 실시 후의 결과에 대해 두 가지 수준에서 고려될 수 있다.

3) 요구분석 방법

요구분석의 방법은 크게 형식적 분석방법과 비형식적 분석방법으로 구분할 수 있다. 요구분석을 할 때는 이를 통해 얻고자 하는 것이 무엇인지를 명확히 하는 것이 무엇보다 중요하다며 어떤 분석에서든지 사실에 관한 정보인 자료가 결정적인 역할을 하므로 자료 수집에 대한 계획을 잘 세워야 한다.

(1) 형식적 분석방법

① 조사연구(survey)

모집단에서 표본을 추출하고 이를 분석하여 모집단의 특성을 추론하는 방법으로 사회과학적 성질을 다수 내포하고 있으며 요구분석에 가장 널리 쓰이는 방법이다. 일반적인 의미로서의 조사는 질문지와 면접을 통해서 의견, 기호도, 사실에 대한 지각 등을 수집하는 것으로, 갤럽여론조사와 같은 것이 대표적이다. 이러한 조사연구를 통한 요구분석은 대규모의 모집단에서 풍부한 자료를 얻을 수 있고 수집된 자료의 정확성이 높다는 점, 그리고 자료의 범위가 넓기 때문에 여러 가지 가설을 암시하여 주고 일반화 정도의 수준이 높다는 장점이 있다. 그러나 획득한 정보가 피상적이고 시간과 비용이 많이 들며, 표본오차가 있다는 점, 고도의 조사지식과 기술을 필요로 한다는 단점이 있다.

조사연구방법 중에서 질문지법은 서면의 질문지를 피조사자들에게 배포하여 응답하도록 하는 방법으로 지필자답식조사라고도 한다. 질문지법은 대량의 응답자들을 대상으로 비교적 짧은 기간에 노력과 비용을 적게 들이고 조사할 수 있어 간편하다는 점, 조사대상자들의 익명성이 보장되므로 안심하고 자신에 관한 사실 및 의견을 표명할 수 있다는 점, 그리고 응답자가 시간의 제약이 없이 편리한 시간에 설문을 잘 생각한 후에 응답할 수 있으므로 확실한 응답자료를 얻을 수 있다는 장점이 있다. 그러나 독해력이 있는 사람만을 대상으로 하므로 문맹자에게는 실시할 수 없고, 독해력이 있다 하더라도 응답자가 설문을 제대로 이해하지 못하면 올바른 응답을 할 수 없다. 또, 우편조사의 경우 반송률이 낮아 표본의 성격이 달라질 수도 있고, 피조사자가 피상적이고 성의 없는 응답을 할 수도 있으며, 질문지 길이의 제약을 받게 되므로 자세한 이유를 알아보는 데는 부적합하다.

② 관찰법

관찰자가 조사 대상인 개인 또는 사회집단의 행동이나 사회 현상을 현장에서 직접 보거나 들어서 필요한 정보나 상황을 정확히 알아내려는 방법이다. 관찰법은 파악하고자 하는 행동이나 사회적 과정이 일어나고 있는 상황에서 공간적으로는 직접, 시간적으로는 즉각 포착할 수 있다. 언어자료가 아니기 때문에 어린이나 장애인처럼 말로 자기 의사를 제대로 표현하지 못하는 대상의 요구도 파악할 수 있으며, 관찰대상의 환경적 상황에 개입하지 않고 자연스러운 모습을 그대로 포착할 수 있다. 자연스러운 상황에서 장기간에 걸쳐 자료수집을 하여 어떤 현상의 종단분석이 가능하며 목적과 상황에 따라 여러 가지 관찰기법을 사용할 수 있으므로 다양하게 접근할 수 있다는 장점이 있다. 그러나 수량화가 곤란하고, 자연적 상황에서의 관찰일 때 외재적 변수의 통제가 어려우며 시간적, 공간적으로 한계성을 가진다. 관찰법에는 다음과 같은 종류가 있다.

- 참여관찰(participant observation) : 관찰자가 자신의 신분을 밝히지 않고 자연스럽게 일어나는 사회적 과정에 완전히 참여하여 관찰하는 것을 말한다.
- 비참여관찰(non-participant observation) : 관찰자가 자신의 신분을 밝히고 자연스러운 과정에 참여하면서도 관찰자의 객관성을 유지하며 관찰하는 것으로, 기자들의 동행취재가 여기에 속한다.

- 통제관찰(controlled observation) : 사전에 관찰계획을 세우고 관찰조건을 표준화하며 변수의 작용을 통제하는 관찰법으로 조사표, 체크리스트 등이 병행되기도 한다.
- 비통제관찰(uncontrolled observation) : 탐색을 위해 연구목적과 관련된 대상을 관찰하는 것으로, 관찰조건이나 변수가 표준화되지 않은 상태에서 이루어진다.

③ 사례조사(case study)

개인적으로 요구를 결정하고 기록하는데 이용되는 방법이다. 사례조사는 어떤 특정된 사례에 대하여 가능한 한 모든 방법과 기술을 이용하여 종합적인 연구를 실시함으로써 그 사상을 전체적으로 파악하고 실증적 방법에 의하여 전체와의 연관성을 포착하는 조사를 말한다. 즉 사례조사는 특정 개인이나 가족, 집단, 지역사회 등을 하나의 사례로 놓고 상세히 조사하는 방법으로, 소수 단위로 분석이 집중되기 때문에 일차적으로 질문지법이나 면접법 등과 같은 다른 조사방법들과 병행하여 사용하는 것이 좋다.

④ 결정적 사건접근법

필요한 관찰과 평가를 하기 위해 가장 적절한 지위에 있는 사람으로부터 특정한 행동에 대한 기록을 얻어내는 것이다. 특히 교육행정가나 교사의 자질 문제에 적합하다.

⑤ 능력분석

이 접근법은 전문 직업인들이 가져야 하는 바람직한 혹은 최소한의 능력을 확인하기 위해서 그 분야의 전문가로부터 정보를 얻은 후, 대상집단들의 능력 수준을 결정하기 위해 시험을 본다. 전문가들이 필요하다고 확인한 것과 결정된 능력 수준 간의 차이가 내용을 선정하고 프로그램 설계를 개발하는 데 필요한 기초가 된다.

⑥ 델파이법(Delphi Method)

전문가의 직관이나 판단이 미래 사건 또는 사건의 발생 가능성들을 예견하는 데 효과적일 수 있다는 인식에 기초한 것으로, 목적, 관심사항, 잠재적인 요구들의 일치점을 얻기 위해 교육 요구분석에 가장 많이 이용되는 방법이다. 한 문제에 대해 여러 전문가들의 독립적인 의견을 우편으로 수집한 다음, 이 의견들을 요약·정리하여 다시 전문가들에게 배부하고 일반적인 합의가 이루어질 때까지 서로의 아이디어에 대해 논평하게 하며 합의를 도출하는 방법이다. 통계적 모형을 개발하기 위한 과거 자료가 없거나 조사자 경험이 없어서 판단의 근거를 찾을 수 없을 때 사용한다.

여러 전문가들이 대면회합을 위해 한 장소에 모일 필요 없이 그들의 평가를 이끌어 낼 수 있고, 의사결정과정에서 타인의 영향력을 배제할 수 있다는 장점이 있다. 그러나 모든 사람들이 응답한 것을 요약·정리하여 다시 우송하는 과정이 합의에 도달하게 될 때까지 계속되므로 소요되는 시간이 길고 응답자에 대한 통제가 힘들다는 단점이 있다. 문제의 확인, 요구의 파악과 우선순위의 결정, 해결책의 확인과 평가, 바람직한 미래를 위한 발전방안 파악 등에 매우 유용하게 이용될 수 있다. 델파이법에 의한 요구분석은 다음과 같은 순서로 이루어진다.

- 조사가 외부전문가 그룹을 선정하고 전문가 간에 서로 알지 못하게 하면서 설문서를 보낸다. 전문가 중 일부가 해당 분야의 명망이 높거나 토론을 주도할 가능성이 있을수록 익명성을 보장하는 것이 중요하다.
- 전문가들이 자유롭게 응답하고 그 논거를 제시한다.
- 조정자는 참가자들의 응답을 통계적으로 요약하고 논거를 정리하여 보고서를 작성한다.
- 이 보고서는 다시 참가자들에게 회송되고 각자 지난번 응답에 수정을 가하게 한다. 이 과정을 합의가 이루어질 때까지 반복한다.

(2) 비형식적 분석방법

① 비형식적 대화

일상적인 접촉과정을 통해 요구에 관한 정보를 수집할 수 있다. 예를 들면, 참여자들로부터 받은 모임 후의 반응, 투서함, 그리고 모임에서 제기된 문제들은 요구를 파악할 수 있는 좋은 기회가 된다.

② 비활동적 측정

면접법이나 질문지법에 의해서는 얻을 수 없는 이용 가능한 자료가 상당히 많다. 물리적 흔적, 기록물, 관찰 등이 그 예가 된다.

3. 소비자교육 프로그램의 설계

1) 소비자교육 프로그램의 개념과 목적

소비자교육 프로그램은 특정 소비자나 소비자집단에 대한 소비자교육 요구분석을 바탕으로 부족한 소비자능력을 신장시키기 위해 의도적인 학습으로 소비자의 지식, 태도, 기능 등에 긍정적인 변화를 가져오게 하는 것을 말한다.

2) 소비자교육 프로그램의 내용선정과 설계

(1) 교육 내용의 선정

소비자교육 프로그램의 내용은 구체적으로 설정한 목표에 도달할 수 있는 것으로 다음 사항에 유의하여 선정해야 한다.

① 교육내용의 중요성

소비자의 생활향상을 위해 제공되는 정보는 실질적으로 소비자의 생활과 관련하여 중요한 정보이어야 한다.

② 교육내용의 흥미성과 참신성

제공되는 정보는 소비자의 필요와 흥미 또는 능력 수준을 고려하여 주제의 내용과 방법이 친밀감이 있고 참신해야 한다. 소비자에게 재미있는 내용은 소비자로 하여금 정보에 쉽게 접근하도록 한다.

③ 교육적 효용성 및 실용성

교육프로그램을 통해 제공되는 교육내용은 교육적으로 유용할 뿐만 아니라 사회적 요구에 적합하여 사회생활 속에서 실제로 적용·활용할 수 있어야 한다.

④ 수준의 적절성

정보제공의 대상인 소비자의 수준에 적합한 내용으로, 소비자가 이해하고 수용할 수 있어야 한다.

⑤ 현실성 및 지도 가능성

제공되는 정보는 사실에 토대를 둔 내용이어야 하며 선정된 내용이 현실적으로 지도 가능한가를 검토해야 한다.

(2) 프로그램의 수립원칙

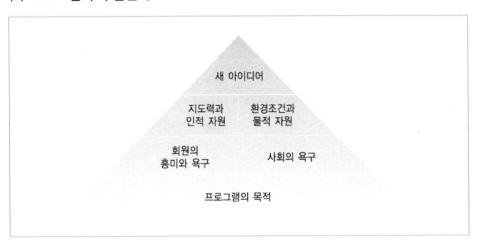

|그림 4-1| 프로그램 수립의 원칙

① **목적** : 프로그램을 통해서 얻고자 하는 것이 무엇인가?
② **흥미욕구** : 소비자의 흥미(표현되었거나 잠재된), 관심
③ **사회요구** : 가정, 지역사회 등 소비자소속집단의 요구와 기대
④ **인적 자원** : 지도력, 소비자의 능력, 경험도, 자발적 선택능력, 소비자의 참여도, 상호작용, 책임분담
⑤ **물적 자원** : 프로그램의 수행과 관련된 시설여건, 재정여건, 대외협력관계

⑥ 새 아이디어 : 프로그램의 목적 달성에 이미 사용되었던 방법이 아닌 새로운 아이디어

(3) 프로그램 내용 설계 시 주의사항

교육 프로그램의 목표를 달성하기 위하여 내용을 설계할 때 고려해야 할 원리로 타일러(Tyler, 1949)는 계속성, 계열성, 통합성 세 가지를 제시하고 있다.

① 계속성

학습경험의 수직적 조직에 요구되는 원리로써 중요한 경험 요소가 어느 정도 계속해서 반복되도록 조직하는 것이다. 소비자의 행동은 일회의 교육으로 지식이 획득되었다고 해서 곧바로 변화하는 것은 아니다. 획득된 지식이 가치관에 영향을 미쳐 태도를 형성할 수 있기까지는 많은 시간이 필요하고 일회성 교육으로는 지식이 영구히 획득되지 않기 때문에 소비자가 한번 교육받은 내용을 잊지 않도록 하기 위해서는 반복적인 학습경험이 제공되어야 한다.

② 계열성

학습경험의 수직적 조직에 요구되는 원리로서 앞의 계속성과 관계가 있기는 하지만, 학습내용이 단순한 반복이 아니라 점차로 경험의 수준을 높여서 더욱 깊이 있고 다양한 학습경험을 할 수 있도록 조직하는 것이다.

계열성의 원리를 적용하는 방법에는 단순한 내용에서 점차 복잡한 내용으로, 구체적인 개념에서 추상적인 개념으로, 부분에서 전체로 등 여러 가지가 있다. 계열성의 개념은 동일한 성격의 학습내용을 학년이 높아짐에 따라 더 깊고 폭넓게 가르쳐야 한다는 소위 나선형 교육과정의 개념과도 통한다(이종승, 1998).

③ 통합성

학습경험의 수평적 조직에 요구되는 원리이다. 통합성은 각 학습경험을 제각기 단편적으로 구획시키는 것이 아니라 횡적으로 상호 보충·보강되도록 조직해야 학습효과를 높일 수 있으며 종합적이고 전체적인 안목을 기를 수 있다는 것이다.

프로그램의 내용 조직에 있어서 통합성이 고려되지 않으면 여러 소비자교육 프로그램의 내용이 중복되거나 누락될 수 있고 교육내용에 불균형이나 상반된 가치를 전달하는 프로그램이 될 수 있으므로 유의해야 한다.

(4) 프로그램 설계의 실제(ASSURE MODEL)

소비자교육 프로그램에는 목적(무엇을 위해서), 활동(무엇을), 과정(어떻게 실천할 것인가)이 명시되어야 한다. 여기서는 Heinich(1996)의 ASSURE 모델을 참고로 하여 소비자교육 프로그램을 설계하는 과정을 살펴보기로 하자.

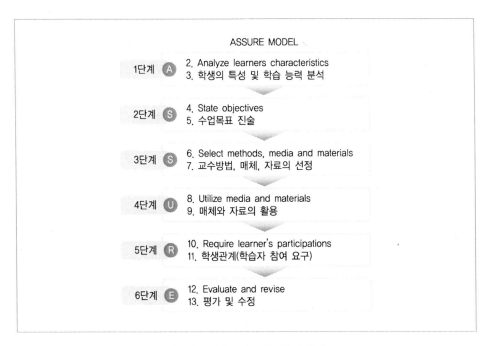

| 그림 4-2 | 교육프로그램의 설계

① 소비자의 특성 및 학습능력 분석(Analyze learners characteristics)

교육대상이 되는 소비자의 특성 및 학습 능력을 분석한다. 소비자의 수준, 흥미 및 배경을 조사한다. 이때 사전 검사지, 구두 테스트, 관찰 및 교육요구조사의 결과 등을 참고할 수 있다. 이러한 조사 결과들을 기초로 교육주제와 그 주제들의 교육순위를 결정한다.

② 수업목표 진술(State objectives)

교육프로그램의 목표를 진술한다. 교육프로그램을 통해 도달하고자 하는 목표지점을 제시한다. 목표를 진술할 때는 교육대상인 소비자가 중심이 되어야 하며, 성취 수준의 하한계가 명시되어야 하고, 성취도의 측정 상황 및 환경이 제시되어야 하며, 행위 동사로 묘사되어야 한다.

③ 교수방법, 매체, 자료의 선정(Select methods, media and materials)

교육프로그램의 목표를 달성하는데 적합한 교수방법, 매체, 자료를 선정한다. 각종 자료, 관련 인사의 소개 및 서평을 참고하여 교수매체를 대여하거나 구매한다. 만일 목표에 적합한 것이 없거나 너무 비싼 경우에는 제작할 수도 있다. 이때 예산, 기일, 기술, 시설 및 장비 등을 고려해야 한다. 또한 교육대상자의 수준과 선호를 고려하여 교수방법, 매체, 자료를 선정하고 교육프로그램의 대상자 또는 교육프로그램에 참가하는 소비자의 일상생활에서 얻을 수 있는 자료를 활용하는 것이 교육프로그램의 효과를 높일 수 있는 방법이 된다.

④ 선정한 매체와 자료의 활용(Utilize media and materials)을 통한 프로그램 실행

매체와 자료를 활용하여 교육프로그램을 진행한다. 교재를 활용하기 전에는 사전 시사를 해야 하며 프레젠테이션 연습을 한다. 또, 조명, 암막, 의자, 온도, 전원 공급, 환기 등의 환경을 정비한다. 교육자는 가능하다면 교육에서 제시될 내용, 용어 및 목표를 소비자들에게 미리 제공하여 동기를 유발시키고 쇼맨십을 발휘하여 교육내용을 효과적으로 제시한다.

⑤ 학습자 참여요구(Require learner's participations)

교육대상인 소비자와 관계를 형성하고 소비자들의 교육 참여를 요구한다. 이때 반응에 대한 즉각적인 강화가 교수-학습활동을 증진시킨다. 그리고 공공연한 피드백이 은밀한 피드백보다 효과적이다.

⑥ 평가 및 수정(Evaluate and revise)

교육프로그램을 수행한 후에 계획대로 성취된 일과 그렇지 못한 일을 평가하여 실제로 성취된 결과가 어느 정도인가를 비교·평가하고 교육프로그램을 수정한다. 평가에는 학습목표 달성인 학습자의 성취도에 대한 평가와 효과, 비용, 소

요시간 등의 교수매체에 대한 평가 및 교수-학습과정인 교수방법에 대한 평가가 있다. 이미 수행된 교육프로그램을 평가하므로 프로그램의 계획, 개선, 정당화를 위한 결정을 하는데 필요한 정보를 얻을 수 있다.

4. 소비자교육 프로그램의 평가

프로그램의 평가는 교육과정 속에서 일어난 여러 다양한 사상 또는 상태들이 바람직한지를 평가하는 것이다. 그러므로 이러한 바람직함에 대한 프로그램 평가에는 가치판단이 개입된다.

1) 소비자교육 프로그램 평가의 목적

프로그램 평가는 현재 실천되고 있는 교육활동 상황 속에서 문제를 발견하고 진단하여 개선책을 마련할 뿐 아니라 문제를 예방하는 활동까지 포함한다. 즉 프로그램 평가는 교육활동을 더욱 승화시킬 수 있는 해결책을 강구하기 위한 것으로 차후의 의사결정 또는 교육프로그램을 설계하는 출발점이 된다. 그러므로 프로그램에 대한 평가는 지속적이고 종합적으로 전개되어야 평가목적을 성취할 수 있다. 프로그램 목적과 목표에 따라 각 영역에서 수행해 오던 활동들이 한자리에 수합되고 통합 조정되는 것이 프로그램 평가단계에서의 과정이다. 이러한 평가의 종합성은 곧 평가방법과 평가기술 등 제반 평가활동의 다양화를 꾸준히 요구하고 있다.

소비자교육 프로그램은 소비자가 교육적 활동의 유용성을 판단하고 '계속할 것인가'를 결정할 때, 교수자가 교육적 재료들의 효과성을 판단하고 그것들을 바꿀 것인가를 결정할 때, 프로그램 제공자가 계속해서 프로그램을 제공할 것인가를 결정할 때와 같은 상황에서 비공식적으로 프로그램의 가치와 효과성에 대해 평가를 받게 된다. 교육프로그램의 평가를 공식화하므로 ① 프로그램의 영향, 수행, 기대를 정확하게 기술할 수 있으며, ② 관련된 증거를 바탕으로 명확하게 올바른 판단을 내릴 수 있으며, ③ 프로그램과 관련된 사람들을 격려하는 방법으로 프로그램의 결과물을 서로 교환하게 하고 프로그램을 계획, 개선, 정당화하는데 적절한 정보를 제공하게 된다.

2) 소비자교육 프로그램의 평가요소

소비자교육 프로그램의 목적은 소비자의 능력을 향상시키는 것이다. 그러므로 교육프로그램의 평가는 프로그램의 실시로 인한 소비자지식, 소비자태도, 소비자기능으로 구성된 소비자능력의 변화를 기초로 이루어져야 한다. 교육프로그램이 소비자가 인지적으로 아는 것의 향상에 얼마나 기여하였는가 하는 것뿐만 아니라 아는 것을 실제 생활에 얼마나 적용하였는지의 여부를 파악하는 것도 중요하다. 이와 함께 다음의 요소들이 평가되어야 한다.

(1) 프로그램의 목적

① 교육의 목표가 명확히 드러나는가?
② 교육대상이 되는 소비자의 수준에 적당한가?
③ 교육내용이 교육목표와 부합하는가? 교육내용이 필요하다고 생각하는가?
④ 교육목적을 위해 다른 내용이 포함되어야 한다면 구체적으로 무엇인가?

| 표 4-1 | 소비자교육 프로그램의 교육내용에 대한 반응평가 문항 예

1. 이 교육 프로그램은 나에게 _____ 이었다.		
① 전혀 불필요한 교육	② 별로 필요하지 않은 교육	③ 보통
④ 상당히 필요한 교육	⑤ 꼭 필요한 교육	
2. 이번 교육은 당신의 자기 성장(자기 계발)에 있어서 도움이 되었습니까?		
① 전혀 도움이 되지 않는다.	② 거의 도움이 되지 않는다.	③ 보통이다.
④ 상당히 도움이 된다.	⑤ 꼭 필요한 교육이다.	
3. 이번 교육에서 배운 내용이 일상생활에 어느 정도 도움이 되리라고 생각됩니까?		
① 전혀 도움이 되지 않는다.	② 별로 도움이 되지 않는다.	③ 보통이다.
④ 상당히 도움이 된다.	⑤ 전적으로 도움이 된다.	

(계속)

4. 이 교육에서 당신이 얻은 중요한 소득은 무엇입니까?

① 소비행위의 중요성을 깨닫게 됨
② 소비자의 권리를 찾기 위한 적극적인 행동의 중요성을 깨닫게 됨
③ 소비자문제의 해결방법을 소개 받음
④ 나 자신의 소비행동을 객관적으로 관찰할 수 있는 기회 마련

5. 이 교육과 같은 소비자교육 프로그램에 다시 한 번 참석하시겠습니까?

① 예   ② 모르겠다.   ③ 아니오

6. 이 교육을 주변 사람들에게 참석하라고 권유하시겠습니까?

① 전혀 권유할 생각이 없다.   ② 별로 권유할 생각이 없다.
③ 상관하지 않겠다.   ④ 될 수 있으면 참가하라고 권유한다.
⑤ 꼭 참가하라고 권유한다.

(2) 교육프로그램의 구성

① 참신하면서도 실용성이 있는 내용인가?
② 교육내용에 비추어서 교육기간이 적절한가?
③ 교육내용 간에 시간이 적절하게 배분되었는가?
④ 적절한 교육방법이 활용되었는가?

| 표 4-2 | 백분율할당을 이용한 적절한 소비자교육 시간 평가 예

주제영역	희망시간 배정 비율
합리적 소비	_____ %
구매의사결정과정	_____ %
소비자피해 구제절차	_____ %
특수판매	_____ %
전자상거래	_____ %
환경보호	_____ %
	100 %

(3) 교육프로그램의 진행

① 교육내용이 잘 전달되는가?

② 교육자의 진행이 적절한가?

③ 자료의 준비와 활용이 잘 되었는가? 교육방법의 개선점은 없는가?

④ 교육시설에 있어서 가장 불편한 점은 무엇인가? 교육장소로서 가장 적합한 곳은 어디라고 생각하는가?

| 표 4-3 | 교육장소에 대한 반응 평가 문항 예

합숙교육일 경우〈출퇴근 교육일 경우(1번 문항이 제외됨)〉 이 교육의 교육장 환경을 아래처럼 5점 만점으로 평가해 주십시오.				
① 매우 좋지 않음 ④ 꽤 좋음	② 별로 좋지 않음 ⑤ 대단히 좋음	③ 보통		
1. 숙소	①	②	③	④ ⑤
2. 식사	①	②	③	④ ⑤
3. 휴게시설	①	②	③	④ ⑤
4. 강의실 온도	①	②	③	④ ⑤
5. 강의실 조명	①	②	③	④ ⑤
6. 강의실 청결	①	②	③	④ ⑤
7. 강의실 크기	①	②	③	④ ⑤
8. 강의실 방음	①	②	③	④ ⑤
9. 강의실 서비스	①	②	③	④ ⑤
10. 교육기간	①	②	③	④ ⑤
11. 수업료	①	②	③	④ ⑤
12. 교육생 분위기	①	②	③	④ ⑤
13. 교육장소	①	②	③	④ ⑤
14. 교육 주변환경	①	②	③	④ ⑤

(4) 소비자의 반응

① 소비자가 흥미를 가지고 참여하는가?

② 교육을 받기 전과 직면한 구체적인 문제해결에 도움이 되는가?

③ 소비자가 배운 것에 근거하여 소비자지식, 소비자태도, 소비자행동에 변화를 가져왔는가?

④ 교육을 받기 위해 사용한 실제비용과 기회비용은 얼마인가?

⑤ 교육의 효과를 금전적으로 계산하면 얼마 정도라고 생각하며, 그 이유는 무엇
인가?

| 표 4-4 | 소비자교육 프로그램의 효과에 대한 의미변별 척도 예

	1	2	3	4	5	6	7	8	9	
가치 없는	—	—	—	—	—	—	O	—	—	가치 있는
중요한	—	O	—	—	—	—	—	—	—	중요하지 않은
소용없는	—	—	—	—	—	—	—	O	—	유용한
쉬운	—	—	—	—	O	—	—	—	—	어려운
이론적인	—	—	—	—	—	—	O	—	—	실행적인
확실한	—	—	—	O	—	—	—	—	—	추상적인
무관심한	—	—	—	—	—	—	O	—	—	흥미로운
무의미한	—	—	—	—	—	—	O	—	—	의미 있는
재미있는	—	—	O	—	—	—	—	—	—	지겨운
관련된	—	O	—	—	—	—	—	—	—	무관한

The basis of
consumer education

소비자교육의
실행방법

05 | 소비자교육의 실행방법

소비자교육은 교육대상에 따라 다른 교육 목표를 가지고 다양한 방법을 활용하여 시행하게 된다. 소비자교육은 단순히 지식이나 이해를 중심으로 하는 교육이 아니고 소비자가 스스로 학습하려는 의욕과 의지를 가지고 경제사회 변화에 능동적으로 대처하기 위한 소비자로서의 자질과 능력배양이 목표이다. 따라서, 지식 전달 형태의 교육보다는 실천적, 체험적 학습을 통해 문제를 해결하고 탐구적인 학습기회를 부여는 것이 효과적이다. 예를 들면, 소비자운동에 참여하게 함으로써 체험에 기초한 소비자교육 효과를 높일 수 있으며, 소비자정책, 소비자상담을 통해서도 소비자교육의 목표를 달성할 수 있다. 물론, 소비자정보 제공을 통해 일상의 소비활동을 지원하는 방법도 중요하다. 소비자교육은 여러 주체, 그리고 다양한 방법에 의해 이루어질 수 있으므로 다양한 소비자교육 실행방법을 서로 연관시켜 총체적으로 운영할 필요가 있다. 여기서는 소비자정보 제공, 소비자운동, 소비자정책, 소비자상담을 통한 소비자교육의 실행방법에 대해 구체적으로 살펴보도록 하자.

1. 소비자정보 제공을 통한 소비자교육

소비생활은 신속하고 충분하며 정확한 소비자정보를 토대로 이루어져야 한다. 소비자는 소비선택을 위해 각종 소비자정보를 필요로 하게 되는데 현실 시장에서 정보는 불완전성을 띠게 된다. 충분한 정보가 제공되지 않는 경우도 빈번하게 발생하며 때로는 허위정보로 인해 소비선택의 혼란이 가중되기도 한다. 정보시장에서의 실패는 정부나 소비자단체 등 제3자의 개입을 부르게 된다. 경쟁적 시장구조에서 완전한 정보가 주어질 때 소비자주권이 실현될 수 있다. 그러나 완전한 정보가 시장에 존재한다 해도 소비자들의 소비자정보 처리 능력의 한계는 또 다른 소비자정보 문제이다. 따라서, 단순히 소비자정보 그 자체의 존재보다는 정보처리능력 함양을 목적으로 하는 소비자교육이 병행되어야 한다. 다시 말해 소비자정보 제공은 소비자교육 실행의 수단이 될 수 있다. 소비자정보 제공을 통한 소비자교육 실행에서 다루어야 할 내용들에 대해 살펴보면 다음과 같다.

1) 소비자정보 제공 소비자교육의 중요성

소비생활에서 가장 중요한 소비자의 기본 권리는 '알 권리'이다. 소비자는 제한된 자원을 사용하여 생활영위에 필요한 상품이나 서비스를 구입·사용하면서 다양한 욕구를 충족시키는데, 이 욕구가 충족되기 위해서는 소비생활을 위한 상품 및 용역, 그리고 주변 시장환경 등에 대한 충분한 지식과 정보를 가지고 있어야 한다. 따라서, 신속하고 정확하며, 적절한 소비자정보를 제공하여 복잡한 현대사회에서 발생 가능한 소비선택의 불확실성을 최소화시켜 주는 것은 소비자가 합리적이고 효율적인 소비행동을 하도록 하는데 필수적이다. 품질 및 가격 등 제품 및 서비스에 관한 다양한 소비자정보는 소비자의 합리적 소비선택에 필수적이다. 신속하고 적절한 소비자정보의 활용은 소비자만족을 높이고 소비자주권을 실현하는데 꼭 필요하다. 소비자정보의 적절한 활용은 성공적인 소비선택을 유도하여 소비자만족을 높인다는 것이 이 분야 연구들의 공통적인 견해이다.

Beals, Craswell, Salop(1981)은 소비자정보의 기능을 3가지로 구분하였는데 가격 및 품질 경쟁의 촉진, 소비자복지 증진, 효과적인 시장구조 정착 등이라고 하였다. 소비자가 정보탐색을 하여 효과적인 소비선택을 할 경우 소비자는 제품이나 서비스를 살 수 있는 실질소득이 증가하는 점이 가장 큰 효과이다. 충분한 소비자정보 제공은 기업 간의 경쟁을 유발시켜 시장실패를 막을 수 있다. 소비자 정보 제공의 중요성은 오래 전부터 인식되어 소비자운동 또는 소비자권익 향상을 위한 많은 활동들이 정보제공의 형태로 이루어져 왔다. 미국의 경우 1900년대부터 소비자정보 제공에 초점을 두어 왔다.

이처럼 소비자정보의 중요성에 대해서는 이의를 제기하는 사람이 없을 정도로 중요함에도 불구하고 우리나라 소비자들은 적극적으로 정보탐색을 하지 않는 것이 사실이다. 그 동안 우리나라 산업은 경공업 분야에서 중공업 분야까지 독과점적 구조가 고착됨에 따라 대부분의 소비자들이 가격비교, 품질비교 등 적극적인 소비자정보 탐색의 필요성을 느끼지 못했다. 그러나 시장개방으로 수입제품의 급증, 오픈 프라이스 제도의 도입, 유통업체의 발달, 그리고 인터넷의 발달로 다양한 가격과 품질의 제품을 선택할 수 있게 되면서 가격, 품질, 디자인 등에 대한 적극적인 정보탐색은 더욱 필요하게 되었다. 게다가 날로 복잡해져 가는 현대 사회에서 제공되는 재화 및 서비스에 대해 소비자는 생산자에 비해 정보의 정확성, 신속성, 그리고 양적인 측면에서 불리한 입장에 처해 있다. 이 같은 상황에서 소비자교육의 주체자들은 소비자권익에 중요한 사항들을 제공해 왔다. 언론 및 소비자단체에서는 변화하는 상황에 따라 소비자선택에 필요한 소비자정보를 제공하여 구매의사결정에 도움을 주고 동시에 소비자교육의 수단으로 활용하여 왔다. 학교에서의 소비자교육도 주입식이나 가치에 근거하기보다는 소비자정보 탐색 및 활용의 중요성을 인지시켜 주는 형태로 전환되어야 한다.

2) 소비자정보 제공과 소비자교육 간의 관계

소비자정보 제공 형태의 소비자교육의 중요성은 더욱 부각되고 있다. 소비자 정보 제공이 소비자에게 미치는 긍정적 영향과 소비자교육 수단으로서의 효과가 크므로 대부분의 국가에서 기업에게 중요 정보를 소비자에게 의무적으로 공개하도록 하는 정보공개정책을 펼치고 있으며, 행정 기관들에서도 정보제공 형태의 소비자교육 서비스를 제공하고 있다.

소비자정보를 누가 제공하느냐에 따라 친구, 친지, 이웃 등 다른 소비자들의 경험이나 판단에 의해 얻는 주관적 정보, 기업이나 상업적 목적에 의해 제공되는 상업적 정보, 제3자, 국가 기관, 또는 신뢰성 있는 소비자단체 등에서 제공하는 객관적 정보로 나눌 수 있다. 개인적 정보나 상업적 정보는 정보의 질적 측면에서 불완전성을 보일 가능성이 높다. 따라서, 편견이 배제된 독립적이고 객관적인 정보가 소비자들에게 가장 중요하므로 객관적인 정보제공이 중요하다. 소비자 모니터, 제품비교평가에 의해 제공되는 객관적인 정보는 정보산업과 인터넷의 발달로 점차 쉽게, 그리고 다양하게 제공되고 있으며 소비자능력 향상에 중요한 역할을 담당하고 있다.

그러나 소비자정보를 제공한다는 그 자체가 소비자에게 무조건 긍정적 기능을 하는 것은 아니다. 소비자는 정보의 홍수 속에서 살고 있어 어떤 정보가 활용할 수 있는 정확한 정보인지 판단하기 어려우며, 설사 정확한 정보가 제공된다 해도 소비자들의 정보처리능력의 한계로 인해 효과적으로 소비자정보를 활용하지 못한다. 때로는 너무 많은 정보가 소비자들에게 오히려 혼란만 가중시켜 비효과적인 의사결정을 내리게 한다.

따라서, 소비자는 합리적 선택과 바람직한 소비생활을 위해 필요한 정보를 획득하고 평가할 수 있는 능력을 갖도록 하는 것이 무엇보다 중요하다. 따라서, 소비자정보 탐색 및 활용능력을 배양하기 위한 소비자교육이 여기서 필요하다고 하겠다. Robinsin(1987)은 소비자교육의 방향이 정보제공 그 자체라기보다는 문제를 분석하고 해결점을 찾는 데에 초점을 두어야 한다고 주장한 바 있다. 소비자교육이 없는 소비자정보 제공 그 자체는 변화하는 시장에서 소비자들의 의사결정에 도움이 되지 않는다고 주장하였다. 결국 소비자정보 제공과 이를 활용할 수 있는 능력을 개발하기 위한 소비자교육이 병행될 때 소비자주권 실현 및 소비자복지가 증진된다고 하겠다.

3) 소비자교육에서의 가치관 개입

여러 소비자교육 주체기관에서는 소비생활에 대한 지식을 소비자들에게 가르쳐 주는 형태의 소비자교육을 수행하고 있다. 현대 경제사회 구조 속에서 사업자에 비해 소비자는 정보면에서 종속적인 지위에 있으므로 소비자정보 제공을 통한 소비자교육은 가장 필요하고 중요한 방법이다. 그런데, 자칫 소비자교육은 가치 판단에 기초할 우려가 있다. 가치 판단에 기초한 소비자교육은 그 효과면에서, 그리고 다양하고 복잡한 가치관과 태도가 인정되는 현대사회에서 부적절한 방법이 될 수 있다. 객관적 사실에 근거한 정보제공을 통한 소비자교육이 그 효과면에서 적절하다. 소비자가 생애에 걸쳐 자신의 가치를 선택하고 정립하며 이에 기초하여 의사결정을 하게 되고 자신의 소비생활을 창조하게 되는 소비자능력을 배양하는 형태의 교육이 필요하다. 소비자교육 기관의 가치판단을 소비자들에게 강요하는 것은 바람직하지 않다.

4) 소비자정보 전달 및 정보활용교육

소비선택에 실질적 도움이 되는 중요한 소비자정보를 소비자 스스로 수집한다는 것은 쉬운 일이 아니다. 무엇보다도 탐색비용이 많이 들게 되며, 정확하고 객관적인 정보를 충분하게 탐색하기가 어렵다. 이 같은 이유에서 정부는 사업자들에게 표시, 약관, 품질보증 등의 방법을 통해 제품의 기본적인 정보를 제공하도록 의무화시키는 등 소비자정보 공개 관련 정책을 펼치고 있다. 뿐만 아니라 언론, 소비자단체, 관련 기관에서 다양한 소비자정보를 제공하고자 노력하고 있으며, 소비자단체들은 주로 소비자잡지를 통해 소비자정보를 제공하고 있다. 이처럼 소비자들에게 제공되는 정보를 소비자가 충분히 활용한다면 소비자이익을 증진시킬 뿐만 아니라 생산자 또는 판매자들의 가격경쟁 및 품질경쟁을 유도할 수 있다.

소비자정보와 관련한 중요한 이슈는 어떻게 소비자들에게 전달할 것인가의 문제이다. 많은 비용을 들여 만든 각종 소비자정보, 특히 상품비교 테스트 정보 등이 소비자에게 매우 중요한 정보임에도 불구하고 소비자에게 제대로 전달되지 않는 문제는 매우 심각하다. 아직까지 우리나라에서 상품비교 테스트 정보는 주로 '소비자시대(유가)', '소비자(회원용)' 등의 잡지에 실리고 있으나, 회원용으로 판매되지 않거나 판매되는 경우에도 이 같은 정보를 얻기 위해 구독하는 소비자가 많지 않아 상품비교 테스트 정보가 제대로 전달되지 않고 있는 실정이다.

따라서, 이 같은 상품비교 테스트 정보를 어떻게 소비자에게 효과적으로 전달할 것인가는 매우 중요한 과제이다. TV, 신문 등 대중매체가 소비자에게 미치는 영향력을 고려할 때 대중매체의 적극적 활용 등 대다수 소비자들에게 품질정보를 제공하기 위한 노력이 시급하다.

그러나 우리나라 소비자들은 대체로 소비자정보를 충분히 탐색·활용하지 않는 것으로 판단된다. 무엇보다도 소비자정보를 제공하는 각종 소비자 관련 잡지를 구독하지 않고 있는 점이 이를 증명한다고 하겠다. 미국의 최대 소비자단체인 소비자연맹(CU)이 발행하는 'Consumer Report'는 매달 470만 부가 팔리고 있으며, 영국 소비자협회(CA)가 발행하는 'Which?'의 구독자는 50만 명을 넘는다고 한다. 또한, 프랑스(정부 INC 발행 '6000만' 잡지는 매달 20여 만 부 팔림)에서 소비자연맹(UFC)은 소비자잡지인 '크 슈아지(무엇을 선택할 것인가?)'를 발행하고 있는데 매달 23만 부 정도가 팔린다고 한다. 이에 비해 한국소비자원이 발행하는 '소비자시대(2000원)'의 구독자는 2만 명에 불과하다고 하니 우리나라 소비자들의 정보활용실태를 단적으로 보여 준다. 우리나라 소비자들은 상품을 살 때 정보를 구하지 않으며 또한 정보를 얻는데 돈을 지불하려 하지 않는다는 것이 일반적인 평가이다.

이처럼 우리나라 소비자들이 소비자잡지를 충분히 활용하지 않는 이유는 여러 측면에서 찾아볼 수 있다. 첫째, 우리나라 시장구조가 중공업은 물론 경공업 분야까지 거의 대부분 독과점 구조를 이루고 있으므로 소비자가 선택할 제품의 종류가 다양하지 않은 상태에서 가격, 품질, 디자인 등에 대한 세부적인 소비자정보가 필요하지 않았다는 점이다. 그러나 최근 시장개방으로 다양한 수입제품이 제공되고 있어 이 같은 수입제품들에 대한 가격, 품질, 디자인, AS 등의 정보가 더욱 필요하게 되었다. 또한, 오픈 프라이스 제도의 도입, 유통업체의 경쟁적 구조, 인터넷상의 전자상거래의 발달로 인해 다양한 가격과 품질의 제품을 선택할 수 있게 되면서 가격, 품질, 디자인 등에 대한 적극적인 정보탐색이 필요하게 되었다.

둘째, 한국소비자원 및 소비자단체들이 제공하는 소비자잡지의 내용이 부실하다는 것이다. 외국 소비자정보지들의 경우 내용의 약 90% 이상이 상품의 질이나 가격을 비교하는 것임에 비해 소비자시대의 경우 상품비교정보는 전체 내용의 25% 정도에 불과하며 기업이 꺼리는 정보를 제공하지 않고 있다는 점이다.

셋째, 소비자정보 제공에 필요한 예산 및 인력, 그리고 상품비교를 객관적으로 할 수 있는 능력과 의지가 부족하여 정보생산 및 전달에 한계가 있다. 미국 소비자연맹의 경우 50여 개의 실험실을 운영하고 있는데 기업이나 정부로부터 일체의 기부를 받지 않고 독립적으로 제품비교 테스트를 실시하고 있다. 해당 연구인력 및 검사의 철저함을 기하고 있어 'Consumer Report'지에 실리는 상품정보의 신뢰성은 매우 높다. 한편, 영국 소비자협회의 소속직원은 400명으로 웬만한 기업규모 정도라고 하는데, 우리나라 소비자시대의 제작인원은 5명에 불과하며, 예산부족으로 자동차 등 값비싼 제품을 분석할 장비가 부족하며 외부기관의 장비를 적극 활용할 의지가 낮다. 또한, 소비자단체들의 잡지는 대부분 비매품이어서 일반 소비자들이 쉽게 접하지 못하고 있다.

넷째, 소비자들의 정보탐색에 대한 인식부족 및 활용의지가 낮은 점이다. 많은 소비자들이 소비선택의 중요성에 대한 인식이 부족하고 또한 합리적 소비행태가 생활화되지 않아 소비자정보 탐색을 충분히 하지 않고 있다. 또한, 소비자정보는 돈을 주고라도 구입해야 한다는 인식이 부족한 상태이다.

지금까지 살펴본 바와 같이 대부분의 소비자들이 여러 가지 이유로 적극적인 소비자정보 탐색 및 활용을 하지 않고 있으므로 이를 해결하기 위한 방안이 모색되어야 한다. 국내외 시장환경이 급속도로 변화하고 있는 상황에서 합리적 소비선택의 필수적 사항인 소비자정보 탐색 및 활용을 유도하기 위한 방안에 대해 살펴보면 다음과 같다.

첫째, 소비자정보 탐색 및 활용의 중요성에 대한 소비자의식교육이 시급하다. 어느 곳에 가나 가격이 비슷했던 과거의 소비환경과는 달리 가격, 품질, 디자인 등 여러 측면에서 소비자선택의 범위가 넓어지고 있으므로 소비자들에게 적극적인 정보탐색 및 활용의 필요성을 인식시켜줄 수 있는 소비자교육이 필요하다.

둘째, 새로운 소비환경에 대응하는 신속하고, 정확하며, 충분한 양의 소비자정보가 소비자들에게 제공되어야겠다. 소비자단체, 매스미디어, 한국소비자원 등 소비자정보가 제공 가능한 기관에서는 소비자들이 원하는 정보가 무엇인지를 파악하고, 변화하는 소비환경에 필요한 정보를 보다 적극적으로 제공해야 한다. 소비자단체 및 한국소비자원에서 제공하는 정보가 구매선택과정에서 실질적인 도움이 되고 있는지, 상품비교 정보가 추상적이거나 불분명하여 정보로서의 기능을 제대로 하지 못하고 있는 것은 아닌지, 생산된 정보가 소비자들에게 전달이 잘 되고 있지는 않는지 등에 대한 검토가 필요하다. 인터넷 등 정보통신을 활용한 체계적이고, 과학적이며, 효과적인 정보제공이 시급한 시점이다.

셋째, 기업, 소비자단체 및 한국소비자원 등이 적극적으로 소비자정보를 제공할 수 있는 정부정책이 필요하다. 정부의 경우 기본적인 정보를 표시할 것, 약관의 내용을 공개할 것, 품질인증을 부착할 것 등의 방법으로 소비자정보를 제공하도록 하고 있으나 보다 실질적이며 효과적인 정보제공이 될 수 있는 정책을 마련해야 한다. 최근에 급증하고 있는 전자상거래에서 사업자에 대한 기본적인 정보도 제공되지 않고 있어 공정거래위원회의 전자상거래 표준약관이나 지침 등을 통해 정보공개 의무정책을 펼치고 있다. 사업자 자신은 물론 약관이나 거래내역에 대한 정보제공, 각종 개인 정보수집 및 누출에 대한 엄격한 통제 등 적극적인 정보관련 정책을 시행하고 있어 다행이라고 하겠다. 앞으로도 기업 간의 소비자정보 제공 경쟁을 유도할 수 있는 광고정책이나 정보공개정책, 그리고 인터넷을 활용한 정보제공 및 전달 관련 정책방안을 모색해야 한다.

5) 인터넷상의 소비자정보 제공 형태의 소비자교육

인터넷과 정보통신 기술의 발달로 인터넷상에서의 소비자정보 탐색 및 활용은 소비자들에게 더 이상 새로운 것이 아닐 정도로 확산되고 있다. 과거 소비자정보가 부족한 것이 소비자문제였다면 이제는 정보 과부하의 문제가 소비자문제로 전환되고 있는 실정이다. 인터넷의 발달은 다수의 불특정 소비자들을 대상으로

| 표 5-1 | 각종 소비자정보를 제공하는 인터넷 웹사이트

단체 및 관련 기관	인터넷 웹사이트 주소
한국소비자원	www.cpb.or.kr sobinet.cpb.or.kr 피해상담전용
소비자보호단체협의회	consumer.peacenet.or.kr
한국부인회	www.consumer.or.kr
한국소비자연맹	www.consumersunion.or.kr
한국YMCA전국연맹	www.ymca.or.kr
시민의 모임	www.cacpk.org
녹색연합	www.greenkorea.org
한국소비자학회	misun.hanyang.ac.kr/~kscs
재경부 소비자정책	www.sobija.go.kr
서울시 소비자종합정보망	econo.metro.seoul.kr/ci
경기도청 소비자보호정보센터	www.kg21.net
인천시	tonggu.jnc.kr
성남시	songnamshi.kyonggi.kr
식품의약품안전처	www.mfds.go.kr

쉽게, 간편하게, 그리고 효과적으로 소비자정보 제공 형태의 소비자교육을 수행할 수 있게 한다. 특히, 객관적인 소비자정보를 제공하는 사이트가 증가하고 있어 소비자정보의 혁신적인 변화를 초래하고 있다. 우리나라 소비자 관련 기관의 인터넷 정보 제공 개설현황은 표 5-1에 제시한 바와 같다.

이외에도 기업이나 민간 주체들이 다양한 소비자정보를 제공하고 있다. 특히, 가격비교 사이트의 운영은 가격과 관련한 소비자교육이 더 이상 필요 없을 정도로 그 효과가 엄청난 상황이다.

한편, 인터넷의 발달로 소비자들도 소비자정보 생산에 참여하게 되었다. 소비자들은 인터넷에 소비자 자신의 경험담이나 각종 다양한 정보를 인터넷상에 제공할 수 있게 되면서 정보교류가 활발하게 되고 소비자들의 폭넓은 의견이 다양하게 수렴되고 있다. 많은 소비자들이 기업의 홈페이지나 관련 인터넷 사이트에 제품이나 서비스를 구입·사용한 자신의 경험, 불만, 의견 등의 글을 올리고 있다. 그 결과 인터넷상에서 소비자 간의 정보 교환은 성황을 이루면서 스스로 직간접적으로 체험하는 소비자교육이 이루어지고 있다. 과거에는 구전활동의 형태로 소비자 간에 정보가 생산·이동되었으나 최근 인터넷을 통해 보다 신속하고 효과적인 정보 생산 및 교환, 그리고 이동이 가능하게 되었다.

소비자들이 정보를 서로 주고받는 개념을 도입한 인터넷상의 사이트들이 증가하면서 소비자경험 및 체험정보 교환, 소비자가 평가하는 제품품질비교 정보 제공, 소비자가 추천하는 우수업체나 서비스 사업자 코너 등이 운영되고 있다.

지금까지 살펴본 바와 같이, 인터넷상의 소비자정보 탐색 및 소비자정보 교류 등의 활동은 제품의 품질 및 서비스 질 향상에 긍정적 영향을 미치고 있으며 소비자주권 실현을 위한 소비자교육의 수단으로서 효과적이다.

2. 소비자운동을 통한 소비자교육

우리나라에서 소비자운동이 시작된지 벌써 30여 년이 넘어가고 있으며 이제는 소비자운동이 정착단계에 와 있다고 할 수 있다. 소비자운동은 기업경영을 소비자지향적 체제로 전환시키고 시장에서 소비자주권을 획득하기 위한 노력이라고 할 수 있다.

우리나라에서의 소비자운동은 주로 소비자단체를 중심으로 1970년대 말 이후 적극적으로 펼쳐져 왔다. 최근에는 소비자단체 이외에도 행정기관, 민간 교육기관이나 단체 등 다양한 기관에서 소비자운동을 펼쳐오고 있다. 조도근(1993)은 소비자교육을 포함하여 사회경제교육을 실행할 수 있는 기관과 단체들을 아래와 같이 분류한 바 있다.

- 생산자 중심 경제 단체 : 전국경제인연합회, 대한상공회의소, 한국무역협회, 중소기업협동조합, 한국능률협회 등
- 소비자 중심 경제 단체 : 한국소비자원, 한국소비자연맹, 소비자보호단체협의회, 한국부인회, 대한주부클럽연합회 등

• 정부 중심 사회경제교육기관 : 경제기획원 경제교육기획국, 국민경제교육연구소, 총리실, 청와대 등의 관련 부서
• 시민 모임 단체 : YMCA, YWCA, 경제정의 실천시민연합, 소비자문제를 연구하는 시민의 모임 등
• 대중매체 중심 기관 : KBS, MBC, SBS, EBS 등의 라디오·TV 방송국, 각 일간 신문사 등
• 대학 부설 사회교육기관 : 각 대학 부설의 시민대학, 사회교육원, 평생교육원 등

이와 같이 소비자교육을 실시할 수 있는 사회기관은 다양한데 이들의 활동은 소비자운동 이외에 소비자교육 등 다양한 형태로 전환되고 있다. 과거 소비자운동의 주요 내용이 고발이나 피해접수, 불매운동 등이었다면 최근에는 소비자정보 제공, 소비자교육, 소비자 지향적 법 제도나 기업 경영 전환 등의 형태로 변화하고 있다. 앞서 제시한 사회 기관들은 실제로 소비자교육뿐만 아니라 소비자운동도 병행하고 있으므로 소비자운동과 소비자교육의 접목을 시도할 필요가 있다.

인터넷상의 소비자 관련 사이트들에서도 소비자정보 제공, 각종 소비자운동을 적극적으로 펼치고 있다. 인터넷 사이트인 소비자반장의 경우 소비자운동 일환으로 소비자학교를 개설하여 청소년들이 알아야 할 소비자지식에 대한 정보를 제공하고 있으며 청소년들의 소비자 관련 질문들을 정리하여 제공하는 등 소비자교육 활동을 펼치고 있다. 소비자정보 제공, 소비자피해 보상규정, 소비자상담실 소개, 각종 생활정보 등을 제공하여 소비자교육의 효과를 높이고 있다. 한편, 녹색소비자연대에서는 녹색학교를 운영하면서 인터넷상에서 환경 소비자운동 및 환경 소비자교육 활동을 접목시키고 있다.

소비자운동에 참여하는 방법을 활용한 소비자교육은 체험을 통한 소비자교육 방법이다. 예를 들면, 녹색 소비자운동에 참여함으로써 환경의식을 높이고 환경 보존 실천방법을 익힐 수 있다. 이남주(1997)는 왜곡된 청소년들의 소비성향 등의 문제를 지적하면서 청소년 소비자교육을 소비자운동의 주요 과제로 삼아야 한다고 주장하였다. 구체적인 방법으로, 소비자단체가 청소년들을 대상으로 경제교육을 시키는 방법, 생활 쓰레기와 산업 쓰레기 매립현장을 방문하는 방법, 학

교 내 알뜰장터 개발 및 운영, 소비자운동을 주도하는 소비자단체 지원 및 공동 참여의 중요성을 주장하였다.

소비자운동에의 참여를 통한 소비자교육의 실제 사례를 소개하면 2001년 4월 모 분유회사에서 당시 임신한 톱 탤런트와 수억 원짜리 광고계약을 맺었다는 사실이 신문에 게재되자 한 주부가 그 회사 홈페이지 게시판에 비난의 글을 실었다. '그렇게 비싼 광고료를 쓰지 말고 분유 값을 내리라'는 내용의 글이 게재되자 수많은 네티즌 소비자들이 항의글을 실으면서 모델료가 가격에 반영되는 점을 인식하면서 불매운동까지 펼쳐지게 되었다(2001년 4월 13일 조선일보). 이 사건은 소비자운동에의 참여가 효과적인 소비자교육 수행방법이 될 수 있음을 보여준다.

뿐만 아니라 이동통신 요금 인하 운동은 인터넷상의 네티즌들이 참여한 운동으로서 100만인 서명운동(2001년 가을에 일어남)을 벌이는 등 소비자운동이 확대되자 이동통신 서비스 가격에 대한 소비자정보에 대한 요구가 거세지는 등 요금논쟁이 일었다. 이 사건은 적정한 가격에 대한 소비자들의 요구를 확인할 수 있었고 가격 시스템에 대한 소비자의식 함양 등 소비자교육의 효과를 충분히 거두었다고 할 수 있다. 이외에도 2001년에 일어난 교복 값 담합에 대한 소비자운동, 오래된 자동차세 인하 운동 등 적극적인 소비자운동에의 참여는 소비자들에게 체험적이고 실제적인 교육효과를 창출하고 있다.

소비자운동을 통해 소비자교육을 행하는 경우 소비자교육이 가치판단에 의해 이루어질 것인가, 소비자정보 제공에 역점을 둘 것인가가 중요한 이슈가 된다. 그 동안의 소비자운동이 고발 위주로 또는 시장경제체제에 대한 부정 형태로 진행된 바가 없지 않다. 그러나 실질적인 소비자주권을 향상하고 장기적으로 소비자권익을 보장하기 위해서는 체계적이고 과학적인 소비자정보 제공 등의 형태에 초점을 두어야 한다. 무조건적인 국산품 애용운동이나 외제품 불매운동, 시장에 지나치게 개입하여 시장구조 자체를 제약하거나 소비자보호를 명분으로 시장구조를 저해하여 장기적으로 소비자에게 불이익을 초래하는 형태의 소비자운동은 하지 않아야 한다.

3. 소비자정책을 통한 소비자교육

소비자는 소비자교육을 받을 권리가 있다. 이에 정부에서는 다양한 소비자정책을 펼치고 있는데, 특히 소비자교육 정책을 수행하고 있다. 정부정책을 통한 소비자교육에서 논의해야 할 사항들을 살펴보면 다음과 같다.

1) 소비자교육 정책

소비자정책은 사업자 간의 공정한 경쟁을 촉진시키며 소비자의 합리적 소비행동을 유도하는 것이 기본적인 목표이다. 정부는 소비자주권 확보 및 소비자의 합리적 선택을 지원하여 궁극적으로는 국민생활의 질적 향상을 추구하게 된다. 이같은 소비자정책의 목표를 수행하기 위하여 정부는 소비자정책을 통해 경쟁적 시장구조를 지원하고, 소비자정보를 제공하여 소비자가 자유롭고 합리적으로 선택할 수 있는 기반을 조성한다. 소비자정책의 목표를 달성하기 위한 방법은 크게 두 가지로, 사업자에 대한 규제행정과 소비자에 대한 지원행정이다.

사업자에 대한 규제행정은 소비자보호를 위한 법 제도를 정비, 소비자안전시책을 강화, 공정한 거래질서 확립을 추구하는 것이다. 우리나라의 경우 방문판매법, 할부거래법, 약관규제법 등 소비자보호 관련법들을 제정하고 이 법령들에 기초하여 소비자보호를 추구하고 동시에 사업자들의 부당한 활동을 규제하고 있다. 한편, 소비자를 보호하기 위한 정부의 지원정책은 소비자교육, 소비자정보 제공, 제품비교검사 실시 지원, 소비자상담 및 피해구제 등의 형태를 통해 실현된다. 최근에는 규제행정보다 소비자지원정책이 소비자정책의 주요 수단이 되어야 한다는 목소리가 높아지고 있다. 소비자지원 정책의 장기적 효과를 감안할 때, 과거의 사업자 규제 중심의 소비자정책에서 정부의 소비자에 대한 지원정책으로 전환되어야 한다. 특히, 소비자상담을 활성화시켜 끊임없이 계속되는 소비자피해를 효과적으로 구제하고 나아가 소비자피해를 사전에 예방할 수 있는 소비자정책을 적극적으로 추진해야 한다는 의견이 지배적이다.

2) 행정기관의 소비자교육

소비자지원정책을 실현하는 가장 대표적인 방법은 행정기관에서 지역 주민을 대상으로 소비생활과 밀접한 내용의 소비자교육 프로그램을 개발하여 교육하는 방법이다. 지방자치단체가 소비자교육 프로그램을 개발하고 또 교육시키는 방법은 비용, 효율성, 전달 면에서 사회 소비자단체나 비영리기관에서 수행하는 것보다 유리하다. 특히 소비자교육을 받을 기회가 적은 저소득층, 장애인 등을 대상으로 하는 소비자교육은 정부정책을 통해서만 실현 가능하다. 이들을 대상으로 어떻게 소비자정책을 통해 소비자교육을 수행할 수 있는지를 구체적으로 살펴보면 다음과 같다.

노인대학에서 노인들의 소비자문제에 대해 팀을 조직하여 논의·학습하게 하는 방법, 컴퓨터 어머니 교실 등을 활용하여 정보사회 속에서 적절한 소비자정보 탐색 및 활용능력을 배양시키는 소비자교육 활동 등이 정부의 소비자정책을 통해서 수행될 수 있다. 소비자교육 기회를 갖기 어려운 취업주부에게 행정기관에서 운영하는 어린이집 교사가 행정기관에서 발행한 소비자교육 자료를 전하는 방법도 하나의 좋은 소비자교육 방법이 될 수 있다.

농어촌의 경우 농촌 소비자가 생산과 소비를 동시에 하므로 지방자치단체가 이들을 대상으로 하는 각종 소비자교육을 수행할 수 있다. 예를 들면, 농협 부녀회 등을 활용하여 소비자교육을 시킬 수 있다. 지역 커뮤니티를 활용한 소비자교육도 가능하다. 행정기관에서 지역의 장난감 가게 주인들을 초청하여 장난감과 안전, 취급방법, 보관방법 등에 대해 어린이들과 대화할 수 있는 소비자교육도 가능하다.

또한, 기업가들을 초빙하여 규정액을 초과하는 부당경품과 표시 문제에 대해 토론하고 논의하는 방법도 가능하다. 소비자의 이익과 사업자의 이익이 상반되지 않는다는 것을 알게 하는 좋은 기회가 될 수 있다. 또한, 행정지역 내 중소 자영업자들을 대상으로 가격표시제도의 중요성 및 실천 등에 대해 소비자와 함께 의논하고 토의하는 소비자교육 등이 이루어질 수 있다.

게다가 평생 교육에 참여하기 어려운 남성 소비자들을 대상으로 하는 소비자교육에도 관심을 가질 수 있다. 행정기관이 직접 수행하기 어려운 경우 지역 내

기업에게 기업에서의 소비자교육을 유도하는 것도 좋은 방법이다. 필요하다면, 노동조합 차원에서 소비자교육을 수행하도록 하거나 행정기관에서 제작한 소비자정보 잡지를 지역 주민, 지역 내 기업의 직원 등에게 제공하는 방법 등이 활용될 수 있다.

3) 행정기관의 소비자정보 제공형태의 소비자교육

소비자정책을 통한 소비자교육은 각종 소비자정보 지출 간 지원 및 배포 등을 통해서도 실현될 수 있다. 우리의 경우 정부출연기관인 한국소비자원에서 출간하는 '소비자시대'와 상품품질 비교 테스트 잡지인 '어느 회사 제품이 가장 좋은가' 등을 지원하는 형태로 소비자교육을 수행하고 있다. 한편, 정부 소비자정책의 일환으로 구매 전 소비자정보 제공을 효과적으로 수행하여 소비자교육 효과를 높이고자 기획재정부에서는 다양한 소비자정보를 제공하고 있다.

4) 한국소비자원의 소비자교육

우리나라 정부기관 중 소비자교육을 가장 체계적으로 수행하는 곳은 한국소비자원이다. 한국소비자원에서는 소비자교육 연수팀을 구성하여 다양한 계층을 대상으로 소비자교육을 수행하고 있다. 대학생, 공무원, 교사, 초·중·고등학생, 신용카드 담당직원, 지방공무원, 사법 연수생, 소비자문제 전문요원 등 각계 각층의 소비자나 소비자업무 종사자들을 대상으로 소비자교육 서비스를 제공하고 있다.

5) 다른 나라의 소비자교육 정책

일본의 경우 소비생활센터, 국민생활센터 등에서 소비자교육을 수행하고 있다. 일본에서 소비생활센터는 약 400여 개소가 있는데 이곳에서는 소비자상담은 물론 소비자강습회, 전시회 등을 통해 소비자교육을 담당하고 있다. 대개 '센터소식'이라는 무상의 소책자를 통해 정보제공 형태의 소비자교육을 실시하고 있으며, 도쿄의 '생활안전정보', 카라사와현의 '소비자교육을 생각한다' 등의 정기간행물을 통해 정보제공 형태의 소비자교육을 담당하고 있다.

한편, 1970년에 설치된 국민생활센터에서는 교육연수사업이 행해지고 있는데 상품 테스트 등의 정보를 게재한 '확실한 눈'이라는 책자와 소비자상담 및 위해정보를 담은 '국민생활'을 통해 정보제공 형태의 소비자교육을 시행하고 있다. 또한, 소비자행정을 담당하는 공무원과 소비생활센터의 소비생활상담원에 대한 전문적 소비자교육도 담당하고 있다. 행정 직원에게는 소비자행정의 기본 이념부터 실무 등에 대해 교육시키고 있으며, 소비생활상담원에게는 소비자상담의 기본자세는 물론, 교육 당시의 소비자문제, 소비자불평 상담 등에 대해 전문가를 초빙하여 강연을 실시하는 등 적극적인 정부 차원의 소비자교육을 시행하고 있다.

4. 소비자상담을 통한 소비자교육

소비자상담은 소비자단체 및 행정기관 등 소비자 관련 기관의 오랜 동안 주요 업무였다. 소비자불만이나 고발을 접수하고 피해를 구제해 주기 위한 소비자상담은 주로 구매 후 발생하는 문제를 해결하는 상담이 주를 이루어 왔으나 점차 소비자정보 제공 등 구매 전 소비자상담의 중요성에 대한 의견이 높아지고 있다.

소비자가 자신이 직면한 소비자문제나 피해를 직접 상담함으로써 그 해결을 모색하는 것은 체험적인 소비자교육 방법이 된다는 것은 자명하다. 이처럼 구매 후 상담뿐만 아니라 구매하기 전에 필요한 소비자정보를 얻거나 소비자의사결정에 중요한 정보를 탐색하는 상담 역시 정보탐색 및 활용 등 체험적인 소비자교육 방법이 된다.

게다가 소비자상담은 상담 내용에 대한 자료가 축적되므로 그 자료를 분석하여 소비자문제나 피해 예방 관련 교육에 중요한 기능을 담당할 수 있다. 특히 인터넷상의 소비자상담은 소비자상담기관 간의 네트워크를 통해 광범위한 상담내용을 자료화할 수 있고 이 같은 자료를 체계적으로 소비자들에게 알림으로써 소비자교육의 효과를 달성할 수 있다. 실제로 소비자단체, 기업, 한국소비자원, 정부 관련 기관에서는 적극적으로 소비자상담을 수행하고 있으며 이 상담자료를 토대로 소비자교육 프로그램을 수립하고 있다. 뿐만 아니라 상담자료는 소비자 정책수립, 소비자법제도 구축, 소비자정보 제공 관련 정책 등 광범위한 분야에서 활용되고 있다.

결론적으로 소비자상담을 통해 자주 등장하는 상담내용 및 피해사례에 대한 자료구축을 할 수 있으며, 이를 소비자가 쉽게 검색할 수 있도록 한다면 반복되는 유사한 피해를 예방할 수 있고, 교육적 자료로서도 그 가치가 크다. 소비자교육 현장에서 소비자들에게 소비자상담 경험을 갖게 하는 것, 인터넷상담 등 다양한 소비자상담 경험을 갖게 하는 것, 소비자상담기관에서의 상담업무실습, 인터넷상의 소비자상담에 대한 조사 및 평가, 모의 소비자분쟁조정회의 등은 소비자상담이 소비자교육의 중요한 수단이 될 수 있음을 보여 주는 구체적인 교육방법이라고 하겠다.

소비자교육의
기술적 방법

1. 소비자교육 프로그램의 실행방법 선정 시 유의점
2. 교수·학습방법 적용 시 교육자의 유의사항
3. 소비자교육의 방법

06 | 소비자교육의 기술적 방법

교육활동을 전개해 나가는데 있어서 가장 효과적인 교육방법이 무엇이냐 하는 것을 획일적으로 결정할 수는 없다. 왜냐하면 교육자가 변화시키고자 하는 학습자들의 행동 특성이 무엇이냐에 따라 효과적인 교육방법은 다르기 때문이다. 이 것은 소비자교육에 있어서도 마찬가지이다. 그러므로 소비자교육을 효과적으로 실행하기 위해서는 다양한 소비자교육의 기술적 방법들의 특성을 명확하게 알고 적절하게 선별하여 사용할 수 있어야 한다.

이 장에서는 소비자교육 프로그램을 실행하는 방법을 선정하는 기준과 소비자교육 프로그램을 실행할 때 사용할 수 있는 다양한 방법의 특징들을 살펴보도록 한다.

1. 소비자교육 프로그램의 실행방법 선정 시 유의점

교육방법은 학습활동의 다양성, 달성하고자 하는 목표의 유형, 피교육자의 특성, 피교육 대상의 규모, 교육하려고 하는 주제, 자원의 활용가능성, 가용시간, 교수법에 관한 교육자의 관련 지식 및 성격, 피교육자들의 교육방법에 대한 선호도 등을 기준으로 선정해야 한다.

소비자교육도 교육대상이 되는 소비자의 수준에 맞추어 적절한 방법이 사용되어야 소비자교육의 효과를 극대화할 수 있다. 다양한 소비자교육 방법이 있지만 교육의 대상이 되는 소비자의 수준에 맞추어 교육내용을 선정한 후에 다양한 소비자교육 방법 중에서 교육목표와 교육주제, 교육시설과 가용한 자원, 피교육자 특성과 교육상황을 고려하여 가장 적합한 교육방법을 사용하도록 하는 것이 중요하다.

1) 유관적합성

해당교육과정에서 교육목표와 교육내용에 적합해야 한다.

2) 다양성의 원리

교육방법은 한 내용에 대해서 한 가지만 있는 것이 아니므로 다양하게 다른 방법을 도입하거나 전체적으로 조화와 균형을 이루도록 변화를 주는 것이 필요하다. 이를 통해서 동기를 유발시키고, 주의를 집중시키거나 계속적인 흥미와 관심을 보이며, 적극적인 참여와 긍정적인 태도를 유지시킬 수 있다.

3) 적절성의 원리

다양한 방법을 도입하는 것이 동기유발이나 계속적인 활동의욕을 불러일으키기에 좋다고 하더라도 피교육자의 학습능력 발달단계에 따른 학습능력을 고려하여 적절한 교수·학습방법을 선정해야 한다.

4) 효율성의 원리

소비자교육을 할 수 있는 시간상의 제약과 교육여건을 고려해야 한다. 특히 특정한 시설을 필요로 하거나 시간을 많이 필요로 하는 교육방법의 경우에는 교육에 걸리는 전체 소요시간을 잘 예측하여 교육방법을 선정하고 교육계획을 수립

해야 한다. 그러므로 시간적·경제적으로 적당한 선에서 최적성 또는 효율성을 찾아 여러 방법들이 선택되어야 한다.

5) 현실성의 원리

소비자교육에서는 현실과의 관련성이 높으므로, 구체적으로 실생활에 적용할 수 있는 방법이어야 하며 활동의 결과 또한 실생활에 즉각적으로 적용할 수 있는 것이어야 한다.

2. 교수·학습방법 적용 시 교육자의 유의사항

- 어떤 교수·학습방법이 되었든지 간에 소기의 교육효과를 얻기 위해서는 교사가 사전에 해당 교수·학습방법을 충분히 숙지하여 잘 알고 있어야 한다.
- 교육내용이 기본원칙은 동일하지만 실제 적용 시는 다양하게 나타나므로 실제상황이나 사회·문화적 조건을 생각하면서 교육시켜야 한다. 교육내용 선정시 해당 지역의 지리적, 사회·경제적, 문화적 특성을 감안한다.
- 특정 교수·학습방법을 채택해 이를 수업에 활용할 때 그 교육내용의 선정은 되도록 학생들의 실제 생활경험을 살리고 학습활동 이후에도 학습결과를 생활에 적용할 수 있는 교육내용을 선정하도록 한다. 교육자가 직접 예시를 제공하는 것도 중요하나 피교육자의 생활경험 공유, 다른 사람까지도 경험할 수 있는 소재를 선택하는 것이 더욱 효과적이다.
- 특정 교수·학습방법을 적용한 교육효과가 일회적으로 나타나는데 그치지 않고 지속될 수 있도록 지도할 수 있는 방법을 사전에 강구하도록 한다. 학교에서의 교육은 체계적으로, 그리고 지속적으로 점검이 가능하나 사회에서의 교육은 점검방법이 없으므로 교육 시 쉽게 주변에서 찾아 실제 손쉽게 실천할 수 있는 내용으로 교육시키도록 한다.

• 특정 교수·학습방법을 적용한다고 할 때 자칫 그것이 빚을 수 있는 부정적인 결과나 역기능적인 측면을 사전에 고려하여 이를 막기 위한 대응조치나 예방조치를 취한다.

3. 소비자교육의 방법

1) 강의법

강의법은 설명에 의한 교수의 방법을 말한다. 즉, 문제의 형식으로 제시된 사항 또는 관념들을 학습자에게 이해시키기 위하여 해설의 방식으로 실시하는 교수기술의 한 방법이다. 구체적인 방법으로는 언어를 이용하여 설명을 주로 하는 교육방법으로 전통적으로 교육현장에서 널리 사용되어 오고 있다.

강의법이 오랜 전통을 가지고 교육현장의 대표적인 교육방법으로 자리잡기에는 그만큼의 많은 장점을 보유하고 있기 때문이다. 그러나 강의법은 그 장점 못지않게 많은 단점이 있다. 따라서 강의법에 의한 교육을 실시함에 있어서 그 장단점을 고려하고 강의를 실행하기 전에 필요한 준비 사항과 강의식 교수방법의 장단점을 알아야 하며, 방법면에 있어서의 제반 고려 사항을 충분히 이해해야 한다.

(1) 강의법의 장단점

효율적인 강의를 위하여 강의법의 장단점을 살펴보면 다음과 같다.

① 장점
• 강의법에서는 교사가 비교적 단시간 내에 여러 가지 구상을 제시할 수 있다.
• 강의법은 논제를 소개하는데 특히 적합하다.
• 강의법은 대집단을 교수하는데 유익하고 편리한 교수방법이다.
• 강의법은 타 방법으로 얻기 곤란한 정보를 제공하기 위하여 사용될 수 있는 이점이 있다.

- 강의법은 새로운 과업 및 단원의 도입에 유효하며 흥미를 환기하여 학습동기 유발에 유효한 방법이다.
- 강의법은 일어났던 사실이나 여러 생활형태 등을 생생하게 재현시키는데 적당한 방법이며, 이를 위한 보조자료를 제시할 경우 유효한 방법이다.

② 단점
- 강의법은 피교육자들의 참여도가 극히 미온적으로 떨어져 교육자로 하여금 모든 일을 처리토록 한다.
- 강의법은 피교육자의 학습 성취도를 측정하기가 매우 어렵다.
- 교육자가 강의를 하는 모든 시간동안 피교육자의 주의를 집중시키고 유지하는 일이 곤란하다.
- 문제 해결에 대한 능력을 연마할 기회를 부여하지 못하게 된다.
- 강의법은 교육자의 능력에 따라 교육의 질적 차이가 심하게 나타날 수 있다.

따라서 강의에 의해서 소기의 학습 성과를 달성하기 위해서는 교육자의 효율적인 교수기법이 필요하다.

(2) 효율적인 강의기술

효율적으로 강의법에 의한 교육을 진행하기 위한 테크닉을 제시하면 다음과 같다.

① 시선(eye-contact)

시선배분은 교육자에게 매우 중요한 착안점이다. 아무리 강의내용이 좋다 하더라도 교육자의 시선이 피교육자에게 향해 있지 않는다면 그 수업은 일방적인 수업이 되고 말 것이다. 따라서 시선은 항상 수강생을 주시하여 주의를 끌어야 한다. 눈과 눈이 마주치는 대화(Eye to Eye Communication)로 진행한다면 강의 분위기를 보다 활기차고 고무적으로 전개해 나갈 수 있을 것이다.

② 교단 활동의 자세

주머니에 손을 넣고 강의를 한다든지, 교탁에 엎드려서 시종 불성실한 모습을 보인다든지, 또는 전 시간을 한 자리에서 움직임 없이 서 있으면 지루하게 되는 수도 있다.

교단에 서는 순간부터 교육자는 기본적으로 몸가짐에 대하여 관심을 가져야 한다. 자연스럽고 바른 자세를 유지해야 하며 양손으로 교탁에 엎드리는 피곤한 모습의 강의 자세는 삼가야 한다. 변화 있는 적당한 움직임(movement)을 가지고 학습자를 주시하면서 교탁을 중심으로 활동하는 것이 바람직한 교단에서의 자세이다.

③ 제스처(gesture)

제스처는 강의나 연설에 필요 불가결한 활력소를 준다. 즉, 제스처는 강의내용을 강조하여 기억하는데 강한 파지력을 주게 된다. 그러므로 강의 시 제스처를 적당히 활용하여 강의 내용을 강조하거나 보조설명이 되도록 해야 한다. 그러나 강의가 전개되는 동안 쓸데없는 버릇에 의해 학생들에게 주는 인상을 흐리게 하거나 주의를 산만하게 하는 일이 없도록 주의해야 한다.

교육자가 말을 시작할 때 또는 말을 끝낼 때 이상한 조사를 붙인다든지 어떤 이상한 신체적인 행동을 반복하면 학생들에게 좋지 못한 인상을 주고, 강의의 분위기를 산만하게 할 가능성이 높기 때문에 교육자 자신이 시정하도록 노력해야 한다.

④ 목소리

교육자에게 있어서 자신이 가지고 있는 목소리는 참으로 중요하다. 천부적으로 타고나는 음성이지만 자신이 노력해서 가능한 한 명확한 목소리를 사용하도록 해야 한다. 또한 가능한 한 명랑한 목소리를 가져야 한다.

인간의 목소리는 오랜 세월을 거쳐 만들어진 것이기 때문에 짧은 시간에 고치기는 불가능하나 노력만 하면 다음 사항은 개선할 수 있다.

- 적절한 크기의 목소리 : 강의는 교실 맨 끝자리에 앉아 있는 수강자에게도 잘 들려야 한다. 따라서 교육자는 가능한 한 모든 학습자가 잘 들을 수 있을 정도의 큰 목소리로 강의를 해야 한다.
- 자신감 있는 목소리 : 자신이 없으면 공포감을 느끼게 된다. 교단에 서 본 경험이 없는 초보자일수록 그러한 느낌을 가지게 되며 걱정을 하게 된다. 이

러한 경향은 초보자에게만 있는 것이 아니라 누구에게나 있는 것이다. 남의 앞에 선다는 것은 기술이 필요하며 숙련될 때까지 꾸준히 노력해야 한다. 자신감을 가지기 위해서는 무엇보다 자기가 강의할 내용을 충분히 준비하여 숙지하고 있어야 한다.

- 명료한 목소리 : 목소리는 크게만 한다고 해서 강의내용을 잘 알아들을 수 있는 것은 아니다. 들릴 만큼 크게 하는 것도 중요하지만 명확하게 발음하는 것도 중요하다. 소리의 명확성을 저해하는 요소는 말을 너무 빠르게 하는 것, 입을 너무 작게 벌리는 것, 혀와 입술의 동작이 너무 느린 것 등으로 이러한 점에 유의해야 한다.
- 다양한 목소리 : 목소리의 다양성과 고저·강약·장단의 조화는 청취효과를 높이게 하는 중요한 요소이다. 단조로운 강의는 생동감을 상실하여 졸음을 야기하기 쉽다. 주의를 끌기 위해서라도 목소리의 고저와 강약은 중요하다. 또한 말과 말 사이에 적절히 쉼표를 넣는 것도 하나의 좋은 요령이라고 할 수 있다.

⑤ 교육자의 감정과 열의

교육자의 동작과 목소리도 중요하지만 교육자의 열의와 신념은 학습자에게 투사하게 된다. 따라서 교육자 자신의 강의 주제와 그 내용에 대해서 열정적인 태도를 갖는다는 것은 대단히 중요한 일이다. 강의를 통한 교육은 교육자가 자기강의에 대하여 애착과 정열을 가질 때 보다 훌륭한 학습성과를 기대할 수 있을 것이다.

2) 매체활용방법

교수매체를 활용한 교수·학습방법의 제 유형을 포괄한다. 교수매체란 교수·학습과정에서 교수자와 학습자 사이를 연결시켜서 학습내용의 전달이나 의사소통이 가능하도록 하는 것을 말한다. 적절한 교수매체를 사용하는 것은 교육대상이 되는 소비자의 학습동기 부여에 유리하고 그에 비례한 학습효과를 낳을 수 있다. 다양한 교수매체를 사용하는 것은 교육에 있어서 다음과 같은 의의를 가진다.

첫째, 학습자에게 구체적인 경험을 주어 학습의 다양성과 능률화를 도모할 수 있게 한다.

둘째, 언어에 의한 학습보다 매체를 통한 학습은 학습자의 흥미를 환기시키고, 그들의 주의를 집중시킬 수 있기 때문에 강한 학습동기를 유발하여 학습자로 하여금 자발적이고 능동적인 학습에 임할 수 있도록 한다. 그러므로 소비자의 수준과 교육내용에 알맞은 교수매체를 개발하고 적당한 시기에 타당한 방법으로 활용하여 교육효과를 증진시켜야 할 것이다.

그러면 어떠한 유형의 교수매체가 사용될 수 있는지 살펴보도록 하자.

(1) 인쇄매체

인쇄매체란 신문, 잡지, 팸플릿 등과 같은 인쇄물을 말한다. 신문이나 잡지와 같은 인쇄매체는 소비자들이 일상생활에서 쉽게 구할 수 있으며, 직간접으로 소비생활과 관련된 기사와 내용이 풍부하게 게재되어 있으므로 다양한 방법으로 활용이 가능하다. 특히 신문 활용 교육(NIE : Newspaper In Education)은 신문을 활용하여 학습자들의 종합적 판단력과 사고력을 향상시키고자 하는 교육프로그램이다. 신문에는 정확한 문장으로 기사화된 사회 현상과 해설, 논평, 사진, 그림, 그래프, 광고 등 다양하고 풍부한 학습 자료가 담겨 있어 이들 자료를 적절히 활용하면 소비자들의 흥미와 교육적 효과를 높일 수 있다.

(2) 시각매체

시각매체란 자료를 제시할 때 광학적이나 전기적인 투사 방법을 사용하는 것으로 슬라이드, TP 등이 여기에 속한다. 이의 활용을 위한 매체로는 슬라이드 프로젝터, OHP 등을 꼽을 수 있다

(3) 청각매체

청각매체란 주로 청각적인 정보를 전달하는 것으로 라디오, 녹음기 등이 있다.

원격 방송매체인 라디오는 대중 교육매체로서 큰 역할을 담당하고 있다. 특히 방송통신 교육에서와 같이 많은 사람들에게 교육의 기회를 제공해 왔다. 청각적

인 감각 통로에만 의존하는 교수매체이기는 하지만, 대중적인 정보 제공 능력이 매우 탁월하고 학습 정보의 대량 전달이 가능하며, 신속성을 갖고 있다. 수신 장비가 비교적 저렴하기 때문에 널리 보급될 수 있는 장점이 있는 반면에 일방적인 전달 체제이기 때문에 쌍방의 의사소통이 어렵고 시각 자료의 제시가 불가능하며 방송 시간에 따른 시간적인 제약이 있다.

(4) 시청각매체

시청각매체는 영상과 소리가 결합되어 있는 것으로, TV 방송이 대표적인 시청각매체이다. 시청각매체는 학습자의 시각과 청각에 직접 호소함으로써 인쇄매체보다 학습교육대상의 흥미유발이 쉽고 학습자의 흥미도가 높아 학습효과를 높이기 쉽다.

소비자에게 중요한 지식을 드라마나 영화와 같은 동영상으로 전달하여 간접체험의 기회를 제공한다. 간접적이지만 체험적 학습을 통해 기초적인 지식의 이해와 도달을 쉽게 할 수 있으며, 사고 및 판단력을 높일 수 있다. 그러나 시청각매체를 활용하기 위해서는 TV, VTR, 오디오시설과 같은 시청각 기자재를 구비해야 하고 이러한 기자재를 사용할 수 있는 기본적 시설이 필요하며, 적절한 방송 프로그램을 선정하는 것도 쉽지 않다는 단점이 있다.

(5) 컴퓨터

정보통신기술의 발전으로 컴퓨터는 우리 생활의 중요한 일부분으로 자리잡게 되었다. 이와 더불어 인터넷이 상용화됨에 따라 컴퓨터를 활용하면 많은 소비자 정보를 얻을 수 있다. 인터넷의 확산에 따라 널리 보급되고 있는 인터넷활용교육(IIE)은 컴퓨터를 이용하는 교육 방법의 하나이다.

실제로 특정 재화를 판매하는 상점을 일일이 방문하지 않더라도 컴퓨터를 통해 재화의 가격을 알 수 있으며 동일한 재화의 가격이 다를 수도 있다는 것도 확인할 수 있다.

컴퓨터를 교육에 사용하면 다음과 같은 이점이 있다.

- 학습동기 유발효과 이외에도 학습자의 정보활용능력을 배양시키고 이를 소비생활에 응용하는 능력을 키우는 방법으로써 유용하다.
- 컴퓨터가 가지고 있는 다양한 기능을 이용하여 변화가 풍부한 학습이 가능하다.
- 교육자가 교육대상의 의사와 이해도를 상대적으로 손쉽게 파악하여 개별지도가 용이하다.

(6) 실물활용방법

실물이란 가공하지 않은 자연 상태의 교수자료를 의미하며, 소비자들이 일상생활에서 쉽게 접할 수 있는 실물은 실제적인 물체이므로 소비자들이 쉽고 정확하게 이해할 수 있다는 특징을 갖고 있다. 그리고 오관을 통하여 직접 경험할 수 있기 때문에 소비자들에게 생생한 경험을 제공할 수 있다. 교수매체의 생생함을 그대로 전달함으로써 학습효과를 높일 수 있는 장점이 있다. 그러나 실제 교육에서 활용할 수 있는 실물이 그다지 다양하지 못하고 많지 않다는 제약이 있다.

① 실물제시법

수업시간에 실물을 학생들에게 제시하여 학생들이 직접 보고 만지며 조사, 토론을 하게 하는 방법이다. 실생활에서 사용하거나 볼 수 있는 객관적 사물을 제시함으로써 학생들의 이해를 돕고, 현실감 있는 학습활동을 가능하게 하며, 학생의 흥미를 끌어 주목도가 높아지므로 효율적인 학습이 가능하다.

제품의 사용설명서, 계약서 등의 실물을 가지고 내용을 확인하면서 교육할 수 있으며 소비자들이 일상생활에서 간과하기 쉬운 식품의 유통기한, 의류의 취급방법, 각종 영수증에 기재된 납기일이나 미납요금 등은 소비자들이 쉽게 실물을 구할 수 있으므로 이를 가지고 확인하며 관련 내용을 교육하는 것이 보다 효과적이다.

그러나 실물을 직접 보는 것도 중요하지만 나아가 이를 조작하거나 처리, 응용할 수 있는 능력을 기르는 것이 강조되어야 한다.

② 게시·전시법

　교육장소 안팎에 교육내용과 관련이 있는 실물 또는 관련 자료를 게시·전시하여 교육생의 이해를 돕는 학습방법으로, 공통된 주제 하에 여러 유형의 다양한 실물 또는 관련 자료들을 한데 모아 비교 관찰하는 형태로 학습활동이 이루어진다.

　일상생활에서 실물을 쉽게 구할 수 없는 경우는 게시나 전시를 활용할 수 있다. 예를 들어 수입농산물과 국내농산물의 차이를 교육하기 위해서는 모든 소비자가 실물을 구할 수 없으므로 이러한 농산물들을 비교하여 전시하는 방법을 사용할 수 있다. 그리고 주변에서 쉽게 관찰하기 어려운 소비자피해 사례나 제품의 결함 등의 내용을 소비자에게 알리기 위해서도 게시나 전시를 활용할 수 있다.

③ 실험·실습법

　실험·실습에 의한 소비자교육은 소비자가 직접 교육과 관련된 내용을 실험이나 실습을 통하여 실물을 보고 제작, 조작하는 것에서부터 실물을 가지고 특정 사실을 확인하기 위해 분석적인 절차를 통해 직접 시험해 보는 것까지 다양한 형태의 체험학습으로 이루어진다.

　이 방법을 이용하면 학습자들은 이론적으로만 알고 있는 기능을 기대 수준까지 숙달시킬 수 있다. 따라서 실습은 학습자들이 학습한 것을 실제의 사태에 적용하는 것이 허용될 때나 이론으로만 배운 것을 실제와 유사한 사태에서 직접 연습해 봄으로써 활용 가능한 기능을 익혀야 할 경우에 적합하다. 이 교육방법은 다른 방법에 비하여 시간이 많이 소요된다는 단점이 있으나 교육의 효과는 다른 방법에 비하여 매우 높은 편이다.

　실험·실습방법을 사용할 때는 과학적 지식의 습득이 목적이 아니고 과학적 방법을 통한 소비생활의 지혜를 얻는 것이 목적이라는 점을 분명히 해야 한다. 예를 들어 실습을 통해 의복의 취급표시를 보고 그에 따라서 세탁했을 경우와 그렇지 않았을 때의 의복상태를 비교 분석하는 것의 교육목적은 세탁기술의 습득이 아니라 취급표시를 이해하고 그에 따라 적절한 취급을 해야 한다는 지식을 습득시키는 것이다.

3) 조사기법을 이용한 소비자교육

학습활동으로 사회조사기법을 활용하는 것으로 학생들이 단순히 지식을 주입받는 방식에서 벗어나 새로운 사실들을 직접 찾아내어 확인하는 방법이다. 교육효과를 제대로 얻기 위해서는 학생들이 사회조사기법을 정확히 숙지하여 실행할수 있어야 한다.

소비자교육에 활용할 수 있는 조사기법에는 설문조사, 면접조사, 실태조사, 문헌조사, 관찰조사 등이 있다. 이러한 조사기법을 소비자교육에 이용할 때는 조사의 목적과 방법을 정확히 한 후에 결과를 어느 정도 예측한 상태에서 사용하는것이 좋다. 그렇게 함으로써 조사결과에 대한 해석을 통해 소비자에게 의도된 내용을 교육할 수 있기 때문이다.

가격이 어떻게 결정되는지를 교육하기에 앞서 일정한 시간 간격을 두고 농수산물의 시장가격을 직접 조사하게 하고 조사된 농수산물의 가격을 계절적인 요인에 따른 출하량, 즉 공급과 소비자들이 구매하려는 수요량과의 관계로 설명하는 것은 조사기법을 활용하는 소비자교육이라 할 수 있다.

(1) 설문조사

특정의 과제에 대한 조사표(질문지)를 작성하여 조사대상자에게 물어보거나직접 기재하도록 하고, 이를 통계적으로 처리하여 조사대상의 지식, 경험, 의견등에 대한 실태를 조사하는 방법이다.

(2) 면접조사

조사활동의 한 가지 방법으로 특정의 과제에 맞는 사람이라고 할 수 있는 사람을 교육대상이 직접 인터뷰하여 다양한 정보와 의견을 듣는 방법이다. 이 방법은 교육대상들이 주체적으로 어떤 사람에게 정보나 의견을 듣기 때문에 과제에관해 친근감과 강한 인상을 갖는다. 일반소비자를 포함하여 사회에서 경제활동을 수행하는 여러 유형의 행위자들로부터 그 활동이나 이로부터 빚어질 수 있는제반 현상들, 이에 대한 그들의 생각이나 입장들을 직접 들어보고 간접체험을 하는 데 유용하게 쓰일 수 있다.

(3) 실태조사

문헌연구나 관찰 등의 방법을 통해 학습과제로 선정된 주제에 따라 사물과 현상을 조사하는 학습활동이다. 교육대상들로 하여금 조사활동을 통해 익숙한 현상의 드러나지 않는 의미나 정확히 인식하고 있지 않는 현상의 실체를 발견하고 이해하도록 하는 데 그 활용목적이 있다.

(4) 사례연구

특정사례를 중점적으로 다루어서 확인하고자 하는 경험적 사실의 전형을 통해 사회적 현상이나 사실들을 심층적으로 파악하는 방법이 사례연구이다. 소비자교육에서는 주어진 사례를 분석하여 소비자가 일반적으로 활용할 수 있는 지식을 습득하도록 하는 것으로, 귀납적 논리에 의해 소비자를 교육하고자 하는 방법이다.

예를 들어 소비자의 저몰입 재화 구매행동과 고몰입 재화 구매행동의 차이점을 설명하기 위하여 소비자가 최근에 구매한 세제와 옷의 경우에 어떠한 과정을 거쳐 구매하게 되었는지 자세히 사례를 분석한다. 이를 통해 세제와 같은 저몰입 재화는 제품의 사용경험이 재화의 선택에 큰 영향을 미치지만 옷과 같은 고몰입 재화는 제품구매에 앞서 많은 정보탐색이 이루어진다는 차이를 발견할 수 있고, 그러한 차이가 왜 발생하였는지 자세히 분석하여 일반적으로 저몰입 재화의 구매 시와 고몰입 재화의 구매 시에 사용할 수 있는 소비자행동 지침을 교육할 수 있다.

가장 많이 이용되는 사례연구에 의한 소비자교육은 소비자피해 사례를 이용한 교육으로 구체적인 사례를 들어 법의 내용뿐만 아니라 법의 적용 부문을 더 쉽게 이해할 수 있도록 하는 데 효과적이다.

4) 사회적 상호작용을 이용한 소비자교육

교육의 피교육자들이 일방적 교육을 받는 것이 아니라 서로의 반응과 결과를 확인하면서 게임, 역할놀이, 토의나 논쟁을 통해 의도적으로 교육의 내용의 진행에 직접 참여하게 하는 교육방법이다. 이러한 교육방법은 학습자들의 상호작용을 토대로 학습효과를 얻고자 하는 방법으로 의사소통이 중요한 역할을 하며 학습자에게 행동적 교육을 통해 사회적 기능을 학습시키는 효과를 얻을 수 있다.

(1) 게임

① 교육대상들이 흥미를 가지고 수업에 참여할 수 있도록 의도적으로 고안된 놀이방법을 교육과정에 이용하는 것이다.
② 유희적인 요소가 강해 소비생활에 관한 문제를 쉽게 이해할 수 있고, 소비자들의 학습동기 부여를 용이하게 할 수 있다.
③ 하위개념은 상대적으로 시간이 적게 걸리나 상위개념은 게임을 통해 교육하려면 많은 시간이 소요된다.
④ 되도록 단순개념의 교육에 사용할 때 효과적이다.
⑤ 학습활동의 소요시간을 감안한 교육효과를 고려한다면 하급학교에서 활용하기에 적합하다. 예를 들어 유치원생, 초등학생의 경우 시장놀이를 통하여 가격 지불의 개념을 교육할 수 있다. 작은 형태로 시장의 모형을 만들어 놓고 모두가 참여할 수 있도록 하여 교육효과를 높일 수 있다.

(2) 토의나 논쟁

① 토의(discussion)

주어진 주제나 이유, 문제 등을 가지고 교육자와 학습자들이 의견을 상호 교환하는 방법을 토의라 하는데, 이 방법은 특히 수업에 참여하는 학습자들이 어떤 문제나 주제에 대해 자유롭게 서로 의견을 교환하고 결론을 내리는 학습활동 방법이다.

논쟁을 피하는 건설적인 태도와 협력적이고 우호적인 분위기 속에서 문제에 대해 이야기하고 최종적으로 일치점 또는 해결에 도달하는 것이 중요하다. 그러나 간혹 토론법을 진행해 보면 토의가 활발하게 이루어지지 못하는 모습을 종종 보게 된다. 따라서 토론이 활발하게 이루어지기 위한 조건을 살펴보면 다음과 같다.

- 토론 주제가 참석자들에게 의미가 있어야 한다.
- 공평한 발언의 기회가 주어져야 한다.
- 자유로운 토론 분위기를 형성해야 한다.
- 주제에 대한 사전지식과 경험이 풍부해야 한다.
- 적극적인 참여정신이 필요하다.

② **논쟁**

이견이 있을 수 있는 어떤 특정 주제를 설정하여 소비자들을 이에 찬성하는 쪽과 반대하는 쪽으로 나누어 서로 논박하면서 토론하게 하는 학습활동 방법이다.

소비자들에게 현상을 파악하고 접근하여 그에 대해 일정한 입장을 갖도록 하는 능력을 키우는 데 효과적이며, 소비자들의 의사소통 능력과 자료의 수집 및 활용능력, 논리적 사고와 표현 능력, 의사결정 능력 등을 기를 수 있다. 예를 들면 소비자들이 시장개방의 장단점에 대한 자기주장을 개진하고 다른 의견에 대한 논리적인 이견을 제시하므로 서로 많은 개방의 효과와 부작용을 알 수 있게 된다.

참가자의 능력 수준, 지식 수준에 따라 이러한 과정을 통해 얻어지는 교육효과에 많은 차이가 발생할 수 있다는 점을 감안해야 한다.

(3) 역할놀이

역할놀이는 구체적인 문제상황을 설정해 놓고 타인의 역할을 경험해 봄으로써 자신과 타인의 행동을 이해하고 여기에서 얻은 통찰력을 실제 상황에서 효과적으로 적용시키는 데 도움을 주고자 하는 극화된 놀이를 말한다.

① 행동경험을 통한 문제해결 교수방법으로, 특정 역할을 직접 수행하며 경험함으로써 필요한 지식을 습득하도록 한다.
② 현실에서의 경제적 행위자의 역할들을 가상적으로 수행하는 방식, 이를테면 시장놀이를 통해 소비자와 판매자의 역할을 직접 수행해 봄으로써 그 행동동기와 심리를 이해하고 문제해결 능력을 키워 나갈 수 있는 간접 체험을 하도록 하는 데 효과적이다.

예를 들면 토요일 오후와 수요일 밤과 같은 두 가지 다른 상황을 설정하고 판매자와 소비자의 입장이 되어 보게 하여 소비자에게는 쇼핑타임의 중요성을, 그리고 판매자에게는 친절과 서비스의 수행방법을 교육할 수 있다.

(4) 시뮬레이션

실제적 현실상황을 모두 경험할 수 없으므로 가상현실을 만들어서 사전에 경험하게 하여 실제 상황에 잘 대처할 수 있도록 하기 위한 것이다.

① 실제적인 현실 상황을 가상적으로 설정하여 경험해 보도록 하는 것이다.
② 실제로 실험하기 곤란한 것이나 체험이 불가능한 것을 모의체험시키는 것이다.
③ 실생활에서 볼 수 있는 복잡한 요소를 제거하고 단순한 것으로 재구성하여 소비자행동의 과정과 의사결정의 체계원리가 단순 명쾌하여 학습자로 하여금 이해하기 쉽도록 만든다.

5) 자기발견적 교수방법

소비자들이 스스로 정보를 수집, 평가하면서 문제를 발견하고 문제해결방법을 찾아내는 것으로, 소비자들이 자기 학습활동을 통해 창의적인 방법으로 교육효과를 얻고자 하는 방법이다.

학습자가 정보를 수집하고 이해하여 분석, 평가하고 또 그것을 나름대로 일관되게 정리할 수 있는 힘을 키워 결국에는 학습자가 문제를 스스로 해결하고 학습해 갈 수 있도록 하는 것이 중요하다.

(1) 문제해결방법

① 학습자가 문제해결 과정에 주체적으로 참여하여 문제상황에 대한 파악과 문제의 원인 및 해결 방법을 스스로 탐구하는 과정을 학습활동으로 하는 방법이다.

예를 들어 학생들의 경우에 교내 시설의 불편한 점이 무엇인지 스스로 파악하고 그것을 해결하는 과정에서 스스로 시설관리의 필요성과 소비자의 의견을 반영할 권리에 대해 배우고 그러한 권리를 적극적으로 행사하려고 해야 한다는 것을 배우는 것은 문제해결방법에 의한 소비자교육이 된다.

② 문제파악과 해결을 위한 학생의 창의적인 사고를 특징으로 하며 학습주체인 학생의 문제의식과 자기활동이 중요하다.

(2) 구안학습

교육자의 지도와 함께 소비자들이 생활 속의 여러 문제들 가운데 스스로 흥미 있는 주제를 정하여 생활의 개선과 향상을 위해 구체적인 목적을 설정하고 그 목적의 실현을 위한 계획을 세운 후, 실행하고 그에 대해 평가하는 일련의 과정을 통한 자기 학습방법을 말한다.

6) 교실 외 활동방법

일상적 교육장소에서 이루어질 수 없는 교육목표를 달성하기 위해 교육의 장을 일반적인 교실 바깥 영역으로 확대시켜 학습활동을 하는 방법이다.

(1) 견학(비참여적 관찰을 통한 학습)

① 현장에 직접 나가 정해진 학습분야와 학습대상을 보고 느끼며 관찰하고 경험한 후 다시 교실로 돌아와 견학 내용을 토의하고 분석함으로써 학습효과를 높이고자 하는 교육방법이다.

② 철저한 사전계획과 준비 여하에 따라 견학의 성패가 좌우된다.

③ 소비물품의 생산공장이나 유통 및 판매 현장, 공공서비스 제공기관, 소비자보호 기관 및 단체 등을 학습활동의 장으로 활용 가능하다.

④ 장소만 옮겼을 뿐 관찰만 하는 것, 직접 참여의 폭은 좁다.

교육대상들의 직접 참여가 어려운 현장에서 관찰을 위주로 하는 교육이다. 예를 들어 폐수처리장의 견학과 같은 형태의 학습이 이에 해당한다.

(2) 지역활동 참여(체험학습, 참여학습)

① 직접 참여하고 본인이 직접 행동을 수행하면서 배우는 것
② 지역사회에 있어서의 다양한 실제적 활동에 참가하게 함으로써 일종의 체험학습 효과를 얻고자 하는 교수·학습 방법. 환경오염의 심각성에 대한 교육을 위해 오염된 하천에 직접 가서 오염물질을 수거하는 작업을 해보는 것과 같은 형태이다.

7) 온라인상의 소비자교육

소비자주권의 회복을 위해서는 소비자의 합리적인 선택이 필수적이며 이를 뒷받침할 수 있는 수단은 소비자교육이라 할 수 있다. 21세기 정보화사회의 구성원으로서 우리가 간과할 수 없는 것 중의 하나가 다양한 분야의 지식, 기능, 태도를 계속 발전시켜 나가는 과정인 평생학습이다. 눈부시게 빠른 사회의 변화 속도에 적응하기 위해서 끊임없이 새로운 정보를 탐색하고 학습하는 것이 선택의 여지가 없는 당연한 일이 되었다. 이러한 것은 인간의 소비생활 영역에도 어김없이 적용된다. 매일 새롭게 출시되는 수많은 상품들, 또 새로운 부가기능, 시장환경의 변화, 각종 제도의 변화 등은 소비자가 과거의 지식에 의존하여서 소비생활을 계속 영위하는 것을 불가능하게 한다.

이러한 사회의 변화에 부응하여 소비자교육을 효율적으로 할 수 있는 중요한 수단이 정보통신 기술의 발달로 구축된 인터넷을 이용한 온라인 소비자교육이라 할 수 있다.

온라인 소비자교육은 기존의 교육방식에 비해 시공간의 제약이 거의 없으며, 자기학습방식(self-study)의 교육이 가능하고, 더 나아가 개인의 필요에 맞는 맞춤교육이 가능할 뿐 아니라 최신의 경향 및 이론 변화를 신속히 반영할 수 있고 인터넷의 매체적 특성을 활용하여 다양한 교육방법을 사용할 수 있다는 엄청난 장점을 지니고 있다.

일반적으로 소비자는 소비자정보를 원하지만 스스로 자신이 원하는 정보를 생산해 내기 위하여 정보탐색에 시간과 비용을 투자하기보다는 누군가로부터 그러

한 정보를 제공받기를 원하며 누군가 마련한 정보도 가능하면 무상으로 얻기를 원한다. 이러한 소비자의 심리 때문에 대다수의 소비자가 소비자교육은 원하지만 그에 대한 비용을 지불할 의사는 없으며 소비자교육이 무료로 제공된다 할지라도 극히 일부분의 소비자가 소비자교육에 참여할 의사를 갖는다. 이는 소비자교육의 효과를 소비자가 당장 금전적인 이득의 형태로 체감하지 못하기 때문에 나타나는 현상이다. 이러한 이유로 오프라인에서의 소비자교육은 극히 현실적인 소비자의 피해구제 상담이나 피해예방과 관련하여 이루어질 수밖에 없는 실정이며 장기적인 시장조건의 개선을 위한 소비자의 기본적인 의식과 가치관 교육에 초점을 맞춘 소비자교육은 이루어지기 어렵다.

그러나 오프라인에서의 소비자교육의 현실과는 다르게 온라인 소비자교육은 소비자가 누군가로부터 교육을 받는 것이 아니라 스스로 인터넷이라는 수단을 통하여 자신에게 필요한 소비자지식을 자연스럽게 학습하게 된다는 점에서 중요한 의의를 갖는다.

온라인상에서는 오프라인에서 이루어지는 소비자교육을 포함하여 더 다양한 종류의 자기맞춤형 소비자교육이 가능하다. 가격탐색과 거래조건의 비교, 소비자피해의 예방과 구제, 더 나아가 보다 적극적인 시장의 변화를 가져오는 공동구매와 역경매 등은 인터넷의 확산과 더불어 자연스럽게 확산된 구매방법으로, 소비자들은 온라인의 접속을 통해 자연스럽게 이러한 새로운 구매방식을 학습하게 되는 것이다.

이렇게 온라인에서 이루어지는 소비자교육은 무엇보다도 소비자가 필요에 의해 자발적으로 정보를 탐색하는 과정에서 학습이 이루어지기 때문에 학습의 효과가 높다는 장점을 가진다.

컴퓨터와 인터넷을 통한
소비자교육

07 | 컴퓨터와 인터넷을 통한 소비자교육

컴퓨터와 통신기술의 발전은 소비자들의 소비생활에 많은 변화를 초래하고 있다. 홈쇼핑, 전자상거래가 확장되고 있으며 인터넷을 활용한 정보탐색 및 활용, 인터넷상의 소비자피해 구제 및 소비자운동 등 여러 측면에서 변화가 가속화되고 있다. 그런데 디지털 기술 등 정보기술의 발달은 소비자들이 능동적인 소비자로서의 역할을 수행해야 함을 전제로 하고 있다. 소비자는 자신이 필요로 하는 정보를 탐색하고 활용해야 하며, 능동적인 소비자역할 수행 등 적극적인 역할을 행사해야 한다. 소비자가 정보사회에 적극적으로 참여하고 주체적인 역할과 기능을 수행해야만 정보화시대의 주인이 될 수 있고, 정보화의 혜택을 누릴 수 있다. 그런데 정보화시대에 이 같은 능력과 자질을 갖추기 위해서는 정보화시대에 부응하는 효과적인 소비자교육이 필요하다.

정보화시대에 적절한 소비자교육을 수행하기 위해서는, 다시 말해 소비자교육의 효과를 높이기 위해서는 컴퓨터 활용 등 다양한 매체를 활용하는 방법이 요구된다. 전통적인 교과서 위주의 교육에서 탈피하여, 다시 말해 글과 말로만 교육시키는 것보다는 청각, 시각에 호소하는 컴퓨터 활용 소비자교육이 시급하다. 컴퓨터 활용 소비자교육은 학습에 대한 흥미유발, 교육내용 전달의 신속성 및 효율성 등 여러 측면에서 효과적인 학습방법이 되고 있다. 특히 컴퓨터 활용은 소비자교육 내용이나 각종 소비자정보를 시간과 공간을 초월하여 많은 소비자들에게 전달할 수 있는 장점을 가지고 있다.

따라서, 본 장에서는 정보화시대에 가장 중요한 교육수단으로 부각된 컴퓨터를 활용한 소비자교육, 예를 들면 인터넷상의 소비자교육이나 각종 CD나 소프트웨어 등을 활용한 소비자교육에 대해 살펴보고자 한다. 먼저, 정보화시대에 대한 기본적 이해를 돕기 위해 정보화시대란 무엇을 말하는지, 정보화시대의 소비생활, 정보화시대의 청소년, 그리고 정보화시대에 새로이 발생하는 소비자문제 및 해결방안 등에 대해 살펴본다. 그리고 나서 컴퓨터 활용 소비자교육의 중요성, 정보화시대의 소비자교육의 목표, 내용, 그리고 기능, 소비자교육용 프로그램 개발 및 활용 현황, 컴퓨터 활용 소비자교육의 실제 지도계획안에 대해 살펴보도록 하자.

1. 정보화시대와 소비자

1) 정보화시대란?

컴퓨터와 통신기술의 융합이 가능해지면서 디지털 시대가 열리고 있다. 디지털 기술은 복수의 미디어가 유기적으로 결합되어 새로운 정보서비스를 제공하는 시스템이라는 측면에서 뉴미디어나 멀티미디어 사회, 정보화시대로 표현되기도 한다. 디지털 기술은 개인용 컴퓨터, CD, VCR, Teletext, Videotex, 직접 위성방송(DBS : direct broadcasting satellite), 쌍방향 TV, 통신회의(teleconferencing) 등의 상호 결합된 기술을 의미한다.[1] 최근 우리 사회도 디지털 방식이 통신기술에 적용되어 음성, 영상, 데이터 등 다양한 정보가 디지털 신호로 통합·처리되어 전화선이나 초고속 정보통신망을 통해 확산되고 있다. 그 결과 데이터 전송, TV 시청, 영상전화, 팩스, 전자상거래, 원격검침 등 다양한 활동이 가능한 디지털 시대로 접어들고 있다.

---

[1] teletex는 청각장애인을 위한 자막 삽입 방송을 목적으로 개발된 것으로, TV 화면에 나타내는 문자방송을, videotex는 TV 수상기나 전용단말기와 전화망을 연결하여 정보이동이 가능한 온라인 정보시스템을 의미한다(김기옥, 김난도, 이승신, 2001).

2) 정보화시대의 소비생활

정보통신기술에 의해 컴퓨터와 통신기술이 결합된 디지털 기술은 소비자들에게 새로운 환경으로 다가서고 있다. 인터넷 뱅킹, 사이버 박물관, 인터넷상의 전자상거래 등 소비생활뿐만 아니라 사이버 결혼식이나 사이버 장례식 등이 성행될 것으로 보이는 등 가족의 삶 자체에 변화를 주고 있다. 특히, 멀티미디어와 정보통신 기술의 발달 등 정보화시대가 가속화되면서 정보처리 기술 발달, 통신기술의 발전, 전자상거래 확산 등 디지털 경제의 일상화가 급속히 진행되고 있다. 디지털 기술의 발달은 전화, 팩스, 방송청취, 광고, 홈쇼핑, 금융거래, 주문영화 시청, 전자상거래 등 가족생활의 모든 분야에서 그 기능이 확대되고 있다.

한국 인터넷 정보센터(2001)에서 실시한 조사에 따르면, 2000년 12월 한국 가정의 컴퓨터 보급률이 71%에 달하며, 이중 2/3는 인터넷 접속이 가능한 상태라고 한다. 이처럼 컴퓨터가 가정의 필수재로 자리 잡으면서 소비생활과 가족의 삶에 혁신적인 변화를 초래하고 있다. 전자상거래 확대, 인터넷 뱅킹, 제품검색 등 소비자정보 탐색 및 활용, 인터넷상의 개인 간 거래 등 소비생활에 상당한 변화가 일어나고 있다.

3) 정보화시대의 청소년소비자

기성세대가 TV, VCR 등에 익숙한 것과 마찬가지로 청소년은 디지털 매체에 매우 익숙한 세대이다. 보통 'Net 세대'라고 불리는 요즘의 청소년들은 오락, 놀이, 학습, 의사전달, 소비 등 전 분야에 디지털 기술을 활용하고 있다. 디지털 시대의 청소년은 컴퓨터를 이용하여 대화하고, 흥미 있는 정보를 탐색하며, 미개봉 영화를 보기도 하고, 인기 스타의 사진을 다운받기도 한다. 학습 또한 과거의 정규수업에서 탈피하여 CD-ROM이나 인터넷 등을 활용한 상호교류 학습(interactive learning)을 받고 있다. 의사전달에 있어서도 공간과 시간의 제약 없이 인터넷 등을 활용하여 자유로운 자기표현을 일대일로 하고 있다.

인터넷 등 디지털 기술이 발달한 정보사회에서 소비생활, 거래방법, 소비문화 등이 변화하고 있다. 청소년의 전자상거래가 확산되고 있으며, TV 홈쇼핑 등 거래방법의 급속한 변화 속에서 청소년은 그 어떤 세대보다 잘 적응하고 있다. 가상공간이라는 또 하나의 새로운 공간에서 청소년들은 다양한 생산-소비 활동을 벌이고 있어 e-consumer의 주류를 차지하고 있다.

손상희(1997)는 청소년의 소비문화 특성을 크게 네 가지로 분류한 바 있는데, 그것은 개성 추구와 유행 추종, 감각·외모 지향적 소비, 즉흥·충동적 소비, 그리고 소비의 향유이다. 개인주의적이고 향락적인 청소년의 소비문화는 유행상표, 유행거리(압구정동 로데오 거리, 홍대 앞 등) 등으로 나타나고 있다. 모토로라 핸드폰, 유니섹스 모드의 의상, 발찌, 스쿠프 승용차, 게스 청바지, 폴로 재킷, 구찌 손목시계, 돌격형 머리 스타일, 캘빈 클라인의 향수 등으로 묘사되는 오렌지 청소년은 평범한 젊은이들과 차별화되기 위해 노력하나 이들의 소비문화는 전체 청소년에게 모방, 유행되고 있는 상황이다(이동국, 1992).

이 같은 청소년의 소비문화는 자생적인 것이라기보다는 상업적 노력의 산물이다. 청소년은 구매력이 큰 집단으로, 앞으로의 잠재고객이라는 점에서 마케팅의 새로운 표적이 된 지 오래되었다. 특히 영상매체의 발달, 컴퓨터와 뉴미디어의 발달 등 정보 및 기술매체의 영향으로 영상매체를 통한 청소년의 소비행동은 청소년 고유의 문화인 것처럼 받아들여지는 상황에 이르고 있다(안영노, 1994). 그러나 청소년의 소비문화는 전 세계 청소년을 표적 시장으로 하는 다국적 기업들의 적극적인 마케팅 전략의 결과라고 할 수 있다.

청소년의 소비문화 형성에 있어서 광고, 대중매체, 인터넷의 영향력은 지대하다. 인터넷상에서의 청소년의 소비문화를 문화생산에 있어서의 참여욕구와 문화소비에 있어서의 차별욕구를 기준으로 김난도·윤정아(2001)는 네 가지 유형으로 구분하였는데 그림 7-1에 제시한 바와 같이 언더그라운드 문화(마니아), 인터넷 방송 문화(창조적 참여자), 대중문화(수동적 수용자), 팬클럽 문화(모방적 참여자)이다. 이들의 분류에 따르면, 인터넷 방송 문화의 창조적 참여자의 대부분은 고등학생인데, 이들은 새로운 기술에 대한 친화적인 태도를 가진, 혁신적 수용형으로 능동적으로 디지털 기술을 활용하고 있다. 또한, 팬클럽 문화의 모방적 참여자의 대부분은 10대로서 타인의 소비를 관찰하고 모방하는 유형이다. 언더그라운드 문화의 마니아는 주로 대학생이거나 졸업자인 20대로서 문화를 형성

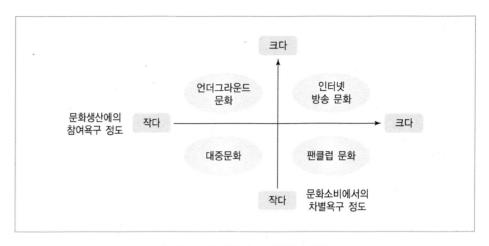

| 그림 7-1 | 청소년 소비문화의 유형

자료 : 김난도, 윤정아(2001). 가상공간의 소비자문화 유형화에 관한 연구. 2001년 한국소비자학회 춘계학술
발표회 논문집. p.65.

하는 주류는 아니나 가상공간에서 문화욕구를 충족해 가는 집단으로 분류되고
있다.

청소년은 인터넷 등 디지털 기술 제품을 사용하는 주요 주체 중의 하나이다.
이들 청소년은 디지털 기술 제품을 채팅, 게임, 유명 연예인 관련 활동 등에 주
로 활용하고 있어 과연 사회적으로 바람직한지에 대한 논란이 계속되고 있다. 또
한, 무료게임, 대화방, 기타 오락적 이벤트 참여, 경품행사 등을 미끼로 청소년
및 청소년 부모의 개인정보가 누출되는 것도 또 하나의 사회적 문제로 제기되고
있다.

전자상거래와 관련한 미성년 청소년들의 계약효력의 문제도 이슈가 되고 있
다. 우리나라 민법에 따르면 미성년자가 부모 등 법정대리인의 동의 없이 단독으
로 법률행위를 한 경우에는 미성년자 자신 또는 법정대리인이 이를 취소할 수
있어(제5조, 제140조) 청소년의 전자상거래상의 계약은 무효이다. 그러나 주민등
록번호에 의해서 일률적으로 미성년자의 인터넷상의 경제행위나 거래를 제한하
는 것은 미성년자의 이익을 위해서 바람직하지 않고, 또한 전자상거래의 발전에
도 장애가 된다. 뿐만 아니라 미성년자와의 모든 전자상거래에 있어서 부모의 동
의를 요구하는 것 또한 전자상거래의 발전을 위해 바람직하지 못하다는 지적이
일고 있다. 따라서, 일정금액 이하의 거래에 대해서는 부모의 동의를 면제하는

예외규정 등 미성년자인 청소년들의 거래와 관련한 새로운 규정 도입이 필요한 시점이다.

4) 정보화시대의 소비자문제

급속한 정보화 추세는 소비자이익 및 소비자주권 실현에 긍정적인 역할을 수행하고 있음에 틀림없다. 그러나 인터넷을 포함한 정보통신 기술의 발달은 새로운 소비자문제를 야기하고 있다. 소비자들의 인터넷 등 정보통신 이용이 확장되면서 소비자들은 여러 측면에서 편리하고 효율적인 삶을 살 수 있게 되었으나, 한편으로는 사기 및 기만, 불법거래 등 소비자피해가 발생하고 있다. 네트워크상에서 서로 상대방을 잘 알지 못한 상태에서 대화, 거래, 대금결제 등을 하게 되어 소비자들이 사기성 거래 또는 불법행위로부터 피해를 입는 사례가 급증하고 있어 우리나라뿐만 아니라 세계 각국에서 소비자피해를 예방하고 구제하기 위한 다양한 제도적, 법적 조치를 강구하고 있다. 그러나 아직도 인터넷 등 디지털 기술 활용과 관련한 피해가 줄지 않고 있으며, 이를 해결하기 위한 법적, 사회적 조치가 미흡한 실정이다.

그러면 디지털 시대에 발생하는 소비자문제에는 어떤 것이 있는지 간단하게 네 가지로 살펴보면 다음과 같다.

(1) 비용 문제

소비자가 기존의 라디오나 TV와 같은 매체를 사용할 때 직접 지불해야 하는 비용은 거의 없거나 저렴하였다. 그러나 뉴미디어 시대 또는 정보화시대에서 이같은 편익을 사용하기 위해 소비자들은 비싼 비용을 직접 지불해야 하는 소비자문제가 발생한다. TV, 라디오 등은 정부나 광고주로부터 출자된 자본으로 운영되거나 사회간접자본으로 이루어졌다. 그러나 정보화시대에서 네트워크를 구축하기 위해서는 소비자가 고가의 장비를 갖추고 사용료를 지불하는 등 이에 대한 비용을 지불해야 한다. 예를 들면, 초고속 인터넷망을 사용하기 위해 소비자들은 고가의 컴퓨터를 구입해야 하며, 서비스 사용에 대한 상당한 비용을 지불해야 한

Chapter 07 **143**
컴퓨터와 인터넷을 통한 소비자교육

다. 따라서, 경제적으로 궁핍한 저소득층, 대도시가 아닌 벽지에 있는 소비자들은 이 같은 정보 네트워크에 접근하기 어려운 문제가 야기된다. 그러므로 네트워크 사용을 위한 여러 비용 및 규격 등이 소비자 입장에서 마련되어야 하며 이를 제도화하는 과정에서 소비자들의 의견이 전달되어야 한다.

(2) 소비자 선택의 어려움 : 거래방법 및 정보탐색

소비자들은 보통 제품을 구매할 경우 인터넷과 전통적 거래 방식을 상호보완적으로 채택하고 있다. 송미령과 여정성(2001)은 소비자들이 정보탐색과 구매의 단계에서 인터넷을 얼마나 이용하고 있는지를 조사한 결과 소비자들은 정보탐색을 인터넷으로만 하지 않고 인터넷과 전통적 방식 모두를 채택하고 있으며, 구매제품이 무엇인가에 따라 인터넷상에서 구매할 것인가, 전통적 방식으로 구매할 것인가를 다르게 결정한다고 밝혔다. 소비자들은 시간 절약, 저렴한 가격의 제품 검색, 다양한 제품검색, 검색의 용이성 때문에 인터넷을 정보탐색의 유용한 도구로 사용하고 있으나, 신뢰성 면에서는 인터넷을 선호하지 않는 것으로 나타났다. 음반이나 서적의 경우는 인터넷으로 정보를 탐색하고 구매하는 것으로 나타난 반면, PC, 가전제품 등의 경우는 두 가지 거래방법을 모두 채택하는 것으로 나타났다. 거래방법의 선택에 있어서 관여도, 정보탐색의 중요성, 제품의 기능성이나 가격의 중요성, 구매위험도 등에 따라 차이가 있음을 알 수 있다.

결국 소비자들은 정보탐색, 구매 등의 단계에서 전자상거래를 통해 제품을 구매할 것인가, 아니면 일반 점포에 직접 가서 구매할 것인가, 아니면 홈쇼핑 등 다른 매체를 사용한 거래방법을 선택할 것인가의 의사결정에 갈등을 느끼게 된다. 물론 정보탐색에 있어서도 어떤 방법을 활용할 것인가 하는 소비자문제에 부딪치게 된다. 게다가 일반 인터넷 쇼핑몰에서 구매할 경우에도 어느 사이트에서 구매할 것인가, 공동구매에 참여할 것인가, 경매를 통해 구매할 것인가 등의 의사결정을 해야 하는 소비자선택의 어려움에 접하게 될 것이다.

(3) 정보의 격차 문제

정보격차는 이제 소득 격차 못지않은 심각한 사회문제로서 좁게는 세대 간의 문제로, 나아가서는 사회적 문제로 인식되고 있다. 뉴미디어나 정보 관련 기술의 격차는 전혀 다른 생활양식, 라이프 스타일, 가치관을 형성케 한다. 과거 산업사회에서 토지, 노동, 자본이 생산요소였다면 디지털 경제에서는 기술, 정보, 지식이 생산요소가 되면서 정보격차는 심각한 사회적 문제로 대두되고 있다. 급속한 정보통신기술의 발달은 단순한 정보나 지식 획득은 물론 전자상거래, 원격 진료, 재택근무, 홈뱅킹 등 소비생활뿐만 아니라 전반적인 사회참여에 제약이 따르므로 그 문제가 심각하다고 할 수 있다.

소비자들 간의 정보격차가 어느 정도 심각한가를 조사한 김기옥(2000)의 연구 결과에 따르면 정보화에 앞서 가는 대학생 같은 동질적 엘리트 집단에서조차 정보사회에서 역할 수행에 필요한 정보화 수준에 크게 차이가 있는 것으로 나타났다. 이 결과를 통해 김기옥(2000)은 산업사회에서의 소득격차가 가져온 불평등보다 정보사회에서의 정보격차가 사회불평등을 더 심각하게 할 수 있다고 주장한 바 있다.

정보화가 급속하게 진전되고 있음에도 이 같은 문명의 이기를 활용하지 못하는 소외계층은 정보로부터 소외됨으로써 정보의 격차는 더욱 확대된다. 무엇보다도 경제적 소외계층은 정보화시대에 참여하기 위한 기본적 네트워크 설치 및 구축에 드는 비용 때문에 정보로부터 소외당하게 되며, 경제적 문제가 없는 소비자라 해도 중장년 소비자나 노인소비자, 벽지 거주 소비자, 컴퓨터 및 정보화교육을 받지 못한 소비자들은 정보의 사각지대에 위치하게 된다. 이 같은 정보의 격차문제는 단순히 소비자문제를 넘어서 삶의 문제로 확대되므로 이를 해결하기 위한 연구, 교육, 정책적 노력이 필요하다.

(4) 정보 범람 및 남용·오용의 문제

과거 정보 부족이 문제였다면, 요즘의 사회적 문제는 정보 범람으로 인한 문제로 전환되고 있다. 마치 기아 문제가 대다수의 문제였다면 이제는 비만이 사회적 관심사이면서 사회적 문제가 되는 것과 마찬가지라 하겠다. 최근 정보 과잉에 따라 새로운 정신적 스트레스가 초래되고 있는데, 예를 들면 전자우편으로 인해 답신 스트레스, 발신 여부 확인 및 재발신 문제 등이 발생하고 있으며 심각한 경우는 기억 상실, 컴퓨터와 며칠만 떨어져 있으면 불안한 가상 박탈감, 집중력 결핍장애(attention deficit), 신경쇠약 현상(the black shakes) 등의 증상으로까지 번지고 있다. 한편, 정보 남용 및 오용 등은 개인정보 유출 문제, 사기적 거래, 정보 악용으로 인한 사생활 침해 등의 사회적 문제가 발생하고 있고 이 같은 문제는 다시 가족생활에 심각한 영향을 미치고 있다.

지금까지 정보화시대에 떠오르고 있는 소비자문제들을 살펴보았다. 결국 소비자문제를 해결하고 완화시킬 수 있는 내용의 소비자교육이 필요함을 알 수 있다. 소비자교육 내용 및 프로그램 개발 시 이 같은 소비자교육문제를 반영하고 해결할 수 있는 방안이 포함되어야 한다.

5) 정보화시대의 소비자문제 해결

디지털 기술의 발달은 소비자들의 삶에 여러 측면에서 긍정적 영향을 미치고 있다. 그러나 각종 컴퓨터와 통신기술의 발달 등 디지털 사회로의 급속한 변화는 앞서 살펴본 바와 같이 새로운 문제들을 발생시키고 있다. 이 같은 소비자문제를 완화하고 해결하기 위한 방안을 간단하게 살펴보면 다음과 같다.

첫째, 정보화를 활용하기 위한 컴퓨터 구입, 네트워크 구축, 초고속 인터넷 사용망 사용료 등의 비용 문제가 발생한다. 이 같은 비용의 문제는 저소득층, 소외계층, 벽지 소비자 등의 경우 심각한데, 이 비용을 낮추기 위한 정부의 지원, 사회적 차원의 제도 개선 등이 필요하다.

둘째, 소비자들은 소비뿐만 아니라 삶의 전 분야에서 인터넷 등 정보통신 기술을 활용할 것인가 하는 선택의 문제에 부딪치고 있다. 예를 들면, 제품구매에 있어서도 전통적인 점포구매를 할 것인가, 인터넷상의 전자상거래를 할 것인가, 정보탐색은 어떻게 할 것인가 등 새로운 선택의 문제에 당면하고 있다. 따라서, 소비자는 디지털 시대에 적응하고 디지털 기술을 효과적으로 활용하기 위한 개인적 자질을 갖추어야 한다. 정보화의 새로운 방식에 얼마나 잘 적응하고 또 활용하는지에 따라 디지털 기술의 발달이 가족생활 또는 소비생활에 미치는 영향이 긍정적일 수도 있고 부정적일 수도 있을 것이다. 정보화의 흐름에 따라 새로운 의사소통 방식을 이해하고 이를 활용할 수 있는 능력을 갖추도록 도와 주는 각종 소비자교육 서비스 제공 및 사회적 지원이 필요하다.

셋째, 디지털 기술의 발달로 정보사회가 급진전되고 있는 현 상황에서 개인 간 또는 가족 내의 정보격차를 완화시킬 수 있는 개인적, 가정적, 사회적 노력이 필요하다. 예를 들면, 가족 내 정보격차는 성별, 세대별로 다양하게 나타나므로 이에 적합한 정보교육이 필요하다. 학교교육, 사회교육 등이 다양하게 이루어져 개인 간, 그리고 가족 내의 정보격차가 완화되어야 한다. 최근 주부나 노인들을 대상으로 하는 구청이나 시청에서의 인터넷 교육은 지속적으로 이루어져야 하며, 계속적으로 교육대상자 및 학습자들의 특성을 충분히 반영하는 세분화되고 차별적인 정보화교육이 필요하다. 특히 소비자능력을 배양시키는 소비자교육이 정보화교육과 함께 병행된다면 더욱 효과적이다.

넷째, 정보의 남용 및 오용 등을 방지하고 이로 인한 소비자피해를 구제할 수 있는 사회적, 법적 조치나 제도가 필요하다. 예를 들면, 인터넷상의 거래 과정에서 알려진 소비자들의 개인정보는 사업자, 사업자들과 일정한 관계를 맺고 있는 기업(예 : 시스템 관리나 수리를 하청 받은 회사), 내부직원들, 제3의 해킹자 등에 의해서 악용되거나 뒷거래될 수 있다. 개인정보가 함부로 수집·관리되거나 유통되지 않도록 하는 강력한 제도적, 법적 조치가 시급한 상황이다. 소비자 개인정보 누출의 위험으로부터 소비자를 보호하기 위한 구체적인 방안으로서 개인정보에 대한 소비자의 통제권 보장, 인터넷상의 개인정보수집의 명료성, 소비자의 개인정보 열람 및 정정권 보장, 개인정보 관리 시스템 구축 등이 필요하다. 아직도 전자상거래와 관련하여 소비자보호 문제를 비롯해 세금징수 문제, 교통 및 물류 문제, 개인정보보호 문제, 지적재산권 문제, 표준화, 안전한 상거래를 지원하는 인증(CA), 전자서명, 인터넷 도메인 네임 분쟁처리2 등 해결해야 할 문제

---

2 도메인 네임 분쟁은 인터넷 도메인 네임을 사용할 때 상표권자의 기득권이 인정되지 않아 먼저 이름을 등록한 사람이 있을 경우 자신의 상호를 넣은 인터넷 도메인 네임을 사용하지 못해 분쟁이 되고 있다. 따라서, 정부에서는 상표권자의 도메인 사용권리를 인정하는 내용의 법안을 마련 중이다(조선일보, 1998년 5월 26일).

들이 산적해 있다.

다섯째, 인터넷상의 각종 거래나 활동에서 소비자를 보호하고 나아가 디지털 기술이 효과적으로 활용·운용될 수 있는 사회적 제도가 정착되어야 한다. 디지털 사회에서 발생할 수 있는 여러 소비자문제들을 해결하기 위한 법적, 제도적 장치가 마련되어야 한다. 특히 소비생활에 가장 큰 변화라고 할 수 있는 전자상거래와 관련한 여러 문제들을 해결하여 전자상거래의 활성화를 꾀해야 한다.

이 같은 상황에서 공정거래위원회는 2000년 전자상거래와 관련한 소비자보호 지침 및 표준약관을 제정하여 사이버상의 불공정거래를 제재하고 소비자를 보호하며, 궁극적으로 소비생활의 질에 대한 향상을 꾀하고 있다. 구체적으로 인터넷 거래와 관련하여 불공정한 약관 조항을 개선하도록 하고 있는데, 예를 들면 인터넷 사업자들이 사업자의 신원 공개, 개인정보 관련 책임 및 피해발생 시 보상, 청약철회 등 거래 취소 및 피해구제 등과 관련한 공정한 약관을 제시하고 사용하도록 하고 있어 바람직하다고 하겠다. 앞으로도 인터넷 등 디지털 기술과 관련한 소비자 피해를 예방하고 구제하기 위한 제도 및 법적 조치가 필요하다. 전자상거래와 관련한 기본 법안뿐만 아니라 상법, 소비자보호 관련법, 디지털 기술과 관련한 법들의 체계적인 정비 또한 시급하다. 최근 정부의 정보화정책이 공급자 중심으로 이루어지고 있는 것에도 주의가 필요하다(이창범, 1997). 게다가 디지털 사회에서 발생하는 문제들은 국내뿐만 아니라 국경을 초월하는 문제이므로 국제적으로 조화를 이룰 수 있는 법적, 제도적 장치를 계속적으로 검토할 필요가 있다.

끝으로, 인터넷상의 소비생활에서 발생하는 각종 분쟁을 처리하고 피해를 구제할 수 있는 신속하고 효과적인 시스템을 완비해야 한다. 예를 들면, 소비자가 전자상거래로 인하여 불만을 느꼈거나 피해를 입은 경우 이를 해결하기 위한 온라인상의 소비자상담 및 피해보상 창구가 더욱 활성화되어야 한다. 전자상거래 쇼핑몰이나 상거래를 위한 홈페이지 구축 시 소비자상담 및 피해보상 업무를 위한 전용창구 설치를 의무화해야 한다.

지금까지 정보화시대에서 발생하는 소비자문제를 해결할 수 있는 사회적 방안에 대해 살펴보았다. 따라서 소비자교육 부분에서도 이 같은 해결방안에 대한 계속적인 노력과 소비자교육, 그리고 프로그램 개발이 반영되어야 함을 알 수 있다.

2. 정보화시대와 소비자교육

1) 정보화시대의 교육환경의 변화

전자상거래의 등장, 새로운 소비자문제 발생 등 새로운 소비환경이 대두되면서 소비자교육 패러다임도 변화하고 있다. 과거의 소비자교육이 금전의 가치, 소비자의 힘과 권리 강조, 생활의 질로 변화해 왔다면 최근의 소비자교육은 컴퓨터 및 정보통신기술의 변화 속에서 새로운 소비자교육 패러다임을 요구하고 있다.

정보화시대로의 가속화는 교육환경의 변화를 초래하면서 교육내용, 교육방법 등에 변화를 요구하고 있다. 무한 경쟁시대에 돌입하면서 재교육이나 지속적인 평생교육이 더욱 요구되고 있으며, 학교나 교육장소에 집합하여 교육을 받는 것에 대한 과도한 비용이나 접근성의 문제, 그 동안의 교육이 일방적이고 표준화된 교육형태였기에 최근의 정보화시대에 비효과적인 점 등이 전통적 교육체제에 새로운 도전이 되고 있다.

정보화시대에서 교육환경이 급속히 변화하고 있는데, 가장 큰 변화는 학습자 중심의 교육체제의 필요성, 평생교육과 온라인 교육이나 컴퓨터를 활용한 교육이 필요하다는 것이다. 점차 생산자 중심에서 소비자 중심의 사고로 전환되고 있는 정보화, 세계화 속에서 평생교육이 활성화되기 위해서는 시간적으로나 공간적으로 제한이 없는 교육환경, 그리고 일방적 교육이 아닌 자기 학습방식, 개인의 욕구에 맞는 교육, 학습자와 교육자 간의 상호작용이 가능한 교육이 필요하다. 배순영·이기춘(2001)은 변화하는 교육 패러다임에 부응하는 온라인 소비자교육은 소비자교육의 지향점에도 부합되며 정보격차 해소 및 감소 측면에서도 필요하다고 주장하였다.

결론적으로 새로운 교육환경의 요구, 소비자 또는 학습자 중심의 교육, 공간과 시간의 제약을 넘어선 상호작용이 가능한 교육은 디지털 기술, 특히 컴퓨터를 활용한 교육방법이다. 최근 정보통신 인프라가 학교 및 가정에 빠른 속도로 구축되어 있어 컴퓨터를 활용한 소비자교육은 실현 가능하다.

2) 정보화시대의 소비자교육 목표

무점포 판매, 전자상거래, 홈쇼핑 등 다양한 거래방법이 확산되고 있으며, 정보탐색과 활용이 더욱 중요시되는 정보화시대에는 소비자교육의 목표 또한 이에 부응하도록 변화되어야 한다. 과거의 전통적인 소비자교육 목표 자체가 변화해야 한다기보다는 정보사회에서 변화되고 있는 다양한 소비환경을 감안한 교육목표가 추가적으로 반영되어야 한다.

이기춘(1999)은 표 7-1에 제시한 바와 같이 초등, 중등, 고등학생에게 적합한 소비자정보교육의 목표를 제시하였다. 구체적으로 살펴보면, 초등학교에서는 소비자정보를 탐색하는데 필요한 기초적인 지식과 기술, 그리고 사용방법에 대한 교육을, 중학교에서는 소비자정보 탐색 및 정보에 대한 판단력과 태도를 배양하는 것에 목표를 두고 있다. 고등학교에서는 단순한 컴퓨터 활용기술을 넘어 정보화 사회에서 비판적 사고력과 올바른 가치관을 형성하도록 하는 교육 목표를 설정하고 있다.

| 표 7-1 | 소비자정보화 교육의 목표

구 분	소비자정보화 교육의 목표
초등학교	• 소비자정보 수집을 위한 기초적 능력 배양 • 컴퓨터에 대한 친숙감 형성 • 컴퓨터의 기초 개념 이해 • 컴퓨터를 이용한 문제해결 가능성 이해 • 소비자정보능력(정보수집력, 정보이해력, 정보전달력) 함양
중학교	• 소비자정보 획득을 위한 기초적 능력의 함양 • 소비자문제 해결을 위한 컴퓨터 사용 능력의 증진 • 컴퓨터를 이용한 소비자정보 습득능력 향상 • 컴퓨터 활용에 대한 적극적인 태도 형성 • 컴퓨터에 대한 친숙감과 올바른 가치관 형성
고등학교	• 컴퓨터의 기본 원리 이해 • 정보화사회와 컴퓨터의 관계 이해 • 컴퓨터 활용 능력의 증진 • 컴퓨터 활용에 대한 비판적 사고력과 올바른 가치관 함양 • 정보에 대한 소비자 지식과 기능의 습득 • 소비자정보 능력의 함양 • 컴퓨터를 이용한 소비자의견 반영 능력 배양

자료 : 이기춘(1999). 소비자교육의 이론과 실제. 교문사. p.364.

결국 급속한 정보의 팽창 속에서 소비자정보의 과부하 문제를 해결하고 소비자가 필요한 정보를 획득하고 평가할 수 있는 소비자능력을 배양하는 것이 컴퓨터를 활용한 소비자교육의 가장 기본적인 목표라고 하겠다. 다시 말해 정보획득 및 활용 등 정보화시대에 능동적으로 대처할 수 있는 역할과 자질을 갖추도록 하는 소비자교육 목표가 설정되어야 한다.

3) 정보화시대의 소비자교육 내용

정보사회의 급속한 진전은 소비생활에 많은 변화를 초래했으며 이 같은 변화에 효과적으로 적응하고 대처하기 위해 소비자는 새로운 기술, 지식, 정보가 필요하다. 자동화되는 생활문화, 유통구조의 변화, 소비자 자신의 라이프 스타일 변화 등 많은 변화 속에서 소비자들이 갖춰야 할 지식과 기술의 내용은 변화하고 있다. 무엇보다도 정보사회에서는 컴퓨터 및 인터넷을 다루는 기술이 요구되며, 정보를 활용하는 능력도 필요하다. 소비자보호의 방법이나 내용도 변화되어야 하며, 소비자피해 구제를 받는 방법도 변화하고 있다. 결국 시대적, 사회적 변화에 부응하는 새로운 소비자교육 내용이 설정되어야 한다. 그러나 정보사회로의 진전은 급속하게 진전되고 있음에도 소비자교육 내용이 어떻게 변화해야 하는지에 대한 연구 및 조사, 실행노력이 미흡한 상황이다.

배윤정·김기옥(2000)은 Banister와 Monsma(1982)의 소비자교육 개념 분류를 수정·보완하여 정보사회에 적절한 소비자교육 내용을 구성한 바 있다. 그림 7-2는 이들이 제시한 소비자교육 내용으로서 기존의 소비자교육 체계에 소비자정보 기술 분야가 추가되었는데, 구체적으로 인터넷 거래 이용방법과 소비자정보 활용방법에 대한 내용이 추가되었다.

구체적으로 살펴보면 배윤정과 김기옥(2000)은 문헌고찰을 통해 정보화시대에 적합한 소비자교육 내용을 구성한 후 전문가 집단을 대상으로 개방형 질문을 통한 의견수렴을 거쳐 최종적으로 그림 7-2와 같이 제시하였는데, 기존의 소비자교육 내용에 인터넷 거래 이용방법과 소비자정보 활용방법의 내용을 추가시켰다. 여기서 소비자정보 기술 영역과 관련한 보다 구체적인 소비자교육 내용은 표 7-2에 제시한 바와 같다.

배윤정·김기옥(2000)이 제시한 정보시대에 적합한 추가된 소비자교육 내용은 포괄적이고 체계적이다. 그러나 소비자교육은 대상에 따라 교육내용이 달라지게 되며, 소비자교육을 한꺼번에 몰아서 교육하기 어렵다. 따라서, 소비자교육 대상, 교육 주관 기관에 따라 차별화된 소비자교육 내용의 구성 또는 세분화된 내용 구성이 필요하다. 또한, 피교육자 집단에 꼭 필요하고 우선적으로 필요한 내용을 선별하여 긴요한 순서에 따라 교육내용을 재구성하는 노력도 필요하다.

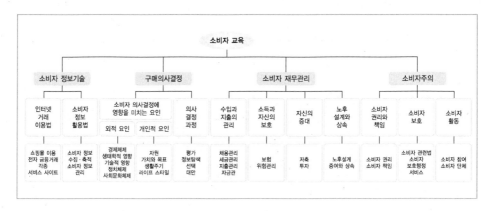

| 그림 7-2 | 정보사회에서의 소비자교육 내용

자료 : 배윤정·김기옥(2000). 정보사회의 소비자교육 내용 체계화를 위한 연구. 소비자학연구. 11(4). p.76.

| 표 7-2 | 정보사회의 소비자교육 내용 중 소비자정보기술 영역

구 분			내 용
인터넷 거래 이용법	쇼핑몰의 이용	쇼핑몰 사이트 접근	• 몰(mall)의 성격 안내(서점/꽃집/할인점/배달점 등) • 사이트 찾기 • 쇼핑정보 탐색방법
		구매절차	• 전자 카탈로그 이용법 • 주문절차 알기
		결제 시스템	• 전자화폐의 이해 • 결제방법의 장단점 비교
	전자금융 거래	인터넷 주식거래	• 사이트 찾기 • 인터넷 증권거래소 간 서비스 내용 비교 • 매매주문/주식거래 계좌 개설 방법
		인터넷 은행 서비스	• 사이트 찾기 • 거래 이용방법 • 인터넷 은행 간의 제공서비스의 내용 비교

(계속)

구 분			내 용
인터넷 거래 이용법	각종 서비스 사이트	원격의료 서비스	• 사이트 주소 안내 • 진료와 처방의 이용방법
		원격교육	• 사이버강의 사이트 주소 안내 • 교육종류의 선택과 이용방법
		온라인저널	• 사이트 주소 안내 • 전자도서관 이용법 • 전자신문 보기와 참여(의견제시, 여론형성방법)
소비자 정보 활용법	소비자정보의 수집과 축적	정리와 분류 (database)	• 데이터베이스의 효과 • 데이터베이스의 방법
		소비자정보의 근원	• 어디에서 좋은 소비자정보를 얻을 수 있는가
	소비자정보의 관리	소비자정보의 결합과 보충	• 결합·보충의 의의와 방법 • 결합·보충되어 보다 높은 차원의 소비자정보가 된 사례
		소비자정보의 이용가치 및 이용권리	• 어떤 소비자정보가 이용가치가 높으며 어떻게 관리 해야 하는가 • 개인정보 보호

자료 : 배윤정, 김기옥(2000). 정보사회의 소비자교육 내용 체계화를 위한 연구. 소비자학연구. 11(4). p.77.

3. 컴퓨터 활용 소비자교육

1) 컴퓨터 활용 소비자교육의 중요성

소비자교육을 수행하는 방법은 다양하다. 강의, 토론, 발표, 견학 등 다양한 방법이 있으며, 소비자교육의 효과를 높이기 위한 도구도 다양하게 활용되어 왔다. 다양한 방법 중 시청각 교육매체를 활용한 교육이 그 효과면에서 중요한 매체로 간주되어 왔다. 시청각 교육매체는 관점에 따라 다양하게 분류되어 왔는데 보통 인쇄매체(신문, 잡지, 팸플릿), 시청각매체(VTR, OHP, 슬라이드), 녹음(레코드, 테이프), 방송(TV, 라디오), 컴퓨터매체로 구분되었다. 그런데 정보화시대에서 소비자교육에 활용할 수 있는 가장 강력한 매체는 컴퓨터로서 컴퓨터를 활용한 인터넷상의 각종 다양한 소비자교육, 교육용 CD 소프트웨어를 활용한 소비자교육 등으로 구분할 수 있다.

정보화시대에서는 폭발적으로 증가하는 교육의 지식량을 어떻게 수용하며, 그 속에서 다양한 학습목표에 어떻게 효과적으로 접근하는가 하는 것이 가장 중요한 과제이다. 증가하는 정보 속에서 학습동기를 유발하고 학습의 능률화를 추구하기 위해서는 시청각 교육매체, 특히 멀티미디어의 한 방법인 컴퓨터의 활용은 필수적이다. 교육공학의 대표적 학자인 Olsen은 학교교육이 지역사회와 너무 격리되어 있으므로 이를 연결짓기 위해 시청각 교구를 사용하는 것이 필요하다고 주장하였다.

현재 컴퓨터를 이용한 학습방법으로서 CBI(Compter-Assisted Instruction), CAI(Computer Assisted Instruction) 등이 새로운 학습방법으로 등장하였고, 이미 학습현장에서 인터넷을 활용한 학습방법, CD-ROM 타이틀을 이용한 학습이 많이 활용되고 있다. 컴퓨터 성능의 눈부신 발전으로 컴퓨터는 문자, 음성, 데이터, 그리고 영상이 통합된 멀티미디어의 활용을 가능하게 하여 보고, 읽고, 쓰는 가감각적 학습(multisensory learning)을 가능하게 한다. 또한 다양한 사람의 다양한 학습방식에 적합하게 교육적 기능을 수행할 수 있어 개인의 능력에 따라서 학습의 속도를 조절하는 것이 가능하다. 외국에서는 오래 전부터 수업시간에 소비자교육을 위한 CD-ROM을 주자료 또는 보조자료로 활용하고 있으며, 우리나라에서도 이를 활용한 학습방법이 도입되고 있다.

김시월(2001)은 청소년소비자들을 대상으로 소비자교육 매체에 대한 선호도를 조사한 결과 청소년들은 컴퓨터 관련 매체를 선호하고 있는 것으로 나타나 컴퓨터 활용 교육의 효과를 가늠케 한다. 그는 또한 영상매체 중 하나인 비디오와 같은 일방적(one-way) 매체보다는 퀴즈, 인터넷 연결 등 쌍방향적 대화 및 정보 활용이 가능한 컴퓨터 관련 매체의 활용이 필요하다고 주장하였다. 한편, 김시월(2001)은 소비자교육을 내용별로 구분하여 청소년들의 시청각교구의 선호매체를 조사한 결과 가계경제 영역, 소비자의사결정 및 구매 영역, 소비자정보 영역, 소비자권리 및 보호 영역, 소비자처분 및 환경 영역의 5개 중 소비자정보 영역에서 컴퓨터 관련 매체의 선호가 가장 높은 것으로 나타났다. 이 결과를 통해 컴퓨터는 정보탐색·활용 등 정보와 관련한 분야에서 탁월한 교육매체가 될 수 있음을 알 수 있다.

그러나 아직도 컴퓨터를 활용한 소비자교육 프로그램이 개발되지 못한 상황이며, 실제 수업시간에 활용할 수 있는 CD-ROM 개발이 시급한 상황이다. 그동안 학교에서의 소비자교육이 양적으로 빈약하며 내용면에서도 경제이론에 치우친 점이 많고 체계적이며 종합적이지 못하다는 지적이 제기되어 왔다(신해화, 1981). 양적으로 부족하고 이론 중심의 학교 소비자교육의 문제점을 완화하고 실생활 위주의 소비자교육을 수행하기 위해서는 컴퓨터를 활용한 소비자교육 방법의 도입이 필수적이다.

2) 컴퓨터 활용 소비자교육의 기능

컴퓨터는 정보축적 기능, 정보검색 기능, 정보전달 기능, 계산 기능, 즉시 응답 기능 등이 있어 그 효과가 뛰어나다. 이 같은 컴퓨터의 특성을 활용한 소비자교육은 크게 다섯 가지의 기능을 하게 된다.

첫째, 컴퓨터를 활용하는 교수학습 방법은 학습동기를 유발시키는 효과가 있다. 컴퓨터를 활용한 프로그램 안의 문자, 그림, 소리, 움직임 등을 조작하는 과정에서 학생들의 흥미를 유발시킬 수 있어 학습의욕을 높일 수 있다. 시각, 청각 등이 어우러져 이루어지는 컴퓨터매체를 사용한 교육은 시대변화에 부응하여 학습동기를 높이는 적절한 교육방법이라고 하겠다.

둘째, 컴퓨터는 학습자의 정보활용능력을 배양시키고 이를 소비생활에 응용할 수 있는 능력을 키우는 데 유용하다. 새로운 시장환경과 다양한 제품의 범람으로 인해 소비자들은 너무나 많은 선택대안을 갖게 되었으며 이로 인해 소비자의사 결정에 어려움을 겪고 있다. 넘치는 소비자정보로 인해 이를 탐색하고 활용해야 하는 것도 새로운 소비자문제로 떠오르고 있다. 이 같은 상황에서 컴퓨터매체를 이용한 정보탐색 및 활용이 가장 효과적이며 강력한 수단이 되고 있다. 결국, 새로운 시장환경에서 현명한 소비자로서 기능할 수 있기 위해서는 컴퓨터를 활용한 소비자교육은 필수적이라고 하겠다.

셋째, 학습도구로서 컴퓨터의 활용은 소비자교육의 효과를 높일 수 있는 가장 강력한 도구이다. 대부분의 우리나라 가정에서 컴퓨터를 소유하고 있는 점, 초중고의 전산시스템이 거의 구축된 점을 감안할 때 학습도구로서 컴퓨터를 활용하는 방법은 그 효과면에서 더욱 클 것으로 보인다. 특히 청소년의 경우 놀이, 영상, 대화를 위해 컴퓨터를 활용하는 등 컴퓨터 매체에 대한 친숙하므로 이를 활용하는 소비자교육이 필요하다. 청소년소비자가 영상매체를 선호하며, 감각적 활동 중심적인 점을 감안할 때 컴퓨터를 활용한 소비자교육은 청소년소비자교육에 있어 가장 중요한 교구이다.

넷째, 소비자교육을 시행하기 위한 인적, 물적 자원이 부족한 현실에서 컴퓨터를 활용하면 다수의 소비자들에게 적은 비용으로 소비자교육의 효과를 높일 수 있다. 뿐만 아니라 소비자교육의 내용을 소비자에게 신속하게, 그리고 효과적으로 전달할 수 있다. 그동안 일반 소비자나 다양한 계층의 소비자들을 대상으로 사회 소비자교육을 수행하기는 어려웠으나 인터넷, 지역사회 정보망, 상업적 소비자교육 프로그램 등을 활용하면 다수의 일반 소비자들에게 소비자교육을 효과적으로 수행할 수 있다. 다시 말해, 컴퓨터 활용 소비자교육은 사회 소비자교육 또는 평생 소비자교육에 매우 적합하다.

다섯째, 온라인 원격 소비자교육은 시간적, 공간적 제약을 극복할 수 있기 때문에 보다 많은 소비자들이 언제 어디서나 학습기회를 가질 수 있어 중요한 소비자교육 수단이 된다. 특히 컴퓨터 통신의 우월성을 활용하여 양적으로 풍부한 학습정보를 전달할 수 있으며, 특정 분야의 양질의 첨단교육이 가능하다. 게다가 교사와 학생 또는 교육자와 피교육자 사이에 쌍방향의 대화 등 능동적인 참여교육도 가능하다.

3) 소비자교육 프로그램 개발 현황

정보화시대에 새로운 정보환경에 능동적으로 대처하고 다양한 정보를 효과적으로 활용할 수 있는 능력을 길러 주기 위해 컴퓨터 활용 소비자교육의 중요성이 높아지면서 소비자교육용 소프트웨어 개발이 진행되고 있다. 일부 개발된 프로그램들이 일선 학교나 사회에서 활용되면서 그 효과가 논의되고 있다. 그러나 아직도 적절한 학습용 소프트웨어 개발은 매우 부족한 실정이며, 개발된 소프트웨어의 효과 검증 또한 미비한 상황이다. 뿐만 아니라, 교육 프로그램의 보급방법, 그리고 효과적 활용을 위한 교사/교수 또는 강의자들의 연수 등이 미비한 상태이다.

현재 소비자교육과 관련한 컴퓨터 프로그램 개발은 가계재무관리 분야에서 먼저 이루어지기 시작하였다. 국내 상업용 프로그램으로서 주로 가계부가 개발되었는데, 다람쥐, Moa, DASOM, Park, 메타클릭 95 for money, 아내사랑 II, 하영이네 가계부, 가정경제, 홈마스타, 우리집 가계부 등이 있다. 소비자학 분야에서는 박명희·이승신·배미경(1998)이 개발한 가계부 프로그램인 'Home Life'가 있으며, 최근에는 이승신(2000)이 가계지출 비교평가 프로그램으로서 소비자교육용 컴퓨터 소프트웨어를 개발하였다.

현재 소비자학 분야의 컴퓨터 프로그램 개발은 미국에서 가장 활발하게 이루어지고 있는데, 오하이오 주립대학, 일리노이 주립대학, Texas Austin 같은 대학에서는 Computer Application Center를 두고 관련 소프트웨어를 개발하고 교과과정에 활용하고 있다(이승신, 2000). 지금까지 개발된 다양한 프로그램은 가격·품질 평가, 정보탐색, 가족시간 관리, 생활주기 저축, 가계소비 패턴, 재무관리 프로그램 등이다.

우리나라의 경우 학계는 물론 사회 차원이나 상업적 분야에서 컴퓨터 활용 소비자교육을 위한 CD 제작이나 프로그램 개발이 거의 되지 않고 있는 상황이다. 따라서, 소비자단체, 소비자행정기관, 소비자학회, 기업의 고객상담실 등이 연합하여 소비자교육을 활성화시키기 위한 각종 프로그램을 개발하려는 노력이 시급한 상황이다.

예를 들면, 어린이들을 대상으로 하는 경우 유치원이나 어린이집에서 그동안 교육해 온 시장놀이, 물건 아껴 쓰기 등과 관련한 소프트웨어 프로그램 개발이나 게임을 활용한 소비자교육용 CD 등이 효과적으로 개발되어 소비자교육의 효과를 높일 필요가 있다. 중·고등학교에서는 전산교육 담당교사와 생활경제나 가정과 교사들이 협동하여 직접 소비자교육용 프로그램을 개발하는 것도 한 방법이 될 것이다. 또한, 교사들을 대상으로 하는 소비자교육과 관련한 재교육 프로그램 개발도 필요하다.

한편, 사이버 교육기관을 자체적으로 설립하여 소비자교육을 활성화시키는 방법, 각종 CD 등 상업용 소비자교육 프로그램 개발, 온라인상의 소비자교육 기관의 설치 등 다양한 소비자교육방법이 활용되어야 한다.

4) 컴퓨터 활용 소비자교육 현황

정보화시대에 컴퓨터 활용 교육의 필요성을 절감하면서 일선 학교에서 컴퓨터를 수업에 활용하는 방법이 보급되고 그 교육효과가 여러 측면에서 연구, 실험되고 있다.

정규 학교교육에서는 정보화 관련 교육으로서 컴퓨터 이용 기술 교육이 이루어지고 있다. 구체적으로 초등학교에서는 실과과목에 정보화교육과정이 포함되어 컴퓨터 다루기, 관리하기, 컴퓨터로 글쓰기 등이, 중학교에서는 컴퓨터 기본지식과 워드 사용방법, spread sheet를 이용한 응용프로그램(예 : Excel)의 활용에 대한 내용, 고등학교에서는 프로그래밍의 기초와 정보통신의 이해, 정보통신과 뉴미디어 등 다양한 컴퓨터 관련 내용이 포함되어 있다. 그러나 이 같은 교육내용은 모두 컴퓨터 이용 기술에 관한 것이지 소비자 입장에서 소비자능력을 배양할 수 있는 소비자교육 내용은 거의 없는 실정이다. 소비자정보를 어떻게 활용할 것이며, 소비자의사결정에 컴퓨터를 활용하는 능력향상과 관련한 내용은 거의 없는 상황이다. 제7차 교육과정에 맞춘 CD-ROM이 있으나 이는 가정과 기술, 컴퓨터를 복합적으로 만든 것으로, 소비자교육을 위한 프로그램이라고 보기 어렵다.

한편, 사회 소비자교육 차원에서의 컴퓨터 활용현황을 살펴보면, 소비자교육을 위한 시청각 교재는 한국소비자원을 중심으로 꾸준히 제작되어 오고 있다. 주로 비디오나 CD 등으로 제작된 것들이 대부분이다.

소비자 학계에서도 소비자교육용 CD-ROM 등을 개발·제작하기 시작하고 있다. 김시월(2001)은 청소년소비자들을 대상으로 하는 소비자교육용 CD-ROM을 제작한 바 있는데, 그 내용은 표 7-3에 제시한 바와 같다.

| 표 7-3 | 청소년 대상 소비자교육용 CD-ROM 내용

소비자교육 영역	소비자교육 내용
소비자의 가계경제 영역	• 소비경제의 원리·개념·변화 • 소비자의 수입과 지출의 관리(자금, 차용, 세금, 지출관리 등)
소비자의사결정 및 구매 영역	• 소비자의사결정 과정 및 영향요인(소비자의사결정 과정과 관련된 과정, 외적·인적 　요인 등) • 소비자와 광고와 판매 활동(광고의 장단점 및 판매원, 정보원 등) • 소비자 신용(소비자 신용의 중요성, 신용카드, 파산 등) • 소비자와 구매(실질적 구매계획, 과정, 행동 등)
소비자정보 영역	• 소비자정보(소비자와 관련된 여러 정보 습득, 활용 등) • 소비자정보기술(인터넷거래 이용법, PC의 사용법, 쇼핑몰의 사용, 전자금융거래)
소비자권리 및 보호 영역	• 소비자권리 및 책임·활동(소비자의 참여, 단체, 활동 등) • 소비자보호/법 및 피해보상 방법(소비자 관련 법, 문제해결, 행정 서비스 등)
소비자처분 및 환경 영역	• 소비자와 환경(환경보존 및 재활용) • 소비자와 자원(자원의 활용, 물자절약)

자료 : 김시월(2001). 소비자교육용 CD-ROM 제작 및 개발에 관한 기초 연구. 소비자학연구. 12(4). p.134.

5) 컴퓨터 활용 소비자교육의 실제: 지도계획안

초등학교 및 중·고등 학교에서 최근 컴퓨터를 활용한 소비자교육의 중요성을 인정하여 학교마다 또는 개별 교사마다 개별적으로 지도계획안을 개발하여 학습 현장에서 활용하고 있는 상황이다. 보다 효과적인 소비자교육을 수행하기 위해 몇 가지 소비자교육 지도계획을 제언하면 다음과 같다.

(1) 소비자교육 지도계획 1 : 전자상거래에서의 소비자주권

학생들에게 전자상거래가 일반 점포거래와 달리 소비자주권 실현 측면에서 어떤 긍정적, 부정적 효과가 있는가를 조사하게 한다. 이때, 학생 스스로가 특정 전자상거래 사이트를 방문하여 전통적인 거래와 달리 어떤 측면에서 소비자이익 또는 소비자주권 실현에 긍정적이며 또 부정적인가를 조사하게 한다. 조사결과를 학생들과 토의하도록 한다.

• 토의 방향 : 소비자이익 또는 소비자주권 조사의 4영역
　- 소비자의 취향 및 선호 반영 측면 : 제품의 다양성, 주문처리, 제품설계, 정보 관리 등에서의 소비자 취향이나 의견 반영 여부(예 : 맞춤 서비스 의류업체)

- 소비자와 사업자 간의 양방향 의사전달의 가능성
- 가격결정권(공동구매, 역경매 방식을 통한 가격결정)

> **참고**
> - 전통적 경매 : 특정 상품에 대해 가장 높은 값을 제시한 사람이 낙찰 받아 구매할 수 있는 것으로 공급자 측에서 물건을 판매할 때 주로 사용하는 방법
> - 역경매 방식 : 소비자가 구입하고자 하는 물건을 제시하면 그 물건을 보유한 생산자나 유통업자가 경매에 참가하여 가장 유리한 조건을 제시한 사람에게 낙찰하는 방법

- 인터넷 공간에서의 사이버 소비자주권운동, 소비자불만 및 피해 접수, 소비자정보 제공 및 교류, 소비자교육, 안티사이트의 불만토로, 불매운동, 소비자단체

(2) 소비자교육 지도계획 2 : 홈뱅킹 활용하기

학생들에게 몇 개월 간 은행거래를 홈뱅킹으로 해보게 한다. 경험을 통해 홈뱅킹의 장점과 문제점에 대해 조사하고, 소비자피해가 발생한 경우 해결방법에 대해 알아본다.

> **참고**
> 소비자피해보상규정에 따르면 PC뱅킹이나 인터넷뱅킹 등 전자금융거래 시 소비자가 고의 또는 과실이 없는 해킹사고로 인해 손실을 입으면 은행이 손해배상책임을 진다.

(3) 소비자교육 지도계획 3 : 전자상거래의 소비자피해 및 구제방법

학생들에게 전자상거래에서 발생할 수 있는 소비자문제나 피해를 조사하게 한다. 조사방법은 인터넷상의 불만토로나 상담 사이트를 탐색하여 상담내용을 중심으로 주요 소비자피해를 파악하고 피해구제 방법이나 해결방안도 조사하여 발표하도록 한다. 가능한 경우 실제 전자상거래 경험 후 피해경험이나 불만을 발표하게 한다. 필요한 경우 조별로 품목을 정해 주어 다양한 제품이나 서비스와 관련한 전자상거래 소비자피해 및 구제방법을 서로 발표하고 논의해 보도록 한다.

| 주요 소비자문제 |

• 사기성 거래 또는 불법행위 : 물건대금을 입금시키면 물건을 보내 주겠다고 광고한 뒤 입금된 돈만 챙기고 물건은 보내 주지 않는 사기행위, 고장났거나 중고품을 보내 주는 행위, 주소 도용 거래, 피라미드식 회원 모집(불법 입회비), 투자 및 증권 사기, 인터넷 서비스 관련 사기(웹사이트를 디자인해 준다고 하고 사라짐) 등
• 개인정보 누출 : 기업이나 사기단들의 누출(판매나 악용), 해커들의 신용카드 정보 악용
• 허위과장광고 : 허위과장광고나 불공정거래행위

(4) 소비자교육 지도계획 4 : 전자상거래 피해고발 창구 조사

학생들에게 전자상거래로 피해를 입은 경우 고발창구는 어디인가를 조사하게 한다. 또한, 고발창고에 접수된 사례나 상담을 통해 전자상거래 시 소비자가 주의해야 할 사항들을 면밀하게 조사하도록 한다. 이 밖에도 대검 컴퓨터범죄 전담수사반 (www.dci.sppo.go.kr), 서울지검 컴퓨터수사부(cic@cic.sppo.go.kr, 전화 : 530-4981/2), 경찰청 사이버 범죄수사대(www.npa.go.kr, 전화 : 392-0330)가 있다.

| 전자상거래의 소비자피해고발 창구 |

• 공정거래위원회
  – 전화 : 02-504-9474(소비자보호국 표시광고과)
  – 주소 : 경기도 과천시 중앙동 1번지 정부과천청사 공정거래위원회 표시광고과
  – 홈페이지 : http://www.ftc.go.kr

• 한국소비자원
  – 전화 : 02-3460-3000
  – 수신자부담전화 : 080-220-2222, fax : 02-529-0408
  – 주소 : 서울시 서초구 염곡동 300-4
  – 홈페이지 : http://www.cpb.or.kr(소비자상담란 이용-)
            http://sobinet.cpb.or.kr(소비자피해구제 전용 홈페이지)
  – e-Mail: counsel@www.cpb.or.kr

• 정통부 산하 한국정보 보호센터(정보유출 관련)
  – 전화 : 국번없이 1336, fax : 02-3488-4129
  – 홈페이지 : www.cyberprivacy.or.kr
  – 통신위원회 : www.mic.go.kr/kcc

(5) 소비자교육 지도계획 5 : 전자상거래 시 소비자주의사항 조사

학생들에게 전자상거래 시 소비자들이 주의해야 할 사항을 조사하도록 한다. 조사방법은 주변 경험조사, 인터넷상의 정보탐색, 언론 등에서 제시하고 있는 주의사항 등 포괄적인 방법을 사용하게 한다.

> **참고**
>
> | 전자상거래 시 소비자가 주의할 사항 |
> - 사전에 충분한 상품정보를 확보한다.
> - 상점이 믿을 만한 곳인가를 살펴라. 사업자가 자신의 신원을 명확히 밝히고 있는지를 확인해야 한다. 전자상점의 전자우편 주소는 물론 실제 사무실의 주소와 전화·팩스번호 등을 직접 확인하라.
> - 제품정보, 거래조건, 반품이나 하자보상 여부 등 이용약관의 내용을 충분히 읽고 확인한다.
> - 무엇을 주문했고, 주문이 접수되었는지를 확인하라. 가급적 주문내역을 확인해 주는 절차를 갖춘 업체와 거래하라.
> - 대금지급 관련 보안시스템, 개인정보 보호대책을 갖춘 업체와 거래하며 개인정보유출에 주의하라.
> - 가급적 선불하지 말며 신용카드를 이용할 경우에도 물품 인도 후 대금이 결제되는 에스크로 계좌를 활용하라.
> - 무료 서비스, 지나치게 저렴한 가격, 과다경품 제공에 현혹되지 말고, 성급한 구매는 자제하라.
> - 개인 간의 거래는 더욱 조심한다. 개인 간의 거래는 자기책임원칙이므로 더욱 요주의해야 한다. 상점 운영자의 휴대전화번호 정도는 반드시 알아 둔다.
> - 소비자피해를 입었거나 분쟁발생 시 반드시 공공기관과 상담한다.

(6) 소비자교육 지도계획 6 : 안티 사이트 탐색 및 활용 개선방안

학생들에게 소비자불만을 토로하고 정보를 교류할 수 있는 안티 사이트를 조사하게 하고 실제로 주변이나 자신의 경험 등에 대한 글을 올리게 한다. 그 후 안티 사이트에서의 활동경험을 발표하게 하고 안티 사이트의 장점, 문제점, 개선방안 등에 대해 조사하고 토의하게 한다.

(7) 소비자교육 지도계획 7 : 소비자정보 교류 사이트 탐색 및 활용 개선방안

학생들에게 소비자 스스로가 경험한 각종 소비자정보나 제품을 사용한 후 그 제품에 대한 평가에 관한 정보를 인터넷상의 정보교류 사이트에 올리게 한다. 또한 소비자들의 경험을 교류할 수 있는 사이트를 모두 탐색하게 하고 실제로 주변이나 자신의 경험 등의 글을 올리게 한다. 그 후 정보교류 사이트의 장점, 문제점, 개선 방안 등에 대해 조사하게 한다.

(8) 소비자교육 지도계획 8 : 가격 및 품질비교 등 소비자정보 사이트 탐색 및 활용

학생들에게 품질이나 가격비교 정보를 제공하는 인터넷사이트를 탐색하게 한다. 특히 최근 구매하고 싶은 제품이나 서비스 품목을 한두 개 정하게 한 후 이들 사이트에서 제공하고 있는 제품의 품질이나 가격을 비교하게 한다. 그 후 사이트 검색결과에 대해 발표하고 토론하게 한다.

(9) 소비자교육 지도계획 9 : 인터넷상에서 소비자상담 받기

학생들에게 소비자상담 사이트를 탐색하여 실제로 주변이나 자신이 경험한 소비자불만이나 피해를 상담하게 한다. 상담 후 결과에 대한 만족, 상담내용에 대한 평가, 문제점, 개선방안 등에 대해 조사·발표하게 한다.

(10) 소비자교육 지도계획 10 : 인터넷상에 소비자 관련 사이트 만들기 및 활용

학생들에게 소비자정보 및 상담 관련 홈페이지를 만들게 하고 향후 시범 운영하게 한다. 개인별 또는 팀별로 만든 홈페이지를 발표하게 하고 평가한다.

> **참고**
>
> | 효과적인 사이트 |
>
> 게시판을 만들어 소비생활과 관련한 의견이나 정보교류를 하도록 하고, 방명록도 만들어 출석을 체크하거나 홈페이지를 활성화시킨다. 또한, 소비자정보를 제공하는 관련 사이트, 소비자상담을 받는 사이트 등을 링크시켜 활용도를 높일 수 있는 사이트를 만들게 한다. 과제를 낸 후에는 교사가 소비자교육과 관련한 과제를 사이트에 올리고, 또한 과제물을 사이트에 올리는 방법을 통해 토론이나 의견교환을 활성화시킨다.

(11) 소비자교육 지도계획 11 : 청소년 대상 교묘 상술 및 피해구제 조사

청소년을 대상으로 하는 교묘한 상술에 대해 조사하고 이로 인한 피해에 어떤 것이 있는지 조사한다. 또한, 이 같은 상술을 줄이고 이로 인한 피해예방, 피해 발생 시 해결 방안 등에 대해 알아보도록 한다.

> **참고** | 실제 주요 사례 |
>
> 노상에서의 강매, 학원이나 방문판매 계약 취소, 미성년자와의 계약 취소 방법 등, 특히 청약철회의 조건, 방법, 효력 등에 대해 구체적으로 조사하게 한다.

(12) 소비자교육 지도계획 12 : 전자상거래 이용 누가 더 잘하나

각 학생들에게 일정한 금액을 주고(모의 화폐) 일정 기간을 정해 특정 제품을 전자상거래를 통해 구입하도록 한다. 약속된 기간이 지난 후 과제물을 수행한 학생들을 모아 놓고 구입한 제품들의 품질과 가격을 소개, 발표하도록 한다. 같은 제품을 누가 더 싸게 구입했는지, 주어진 화폐를 가지고 누가 더 많은 제품을 구입했는지 등에 대해 평가하도록 한다. 이때, 제품과 가격 이외에 제품을 구매한 각 사이트의 소개, 장단점, 발생 가능한 소비자문제, AS나 환불 관련 약관 등에 대해서도 발표하도록 한다.

(13) 소비자교육 지도계획 13 : 누가 소비자정보 탐색을 잘 하는가?

학생들에게 특정 주제를 주고 지정된 사이트 없이 제한된 시간에 학생 스스로 인터넷을 활용하여 정보탐색 경연대회를 연다. 정보를 빨리 찾은 경우, 많이 찾은 경우, 꼭 필요한 정보를 찾은 경우에 점수를 더 준다.

(14) 소비자교육 지도계획 14 : 컴퓨터 활용 용돈 기록, 관리, 평가

학생들에게 용돈 관리 소프트웨어를 활용하여 지출기록 등 컴퓨터를 활용한 용돈관리 실습을 시킨다. 몇 개월 간의 실습 후 자신 및 친구들의 용돈관리에 대해 서로 평가해 보도록 한다.

유아와
아동 소비자교육

1. 유아소비자교육
2. 아동소비자교육

08 | 유아와 아동 소비자교육

소비자교육은 소비에 대한 올바른 가치관형성과 올바른 의사결정능력을 갖도록 하는 것이다. 어린 시절에 형성된 소비가치와 소비행동은 성인기까지 영향을 준다. 따라서 소비자교육은 직업을 가지고 돈을 많이 쓰는 성인기에 해야 하는 것이 아니라 소비습관이 형성되기 시작하는 유아기부터 시작해야 한다. 소비자교육은 어릴 때부터 성인기까지 평생교육의 차원에서 가정의 소비자교육과 연계하여 진행되어야 한다. 어린시절부터 생활주변의 경제환경 및 소비생활의 현실을 반영하는 체험교육이어야 한다. 유아소비자교육은 어린이가 주도적으로 참여하거나 체험하게 하는 방법의 교육으로 합리적인 경제생활과 현명한 소비생활을 유도하는데 주안점을 두는 교육이어야 한다. 유아와 초등학생 연령대인 아동은 성장발달 수준에 차이가 많으므로 본 장에서는 유아와 아동으로 구분하여 이들의 소비자교육에 대해 논의하고자 한다.

1. 유아소비자교육

1) 유아소비자교육의 필요성

세 살 버릇 여든까지 간다는 속담처럼 어린 시절의 올바른 소비행동이 중요하므로 소비자교육도 조기교육이 필요하다. 유아는 소비의 주체라기보다 부모의 승인을 받는 것이 보통이므로 가정에서 부모가 제공하는 소비자교육이 중요하고 유아기에는 유아를 둘러싼 가정, 유아교육기관, 학원이나 동네가 중요하다. 그러나 최근 가정 단위의 소비선택, 예를 들면 자동차, 아파트 구입 등의 선택에서 과거에 비해 유아 또는 아동의 영향력이 커지면서 소비자로서 유아의 위치나 중요성이 커지고 있다.

유아는 소유욕, 인식 및 판단력, 학습방법 등 다양한 측면에서 성인소비자들과 다른 특성을 보인다. 아이들은 자기가 원하는 것을 사려면 돈이 필요하다는 사실을 알게 된다. 그러나 유아들은 돈을 어떻게 벌고 관리하는지보다는 부모에게 돈을 타서 자기가 원하는 것을 사는 데에만 관심이 많다. 유아는 사고 싶지만 비싸거나 구하기가 힘들어서 쉽게 가질 수 없는 경우 불만과 좌절을 겪게 된다. 이와같은 이유 때문에 유아의 발달 수준에 따라 소비자교육은 단계적·체계적으로 시행되어야 한다. 유아기에 올바른 소비자교육이 이행되어야 아동기, 그리고 나아가 청소년기에 체계적이며 지속적인 소비자교육과 함께 전 생애 동안 소비자교육의 효과가 나타나고 올바른 소비자사회화가 된다. 따라서 유아소비자교육과 관련한 연구 및 관심, 교수·학습방법의 발달, 유아소비자교육에 대한 평가 등이 계속되어 효율적인 유아소비자교육이 수행되어야 한다.

특히 유아기의 소비자교육은 실생활의 구체적인 경험을 통해 이루어져야 효과적이므로 부모와의 연계가 필수적이다. 부모에게 유치원에서 어떠한 소비자교육 활동이 이루어지는가를 알려주고, 유치원교사의 재교육, 소비자교육용 교재·교구 개발, 소비자교육의 가정과의 연계방안 모색, 부모 재교육 등이 계속되어야 한다.

2) 유아소비자교육의 목표 및 내용

유아소비자교육의 목표는 유아를 현명한 의사결정을 할 수 있는 소비자로 키우는 것이다. 소비자교육 목표를 효과적으로 달성하기 위해 올바른 소비가치관과 생활양식, 금전관리·구매·개인의 자원과 공공자원의 이용을 통한 현명한 의사결정, 소비자권리와 책임교육을 통한 성숙한 소비자역할, 자원재활용과 물자절약, 환경보호 등에 대한 교육이 필요하다. 한국소비자원(1993)은 소비자교육의 일반목표를 가치교육, 구매교육, 시민의식교육 차원으로 구분한 후 유아소비자교육의 내용을 9가지로 확대시켰는데, 그 내용은 다음과 같다.

- 금전(용돈) 관리
- 저축하기
- 물자절약
- 상품구입요령
- 물건 관리 및 간수
- 소비자로서 갖는 권리
- 구입한 물건에 대한 불만 처리 및 피해 해결
- 환경을 보호하는 소비생활
- 물품의 생산과정 및 시장의 기능

한편, 김영옥·홍혜경(1998)은 유아소비자교육의 내용으로 다음의 항목을 제시하였다.

- 소비 : 소비의 개념, 시기 형태, 절약, 아껴 쓰기 등
- 돈 : 동전의 이름과 모양변별, 돈의 출처, 저축, 교환매체로서 돈 인식 등
- 물건구매/시장 개념 : 물건 사기, 물건 선택결정, 물건 가격 알고 지불하기 등
- 직업과 일 : 다양한 직업의 종류, 노동의 전문화, 이웃사람들의 일 등
- 생산 : 생산의 과정, 제한된 자원 등
- 광고 : 상업적인 것에 대한 이해, 판매전략, 광고에서 경험한 상품 평가하기 등

3) 유아소비자교육의 목표별 소비자교육 내용

한국소비자원(1993)의 소비자교육 목표별 유아소비자교육의 내용을 구체적으로 제시하면 다음과 같다.

(1) 가치교육

- 공동으로 사용하는 물건이나 버린 물건도 소중하게 다루기
- 아껴 쓰고 남은 돈 저축하기

- 사용방법에 따라 물건 바르게 사용하기
- 다시 쓸 수 있는 물건은 함부로 버리지 않고 재활용하기
- 유아들이 갖고 싶은 것을 다 살 수 없다는 것을 알기
- 자기에게 필요 없는 물건은 필요한 사람에게 주거나 서로 바꾸어 사용하기
- 물건 사용 후 잘 정리하여 간수하기
- 가능하면 일회용품 자제하기
- 적절하게 용돈 사용하기
- 원하는 물건 사기 위해 저축하기
- 우리가 사용하는 물건은 여러 사람의 도움으로 만들어진 것임을 알기
- 용돈을 스스로 마련할 수 있는 방법에 대해 생각해 보기
- 돈의 귀중함 알기
- 수돗물, 전기, 가스 등 절약하기
- 은행은 사람들이 맡기는 돈을 보관하고, 돈이 필요한 사람에게 빌려 주는 곳임을 알려 주기
- 새 물건을 자꾸 사는 것보다 가지고 있는 물건 아껴 쓰기
- 물건을 잃어버렸을 때 반드시 되찾으려고 노력하기

(2) 구매교육

- 불량식품이나 결함상품 유의하기
- 비싼 옷, 장난감보다 실용적이고 안전한 물건 사기
- 물건의 가격이 적당한지 알아보기
- 사전에 계획하여 필요한 물건 사기
- 물건 구입 시 상품의 내용(질, 종류, 성능 등)에 대해 충분히 알아보기
- 가공식품의 제조일자와 유효기간 확인하기
- 물건 구입 후 영수증 받기
- 광고의 목적과 기능 알기(예 : 광고하는 물건이 다 좋은 물건이 아니라는 것을 안다.)

(3) 시민의식교육

- 개인의 편리함이나 이익보다는 환경 보호하기
- 제품사용법을 알고 있더라도 적혀 있는 주의사항 알아보기
- 소비자의 권리 알기
- 거스름돈 정확히 받기
- 돈을 더럽히거나 구기지 않고 깨끗하게 사용하기
- 불량품 구입 시 소비자를 보호해 주는 여러 단체가 있음을 알기
- 물건 구입 시 물건의 수량이나 거스름돈 확인하기
- 돈을 벌기 위해 땀 흘려 일하는 것이 가치 있는 일임을 알기
- 분리수거하기
- 국산품 애용하기
- 물건을 사고 팔 때 소비자와 상인이 어떠한 행동과 태도를 가져야 하는지 알기(예 : 상인은 친절해야 하며, 소비자는 물건을 함부로 만지거나 뜯어 보지 말 것)
- 환경오염이 적은 물품 사용하기
- 불량품 구입 시 바꿔 오기
- 쓰레기 양 줄이기(예 : 음식물, 종이 등)

소비자교육 길잡이 8-1 **유아소비자교육의 내용 및 주의사항**

- 유아소비자교육의 내용
  - 도덕성 및 기본 생활교육
  - 돈의 가치 및 중요성
  - 빌리기
  - 절제와 절약
  - 생활 속의 산 경제교육
  - 용돈교육
  - 저축의 생활화
  - 광고교육

- 주의사항
  - 반복학습이 되도록 한다.
  - 부모가 보여 주는 솔선수범의 교육이어야 한다.
  - 장기적인 안목으로 교육한다.
  - 칭찬이나 꾸짖기는 곧바로 한다.

4) 유아의 발달단계별 소비자교육의 내용

유아 대상 소비자교육은 유아의 발달 수준에 따라 다양하게 전개되어야 한다. 유아기에 발달하는 대표적인 개념은 구체적으로 돈의 사용과 가치에 대한 개념이다. 일반적으로 4~6세의 유아는 상점에서 물건을 파는 사람과 구매하는 사람 사이의 상호관계를 이해하지 못하고, 유아들은 다만 돈이라는 것이 상점에서 의례적으로 사용하는 하나의 구체적인 물건으로 인식한다. 이는 유아를 단순히 경제활동에 참여시키는 것만으로 돈을 교환의 매개체로 이해하게 할 수 없음을 알게 한다.

(1) 돈의 사용 및 가치

3~5세의 유아는 물건을 사기 위해서 돈이 필요하다는 것을 단지 막연하게 인식한다. 보통 이 시기에 유아들은 누구나 필요하거나 갖고 싶은 물건이 있으면 가게에 가서 그것을 찾아 가지면 되는 것으로 여긴다.

- 3세 : 돈과 돈이 아닌 것을 구분할 수는 있으나 다양한 지폐나 동전의 차이를 구분하지 못한다. 또한 가게에서 사탕이나 장난감을 가지고 오기 위해 돈을 내야 한다는 것을 모른다.
- 4~5세 : 아직도 동전을 구별하거나 동전의 명칭은 모르지만 무엇을 사려면 돈이 있어야 한다는 것은 이해한다. 하지만 돈의 가치에 대한 수학적 개념은 부족하며, 동전으로 어떤 물건이라도 다 살 수 있다고 생각한다.
- 6~7세 : 비로소 돈이 어떤 가치를 지니며 물건에는 가격이 있다는 것을 알게 됨으로써 돈과 물건 간의 대응관계를 이해한다. 이때쯤이면 숫자 체제와 숫자 개념이 생기며, 6세 정도에는 융통성 없는 대응 개념을 적용한다. 즉 어떤 물건을 사기 위해서 정확하게 얼마가 있어야 한다는 것은 모르지만 충분히 많이 있어야 한다는 것은 안다는 의미이다.

유아의 돈이라는 개념에 대한 발달 6단계를 제시하면 다음과 같다.

- 1단계 : 유아는 지불에 대하여 깨닫지 못하며 물건을 사는데 돈이 필요함을 막연히 인식하나 상품교환수단으로 분명히 인식하지는 못한다.

| 표 8-1 | 유아·아동의 소비자경제 개념 발달

감각기(0~2세)	전조작기(2~6세)	구체적 조작기(6·7~10세)
• 동전의 모양과 크기를 관찰한다. • 쇼핑하기 : 소비, 구매 활동을 관찰한다.	• 가게놀이 : 소비와 구매의 초기 개념이 발현된다. • 더 많다. 적다를 센다. • 동전, 지폐를 인식한다. • 구매하기 위해서 돈이 필수적임을 안다.	• 9세 이후에 동전을 비교할 수 있고, 동전의 차이를 안다. • 사람들이 돈을 벌기 위해 일한다는 것을 이해한다. • 고용인과 고용주의 관계를 어느 정도 이해한다.

• 2단계 : 아동은 돈의 가치에 관한 수학적 개념의 부족으로 모든 종류의 돈의 가치가 똑같다고 생각하고 거스름돈을 주는 것은 의무라고 생각한다.

• 3단계 : 아동은 특정한 종류의 돈으로 모든 것을 살 수 없다는 것을 인식하나 이유는 알지 못하고 거스름돈을 소비자에게 주는 것도 의무라고 생각한다.

• 4단계 : 유아는 물건의 가격이 다르므로 어떤 돈은 물건을 사는데 충분하지 않다는 것을 인식하나 거스름돈의 의미를 정확히 이해하지 못한다.

• 5단계 : 돈과 물건 사이의 엄격한 일대일 대응을 적용시켜 가격에 상응하는 돈이 지불되지 않으면 물건을 구입할 수 없다고 생각한다.

• 6단계 : 유아는 물건의 가격보다 더 많은 돈을 지불했을 때 주인이 잔액을 돌려준다는 거스름돈의 의미를 정확히 이해하게 된다.

(2) 부유와 가난의 개념

3~4세의 아이들은 '부유하다'와 '가난하다'라는 단어를 거의 이해하지 못하며, 어떻게 부자와 가난한 자로 나누어야 할지를 모른다. 5~6세의 아이들은 처음으로 옷과 다른 구체적인 소유물에서 나타나는 분명한 차이점에 근거하여 사람을 부자와 가난한 자로 나눌 수 있게 된다. 사람이 어떻게 부자 또는 가난한 사람이 되는지를 이해하기 위해 유아기에 초점을 두는 것은 직접적인 사건과 환경이다. 어린 유아는 돈과 자원이 한정되어 있고, 통제되어 있다는 것을 알지 못하기 때문에 사회적 이동이 쉽다고 믿고, 가난한 사람도 좋은 직장을 갖거나 부자에게 돈을 달라고 하면 누구나 부자가 될 수 있다고 생각한다.

(3) 경제자원의 소유

유아는 경제자원의 소유 및 경영에 대해서도 나름대로 이해한다. 2~3세의 유아는 소유하는 것을 대상물체와 거리상 가장 가깝거나 사용하고 있는 것으로 생각한다. 즉 유아는 소유에 대한 개념은 경제적 통제 개념과는 전혀 관계가 없다고 생각한다. 4~5세의 유아는 소유라는 것을 그 대상 물체를 맡아 가지고 있는 것으로 생각한다.

(4) 생산과 소비의 과정

6~7세의 유아는 가게 주인이 물건을 다른 곳에서 가져온다는 것을 이해하며, 유아는 소매상을 생산에서 시작하여 끝나는 긴 거래과정 중의 단지 한 단계라고 생각하지 못한다. 유아가 한 번에 한 측면만을 생각할 수 있기 때문에 유아는 가게에서 파는 물건이나 화폐를 가게 주인이 가게에서 즉석으로 만드는 것으로 생각한다. 이익에 대한 개념도 없어서 가게 주인이 사람에게 물건 주기를 좋아한다고 생각한다. 또한 점원은 금전등록기에서 마음대로 돈을 가질 수 있다고 생각하며, 경찰은 도둑에게 찾은 돈을 가질 수 있고, 버스운전사는 차비로 받은 돈을 쓸 수 있다고 생각한다. 아동기 후기가 되면 개인 소유의 돈과 사회의 돈을 구분할 수 있게 되며, 종업원에게는 월급이라는 것이 지불되며 반면에 고용주는 판매 이익으로부터 돈을 벌게 된다는 것을 알게 된다. 따라서 유아 스스로 생산자가 되어 보는 경험을 해보게 한다. 예를 들면 실제 카드 만들기, 어버이날에 꽃이나 선물 만들기, 간식으로 먹을 간단한 요리해 보기 등이 생산자의 개념을 발달시키기 위한 좋은 교육방법이다.

5) 유아소비자교육의 교수·학습방법

유아기 소비자교육은 단편적인 개념이나 암기 중심의 지식교육에서 벗어나 실제 생활에서 그 교육 소재를 구하고, 이를 통해 실생활에 적용해 볼 수 있는 생활교육이어야 한다. 5세 유아는 실제 경험을 통해서만 경제 개념을 가장 잘 이해시킬 수 있다고 알려져 있다. 즉 유아에게 소비자교육에 대해 추상적이고 완벽한 이해를 시키려고 해도 안 되며, 또 그렇게 할 수도 없다. 한국소비자원(1993)은 유아소비자교육을 하는데 있어 가장 기본적인 원칙을 제시하였는데, 그 내용은 다음과 같다.

- 소비자교육 목표와의 유적합성의 확보
- 발달단계에 따른 내용의 위계성과 유기적 연관성의 확보
- 실제경험과 생활 속에서의 유용성 강조

따라서 유아에게 실제적이며 직접적인 경험을 주기 위한 교수·학습방법이 개발되어야 하는데, 적절한 사례를 살펴보면 다음과 같다.

(1) 극놀이 등 체험소비자교육

교사는 사회극놀이를 통해 유아가 소비자교육 내용을 확실하게 이해하도록 도와야 한다. 3세 이상의 유아가 자신이 알고 있는 바를 실제 행동으로 나타내고 탐색할 수 있는 기회를 제공해야 한다. 교사는 교실에 가게놀이, 은행, 빵공장, 세탁소, 즉석음식점 등과 같은 역할놀이 영역을 준비해 줌으로써 아이들에게 경제개념을 확실히 이해시킬 수 있다. 만일 교실이 넓다면 더 나아가 공장 또는 가게놀이(매주 다양하게 바뀔 수 있다.) 영역의 옆에 소꿉놀이 영역을 마련하는 것도 적절하다. 이렇게 함으로써 유아는 가정에서 사회로, 다시 사회에서 가정으로, 상황이 바뀜으로써 생기는 경험과 느낌을 역할놀이를 통해 직접 경험할 수 있다. 이때, 교사는 지나치게 간섭하지 않고 놀이를 관찰하며 후원해 주어야 한다. 다만 유아의 사고에 대해 배우면서 동시에 유아에게 인지적인 자극을 주고 싶은 경우에 가게놀이에서 점원이나 손님의 역할을 맡음으로써 놀이에 적극적으로 참여할 수 있다. 교사가 유아의 놀이에 간접적으로 참여하는 방법으로는 어떤 역할을 맡아 놀이도구를 적절하게 다루어 유아에게 인지적 문제를 제기할 수 있다. 예를 들면, 금전등록기 안에 있는 돈을 모두 치워서 유아가 돈을 더 필요로 하도록 만들 수 있다. 놀이에 더 직접적으로 참여하는 방법으로는 유아에게 질문을 하는 방법이 있을 수 있는데, 이러한 방법은 유아의 흥미와 활동을 방해하지 않도록 조심스럽게 시도해야 한다.

교사가 유아에게 제공할 수 있는 질문의 예는 다음과 같다.

- 왜 돈을 금전등록기에 넣지? 빈 상자에 넣어도 되지 않을까?
- 가게에 있는 물건은 어디서 가져오는 것일까?
- 왜 거스름돈을 받지?
- 점원은 금전등록기 안에 있는 돈을 가져도 될까?
- 금전등록기 안에 있는 돈은 점원의 돈일까?
- 금전등록기 속에 있는 돈을 다 써 버리면 어떻게 될까? 어디서 돈을 더 가져오지?
- 저 물건을 살 만큼의 돈이 있니?
- 물건을 가지고 돈을 지불하지 않으면 어떻게 될까?
- 동전과 지폐는 어떻게 다를까?
- 동전은 모두 같은 것일까?
- 저 금전등록기 속의 돈은 어디서 생겼을까?
- 어떤 물건이 모두 팔리면 어떻게 하지? 어디서 더 가져올 수 있을까?

(2) 필수품, 사치품 등 이해 교육

보통 5~6세 유아라면 물건을 필수품과 사치품으로 분류하는 것이 가능하다. 소비자교육 담당자는 유아에게 물건을 왜 사는지에 대해 생각하도록 도울 필요가 있다.

예를 들면, 교사는 상품의 사진이 있는 잡지나 목록을 유아에게 주고 우리에게 '꼭 있어야 할' 물건(필수품)과 우리가 '단지 가지고 싶은' 물건(사치품) 간의 차이점에 대해서 대화한 후 필수품과 사치품에 해당하는 물건의 사진을 오리게 하고, 그 사진을 사치품과 필수품으로 나누어 큰 종이 위에 붙이게 하는 것이 적절하다.

(3) 견학, 방문 등 경험교육

교사는 직접적이고 개별적인 경험을 제공해 줌으로써 유아가 경제체제 및 경제개념에 대해 구체적인 정보를 갖도록 도와준다. 3세 이상의 유아에게 상품 및 서비스의 생산 및 소비과정에 대해 알려줄 수 있는 가장 좋은 방법은 현장견학이다. 견학은 운송, 우리를 돕는 지역사회의 사람들, 공공서비스, 산업, 농업, 건물 및 도로 건설, 구매, 판매와 같은 주제를 다루는 교육과정 단원에 통합되어 실시한다. 유아와 함께 견학을 가 볼 만한 곳으로는 동네 가게, 세탁소, 미장원, 우체국, 가전제품 수리점, 컴퓨터 판매장, 자동차 판매장, 빵공장, 방직공장, 소방서 등이 있다. 교사는 견학을 가기 전에 유아와 사전준비를 할 수 있다. 예를 들면 사전에 초청인사를 모셔서 관련되는 주제에 대한 이야기를 듣거나 사진과 책을 보고 견학에 필요한 곳이 무엇인지와 무엇을 보게 될지에 대하여 집단토의를 할 필요가 있다. 현장학습 후에는 유아가 본 것에 대해 이야기해 보게 함으로써 교육효과를 높일 수 있다.

(4) 구매의사결정 연습

5~6세 유아라면 장난감 돈을 가지고 어떤 물건을 살 것인지를 선택·결정하는 연습이 가능하다. 목록에서 여러 가지 물건의 그림을 오려 두꺼운 종이에 붙이고 사진의 바로 밑에 가격을 써 넣는다. 교실을 옷가게, 컴퓨터 판매장, 잡화상, 신발가게, 장난감 가게 등의 영역으로 꾸민다. 유아에게 각각 물건 사진 카드를 한 묶음씩 주고 사진의 물건에 따라 맞는 가게에 놓게 한다. 한 유아가 은행원이 되어 유아에게 10원씩 준다. 몇몇 유아는 각 가게의 점원 역할을 하고, 나머지 유아는 미리 계획된 방법대로 돈을 쓴다. 돈을 쓰기 전에 구매자가 된 유아는 무엇을 살지 계획하는 시간을 갖도록 한다.

소비자교육 길잡이 8-2　　**유아소비자교육의 교수·학습활동의 예**

- 이야기 나누기 및 토의 : 내가 갖고 싶은 것과 필요한 것, 부족한 물건 분배하기, 절약 등
- 동시, 동화 및 동극
- 음률활동 : 상품의 원료 알기, 저축하기
- 요리(식품, 보관, 보존)
- 현장학습 : 시장 견학
- 조작놀이 : 동전 놓아 보기, 물건 값 놓기, 전등 끄기 게임
- 사회극놀이 : 가게놀이
- 미술활동 : 재활용품 전시회, 광고문 만들기
- 게임
- 실험 : 자원절약, 재생종이 만들기
- 기타 : 그림사전 만들기, 용돈기입장 기록하기, 동물 먹이 모으기/주기, 알뜰시장 열기, 장난감 수선하기, 쓰레기 분리하여 버리기, 우유갑 모으기, 소지품 보관하기

| 표 8-2 | 유아소비자교육의 교수·학습활동

활동방법	활동과정
이야기 나누기/토의	• 내가 갖고 싶은 것과 내게 필요한 것, 부족한 물건 분배하기 • 광고 분석, 갈등이 담긴 이야기 나누기, 정든 물건 소개하기 • 절약, 환경보호
동시, 동화 및 동극	• 동시 : 절약하는 방법을 알 수 있는 내용의 동시 • 동화 : 물을 오염시키는 원인에 대한 동화 • 동극 : 자신에게 필요 없는 물건은 필요한 사람에게 주거나 서로 바꾸어 쓸 수 있다는 내용의 동극

미술활동	• 광고문 만들기 : 역할극을 하다가 자신의 물건을 잃어버린 경우에 유아들과 광고문을
	  만든다.
	  – 어떤 내용을 알리고 싶은지, 누구에게 알릴 것인지
	  – 이런 내용을 여러 사람이 잘 볼 수 있고, 알 수 있게 하려면?
	• 짜투리 종이 사용 : 폐품을 이용하여 여러 가지 생활용품(예 : 사진들) 등을 만든 후
	  '재활용품 전시회'
	  – '내 옆에 쓰레기가 있다면' 등의 문구가 적힌 종이에 유아들이 자신의 생각을 그림으
	    로 그리거나 글로 쓴 것을 묶어 '내가 할 수 있는 환경보호책'을 만들어 본다.

음률활동	• 상품의 원료 알기 : 노래 '무엇을 주련'을 통해 어떤 동물에게서 어떤 부산물을 얻을 수 있는지 알기 • 저축하기 : 저금에 관련된 노래를 통해서 돈의 올바른 사용법 알기 • 소비자와 판매자의 역할 알기 〈땡그랑 한 푼〉♩ ♪ ♬ 땡그랑 한 푼, 땡그랑 두 푼 벙어리 저금통이 아이구 무거워, 하하하하 우리는 착한 어린 이 아껴 쓰며 저축하는 알뜰한 어린이
실험	• 자원 절약 • 재생종이 만들기 : 신문지 불리기, 믹서로 갈기, 곱게 갈린 신문을 체에 걸러 얇게 펴 기, 햇빛에 건조하기

현장학습	예 : 시장 견학
	• 시장을 견학하기 전에 모여서 시장 견학에 대한 이야기를 나눈다.
	• 시장을 견학하며 시장에는 어떤 가게와 물건들이 있는지, 물건은 어떻게 사는지를 관
	  찰한다.
	  – 물건을 구입하는 방법, 판매자와 구입자가 주고받는 대화를 관찰한다.
	  – 물건을 구입한 후 영수증을 받는 것도 관찰한다.
	  – 가게의 물건은 어디에서 무엇으로 가지고 오는지 등 가게 주인에게 궁금한 것을 질
	    문한다.
	  – 견학을 다녀온 후의 소감과 물건 구입요령, 좋은 물건 구매태도와 나쁜 구매태도에 대
	    하여 유아들이 생각한 것을 이야기하면 이를 교사가 받아 적어 목록을 만들어 본다.
	• 시장이 왜 필요한지, 물건은 어떻게 생산되었고, 유통과정에 대해서 이야기를 나눈다.

조작놀이	• 물건 값을 주세요 : 물건 가격표를 보고 해당하는 금액의 돈 그림이 있는 카드를 놓는다. • 동전 놓아 보기 : 기본판에 제시된 화폐를 보고 해당하는 금액만큼 동전을 놓아 봄으로 써 큰 금액의 화폐와 작은 금액의 화폐와의 관계를 알아본다. • 전등 끄기 게임 • 환경 줄다리기

(계속)

활동방법	활동과정
사회극놀이	예 : 가게놀이
알뜰시장 열기	• 집에서 사용하지 않는 장난감, 책 등을 유아들이 유치원에 가져온다. 한 곳에 작은 가게와 비슷한 알뜰시장 영역을 설치한 후 자유선택활동시간에 필요한 유아들이 실제로 필요한 물건을 구입하는 경험을 갖는다. • 평가하는 시간에 물건을 구입한 유아들이 물건을 사게 된 이유와 구입 소감, 좋은 구매 태도에 관해 이야기를 나눈다.
장난감 수선	유치원의 장난감이 망가진 경우, 이유를 살펴보고 교사의 도움을 받아 수선(예 : 찢어진 청바지)
쓰레기 분리, 우유갑 모으기	• 쓰레기를 분리하여 버려야 하는 이유와 분리하여 버려야 하는 쓰레기 종류와 방법에 대해 이야기 • 유치원 활동실에서는 어느 곳에 쓰레기를 버리면 좋을지 알아본다.(예 : 미술 영역의 폐품창, 분리수거할 물건이 표시된 쓰레기통 등) • 우유갑과 같이 재활용품과 교환할 수 있는 것은 따로 모았다가 동사무소에서 휴지로 바꾼다.
소지품 보관	• 유아 개인마다 자신의 개인장에 옷, 신발, 미술활동한 것, 도시락 등을 잘 정리 • '잃어버린 물건 찾아가세요' 바구니 설치

6) 유아소비자교육 프로그램 실례

유아소비자교육 프로그램을 제시하기 전에 유아소비자교육 프로그램 개발 시 고려할 점을 살펴보면 다음과 같다.

- 소비자로서의 유아가 가진 경제개념에 대한 이해 수준 파악 : 유아소비자교육 프로그램에서는 경제개념에 대한 연구를 통해 경제인으로서의 유아들의 이해에 기여
- 합리적인 유아소비자교육 프로그램을 제작, 이를 실제교육에 활용할 수 있도록 구체적이고 체계화된 프로그램 제작
- 소비자로서의 유아에 관한 연구 활성화

(1) 돈과 일(돈은 어디서 생기나요?)

학습 목표	1. 소득은 건전한 노력의 대가임을 이해한다. 2. 소득을 얻기 위해 노력한 가족원에게 감사할 줄 안다.	준비물	동화책, 동극을 위한 활동자료
단계	교수–학습 활동	지도상의 유의점	
도입	•'가정의 소득'에 관한 내용을 질문하여 관심을 유발한다. – 돈은 누가 벌어 오나요? – 어떻게 벌어 오나요?	유아들의 발상을 도울 수 있는 질문을 제시함으 로써 유아들이 적극적인 관심을 가지고 수업에 임할 수 있도록 지도한다.	
전개	•동화 〈누가 밀알을 심을까?〉를 읽어 준다. – 소득 획득을 위한 노동은 어렵지만 신성함 을 설명한다.	•유아들이 흥미를 가지고 수업에 임할 수 있도록 실감나게 읽어 준다. •수업분위기가 산만해지지 않도록 보조교사가 조절한다. •참여도를 높이기 위해 2팀으로 나누어 실시할 수도 있다.	

(2) 돈의 종류와 가치(어떤 종류의 돈으로, 무엇을 살 수 있을까요?)

학습 목표	1. 돈의 종류를 알고 구별할 줄 안다. 2. 일정한 돈으로 살 수 있는 물건을 이해할 수 있다. 3. 돈에 대한 가치를 안다.	준비물	종이돈, 동전, 얇은 종이, 크레파스, 제품 사진이 있는 전단지, 융판 또는 자석판
단계	교수–학습 활동	지도상의 유의점	
전개	•돈을 붙일 수 있는 기본판을 이용하여 돈의 종 류를 학습한다. •학습한 돈의 종류를 알도록 얇은 종이에 대고 베껴 본다. •어떤 종류의 돈으로 어떠한 물건을 살 수 있는 지를 학습한다. •자석판(또는 융판)에 상점에서 사는 물건과 그 에 상응하는 돈 모형을 연결지어 본다. 이를 통해 각 물건의 가치를 어림할 수 있다.	•유아들이 흥미를 가지고 수업에 참여할 수 있도 록 많은 유아에게 참여기회를 준다. •수업분위기가 산만해지지 않도록 보조교사가 조절한다. •참여도를 높이기 위해 2~3팀으로 실시한다.	

(3) 구매(정말 필요한 것은 무엇일까요?)

학습 목표	1. 필요한 것과 원하는 것을 구분할 수 있다. 2. 필요한 것을 우선 구입하는 태도를 배양한다.	준비물	제품 사진이 있는 전단지, 융판, 자 석판
단계	교수-학습 활동		지도상의 유의점

전개	• 자석판(융판)에 전단지의 상품 또는 자신이 그
	린 그림을 붙여 보면서 학습한다.
	  – 무엇을 갖고 싶은가요?
	  – 왜 갖고 싶은가요?
	  – 어떻게 가질 수 있나요?
	  (용돈을 모아서 사기, 친구와 교환, 있는 것
	  변형/재활용)
			• 유아들이 흥미를 가지고 수업에 참여할 수 있도
			록 많은 유아에게 참여 기회를 준다.
			• 참여도를 높이기 위해 3~4팀으로 나누어 실시
			할 수도 있다.
			• 수업분위기가 산만해지지 않도록 보조교사가
			조절한다.

(4) 구매행동(필요한 물건 사기)

학습 목표	1. 구매 시 필요한 정보를 파악할 수 있다. 2. 구매 후 거스름돈을 받을 수 있다.	준비물	제품 포장지, 동화책(심부름 관련)
단계	교수-학습 활동		지도상의 유의점
전개	• 올바른 선택을 하려면 어떤 것을 사야 할까? (TV 광고를 많이 하는 상품, 장난감을 끼워 파 는 제품 등) • 유통기한, 가격, 성분 등 구매 시 살펴보아야 할 기초 정보를 상품의 포장에 있는 정보를 통 해 학습한다(예 : 바나나맛 우유). • 구매방법과 거스름돈 받기와 영수증 받기를 학습한다.		• 참여도를 높이기 위해 2~3팀으로 나누어 실시 한다. • 수업분위기가 산만해지지 않도록 보조교사가 조절한다.

(5) 불량품(이럴 땐 어떻게 하나요?)

학습 목표	1. 소비자문제 개념을 이해한다. 2. 문제발생 시 해결 태도를 배양한다. 3. 소비자문제 발생을 줄이려는 노력과 태도를 배양한다.	준비물	소비자문제 슬라이드 필름, 불량 장난감 실물
단계	교수-학습 활동		지도상의 유의점

전개	• 소비자문제의 개념을 이해한다.
	  - 과자에서 벌레가 나온 경우
	  - 날짜가 지난 경우
	  - 부품 불량 조립완구
	  - 문구류(예 : 크레파스의 색깔 문제)
	  - 의복에 의한 신체 위해
	  - 장난감이 부서졌을 경우
	• 소비자문제의 해결과정을 학습한다.
	  - 울면서 화를 낼까? 새것을 살까? 가게에서 바꿔 올까?
	  - 친구들에게도 알려준다.
	  - 전화로 소비자상담실에 알린다.
	*소비자보호와 친구하기 pp.28~29 참조
			• 유아들이 흥미를 가지고 수업에 참여할 수 있도록 많은 유아에게 참여 기회를 준다.
			• 참여도를 높이기 위해 2~3팀으로 나누어 실시할 수 있다.
			• 수업분위기가 산만해지지 않도록 보조교사가 조절한다.

2. 아동소비자교육

1) 아동소비자교육의 기초

(1) 아동소비자교육의 필요성

소비자로서 아동은 과거에 비해 큰 관심을 받고 있다. 아동 또는 자녀에 대한 부모와 사회의 가치관과 인식이 달라지면서 아동이 소비자의사결정의 주체로서 인정받기 때문이다. 과거 자녀를 위한 소비선택은 부모에 의해 대행되었으나, 점차 아동도 무엇을 살 것인가, 어떤 종류의 브랜드를 살 것인가 등의 선택을 하는 소비자의사결정의 주체로서 인정받고 있고 그 역할 또한 확대되고 있다. 이 같은 추세는 가계소득 증가, 자녀의 자유재량지출 증가, 자녀수 감소, 아동의 지위향상과 함께 더욱 가속화되고 있다. 소비자로서 아동의 중요성을 구체적으로 살펴보면 다음과 같다.

첫째, 아동의 소비지출액이 점차 증가하고 있고 가계소비생활에서 많은 부분을 차지하고 있다. 이 같은 상황에서 아동을 대상으로 하는 기업(예 : 아동용품기업, 장난감 제조기업)이 점차 늘어나고 있는데, 이러한 사업을 엔젤 사업이라 부르기도 하면서 과거 IMF 한파 속에서도 호황을 누린 바 있다. 결론적으로, 아동소비자가 점차 의사결정의 주체자가 되면서 기업과 마케팅(예 : 광고)의 주요 대상이 되는 등 소비자로서 아동에 대한 관심이 증가하고 있다.

둘째, 아동소비자의 소비생활은 미래 성인이 되었을 때 소비생활 및 소비행동에 영향을 미치므로 중요하다. 아동기의 소비행동은 소비자의 사회화과정에서 중요한 의미를 갖는다. 현재의 소비자로서뿐만 아니라 미래의 소비주체로서 아동의 올바른 가치관과 의식 및 합리적인 소비습관은 성인소비자까지 연결되므로 이들의 소비의식과 소비행동에 대한 관심은 중요하다.

셋째, 인간발달적 차원에서 아동기의 소비자교육은 필요하다. 피아제(Piaget)의 인지발달론(cognitive development)에 의하면 인지구조가 구체적 조작단계에 머물고 있는 초등학생의 경우 학습을 통해 그들의 행동을 변화시킬 수 있다. 이 무렵 아동들은 사물의 판단에서 자기중심성을 극복하며 활동범위도 가정에서 학교, 이웃으로 확대되어 자신의 사회적 역할을 인식하는 단계이기 때문이다. 아동들은 일상생활에서 부딪히는 다양한 사회적 상황에 나름대로의 적절하고도 효율적인 적응양상을 습득해 나갈 수 있게 된다는 의미에서 소비자교육의 조기 실시는 그만큼 중요하다.

넷째, 초등학교에서의 소비자교육은 피교육자인 아동의 발달 수준에 따라 단계적, 체계적으로 학습시킬 수 있어 소비자교육의 목적을 효과적으로 달성할 수 있다. 아동기의 소비자교육은 향후 당면할 수 있는 소비문제를 합리적으로 해결할 수 있는 사고력 및 능력 향상, 소비윤리적 행동, 사회와 국가 발전에 이바지하는 소비자역할을 수행케 할 수 있는 교육효과가 높은 시기이므로 중요하다.

(2) 초등학교 아동소비자교육의 중요성

장기적이고 미래지향적인 관점에서 볼 때 성인을 대상으로 하는 소비자교육보다 초등학생을 대상으로 하는 소비자교육이 성과면에서 적절하다. 정규교육을 접하는 초등학생 때부터 경제의 기본원리를 가르쳐 주어 소비자로서 합리적 의사결정능력과 소비자의식을 심어 주고 소비자역량을 확대시킬 수 있는 아동의 학교 소비자교육은 중요하다. 아동을 대상으로 하는 초등학교 소비자교육이 중요한 이유를 구체적으로 살펴보면 다음과 같다.

첫째, 공장이나 직장에서 행해지는 사회교육 프로그램에는 모든 사람이 참여할 수 없으나, 초등학교에서는 모든 아동들이 초등학교 소비자교육을 통해서 체계적으로 학습할 수 있다. 둘째, 초등학생들은 호기심이 강하고 선입견 없이 새로운 소비자경제지식을 받아들일 수 있기 때문에 교육효과면에서 효율적이다. 셋째, 전국의 초등학교를 통하여 소비자교육에 관한 제반 협조를 구하기 쉽고 표준화된 교육을 시킬 수 있다. 넷째, 직장이나 회사에서 실시되는 소비자경제교육은 비체계적이며 특정 부분의 이해관계가 달라 일관된 교육을 수행하기 어려우나 초등학교 소비자교육은 중립적일 수 있다. 끝으로 우리나라 초등학생들의 시장경제 및 소비자경제에 대한 이해 수준이 낮아 학교를 통한 소비자교육이 필수적이다.

2) 초등학교 소비자교육의 실제유형

초등학교 소비자교육은 무엇보다 초등학생에게 경제생활에 흥미와 관심을 가지게 하고 경제현상에 대한 탐구의욕을 높이며 경제생활을 합리적으로 할 수 있는 소비자능력을 기르는 데 목적이 있다. 보통 1·2학년 바른생활과 슬기로운생활 교과를 통해 학급물건이나 공공시설 이용 시 물자절약과 저축, 이웃사람들이 하는 일과 상호관계 파악, 마을 사람들이 필요한 것을 얻고 쓰는 방법, 생활에 필요한 물건 얻기 등을 통하여 상호의존성, 생산과 소비, 기술발전과 같은 소비자교육 개념들을 배우게 된다.

3~6학년 사회과는 물자의 생산, 상점과 시장의 이용, 산업과 생활, 주요 산업과 생활의 향상, 자원의 분포와 산업, 직업과 산업과의 관계, 금융기관의 기능 등 구체적인 주제를 통하여 생산, 소비, 유통, 고용, 화폐, 금융에 관한 기초적인 소비자경제 개념을 지도하고 있다.

이러한 교육내용들을 소비자교육의 목표에 맞게 지도하려면 어린이들의 흥미와 수준을 고려하여 이들이 능동적으로 학습에 참여할 수 있는 다양한 교수·학습 방법을 적용해야 효과적이다. 그러나 초등학교에서 가르쳐야 할 학습의 양이 많고 적절한 소비자교육 자료가 부족하다는 이유로 대부분 설명이나 이론 중심의 교육이 전개되고 있다. 체험 위주의 현장학습이나 실습을 통한 간접체험의 방법을 많이 도입해야 한다.

(1) 교과를 통한 소비자교육

초등학교의 소비자교육은 여러 교과에 고루 삽입되어 있다. 1·2학년의 바른생활, 슬기로운생활, 3·4·5·6학년의 도덕, 사회, 실과 교과에 소비자교육 내용이 많이 수록되어 있다. 이때 중요한 것은 아동이 습관화될 때까지 해당 교과에서 반복 지도하려는 교사의 의지와 습관이다.

① 바른생활 또는 슬기로운생활

바른생활 또는 슬기로운생활 교과는 주로 실천 위주의 소비자교육을 다루는 교과이다. 본래 바른생활 교과는 필요한 기본적인 예절과 도덕규범을 습관화하여 건전한 도덕성의 기초를 형성하게 하는 데 그 목표가 있다. 기본적인 예절과 도덕규범이란 일상적인 인간관계에서 요구되는 기본적인 생활, 학교 시설의 올바른 이용, 쓰레기의 올바른 처리 등이 그것인데, 이런 요소는 소비자교육의 중요한 요소 중 하나이다. 바른생활 교과의 소비자교육은 주로 개인생활 영역에서 이루어지고 있는데, 주요 교육내용은 다음과 같다.

- 학용품이나 소비품에 이름 쓰기, 자기가 쓰는 방 청소하기, 책상 속 정리, 책가방 정리
- 공동 학급물건 바른 이용 습관 들이기, 화장실 바르게 이용하기, 수돗물과 전기 아끼기, 책걸상에 낙서나 흠집 내지 않기 등
- 꼭 필요한 물건만 구입하고 끝까지 쓰기, 자기 학용품이나 소지품에 이름 쓰기, 군것질하지 않기, 필요 이상의 돈 가지고 다니지 않기, 돈을 아껴 쓰며 저축하는 습관 기르기
- 학용품, 옷, 가방, 신발 등 자기 물건을 바르게 선택하고 사용하기

- 우리 집의 돈 벌고 돈 쓰는 방법 알아보기
- 용돈 바르게 쓰기
- 물, 학용품 등 아껴 쓰기

실천 위주의 소비자교육은 바른생활 또는 관련 교과 한두 시간으로 이루어지지 않는다. 또한, 실천 위주 교육은 습관화 교육으로써 일상생활에서 지도할 때 성과를 거둘 수 있다. 소비교육이 필요한 사안이 발생하는 즉석에서 교육 및 훈계가 필요하다. 이런 의미에서 저학년의 경우 학교생활 전반을 바른생활 교과와 관련지어 지도할 수 있다. 바른생활 교과에서 지도한 내용의 습관화 정도를 확인할 수 있도록 개인별 혹은 모둠별 그래프를 교실 뒷벽에 게시하면 좋다.

저학년의 경우에는 활동 중심의 학습이 되도록 해야 한다. 예를 들어, 용돈 바르게 쓰기의 지도는 모의학습방법이나 역할놀이를 할 수 있다. 일정한 액수의 모조화폐를 나누어 주고, 상품진열대를 돌아다니며 자신이 갖고 싶은 물건을 사게 한다. 이런 활동을 통해서 소비계획과 소비생활을 학습할 수 있다. 학용품 간수 학습의 경우 견출지나 스티커에 자기 이름을 쓰게 하고, 그것을 학용품에 일일이 붙이는 작업을 지도함으로써 실천 위주의 소비자교육이 될 수 있다.

② 도덕

도덕 교과에서 이루어지는 대표적인 소비자교육 사례는 절약교육으로써 도덕 교과에서 근검의 차원으로 접근하고 있다. 한편, 국가발전의 관점에서 올바른 소비생활의 소비윤리교육 차원으로 발전시킬 수 있다. 소비자교육을 병행하는 도덕교육은 두 가지 방안을 모색할 수 있다. 첫째, 도덕 교과 내에서 소비자교육 지도 시간의 확보이다. 몇 시간밖에 없는 도덕 교과 시간이지만 소비자교육의 목표를 달성하는 전략이 필요하다.

둘째, 도덕 교과에서 소비자교육은 정서적 공감이나 실천동기의 육성을 강조할 수 있다. 도덕 교과의 지도가 주로 교실에서 이루어지는 경우 학습소재를 교과서에서 탈피하여 주변 소비생활의 내용과 재료를 선택할 수 있다. 신문기사, 경제와 관련된 주변 아동의 예제가 좋다. 선택한 자료나 예제를 통하여 아동이 진정한 갈등을 느끼고 소비자문제 해결능력을 갖추도록 지도한다. 주변의 예제 선정에서 남의 문제, 자신과 동떨어진 문제는 아동에게 갈등을 제시하지 못한다.

아동들은 진정한 갈등 사태를 겪은 후에야 정서적 공감을 얻을 수 있으며, 실천 동기를 부여받을 수 있으므로 적절한 예제 선정이 중요하다.

③ 실과

실과 교과에서는 경제현상을 이해시키는 것보다 실천 위주의 소비자교육을 시행하기에 적당하다. 실과 교과내용의 대부분이 실천 위주의 소비자교육과 밀접히 관련되어 있기 때문이다. 실과교육의 목표 중 하나는 일상생활에 필요한 일을 체험하는 과정을 통해서 현명한 소비자 및 현명한 생산자로서의 방향을 추구하는 것이다. 또한 자원을 절약하고 보전하는 방법과 태도를 터득하고, 근로의 즐거움, 중요성, 그리고 가치를 이해하고 근면과 협동하는 태도를 함양시키려는 것이다. 따라서 실과 교과에서 소비자교육의 세부 사항을 만들어 낼 수 있다.

④ 사회

초등학교의 사회 교과에서는 생활주변에 대한 관심과 흥미유발, 기초지식의 습득, 이해 및 올바른 태도 형성에 목표를 두고 있는데 소비자교육을 사회 교과 목표에 접목시킬 수 있다.

| 표 8-3 | 실과 교과에서 가능한 소비자교육의 내용 예시

교육내용	실과 교과에서의 소비자교육 예시
청소하기	• 청소 용구 아껴 쓰기 • 물건 오래 사용하는 방법 익히기 • 재생용과 폐기용으로 구분하기 • 일회용품 적게 쓰는 태도 기르기 • 쓰레기 덜 만드는 방법 토의하기
금붕어 기르기	• 작은 집단보다는 대집단별로 기르기 • 값이 저렴한 물고기 기르기 • 중고 어항을 이용하거나 폐품을 재활용하여 어항 만들기
음식 만들기	• 적정량만 조리하기 • 물을 절약하여 과일 씻는 법 알기 • 야채류는 뿌리부터 다듬기
밥상 차리기	• 설거지 순서 : 음식 찌꺼기를 먼저 닦아낸다. • 음식 낭비하지 않기 • 폐식용유가 묻은 주방용품은 먼저 휴지로 닦기

사회 교과에서 가능한 소비자교육의 내용을 제시하면 다음과 같다.

- 학용품 아껴 쓰기, 물건의 선택, 절약, 저축
- 우리 집에서 돈을 벌고 쓰는 방법을 알아보기
- 의식주에 필요한 자원, 시장과 돈, 시장에서의 물자 교환
- 시·도의 산업과 경제, 그리고 소비생활
- 경제생활의 중요성, 현명한 소비생활, 시장과 경쟁, 소비행동과 기업발전, 소비선택과 산업발전
- 외국과의 무역거래와 소비생활

⑤ **수학**

수학 교과와 실천 위주의 소비자교육은 거리가 먼 것처럼 보인다. 그러나 수학과에서도 소비자교육을 할 수 있는 방안이 있다. 소비자경제 또는 소비자행동을 수학의 내용으로 사용할 수 있다. 예를 들면, 하루에 화장실을 5회 사용했을 경우 사용한 물의 양을 계산하게 한다. 좀 더 복잡한 수학문제로 최근 5년간의 연간 에너지 수입가격을 막대그래프로 그려볼 수 있고, 외제 책가방을 수입하는데 필요한 외화를 원화로 환산해 보는 곱셈을 시킬 수 있다. 또한 외제 책가방을 수입하는데 쓴 외화와 수돗물 생산용 동력가동을 위한 유류수입대금을 비교하게 할 수도 있다. 소비자경제와 관련된 수치를 다루면서 과소비 및 외화낭비를 억제하겠다는 동기가 유발되면 소비자교육의 성과를 달성하였다고 볼 수 있다.

지금까지 교과목별 소비자교육에 대해 살펴보았는데 한 교과에서 충분한 소비자교육을 수행하기는 어렵다. 주어진 교육시간이 매우 부족하기 때문이다. 따라서 여기에서 논의하지 않은 다른 교과 시간이나 교과 이외의 생활지도시간을 통해 소비자교육의 목표를 달성할 수 있다. 애국조회, 훈화 등도 소비자교육의 역할을 할 수 있다. 다른 교과와의 연계 또는 통합을 통하여 효율적인 소비자교육이 가능하다.

(2) 학교행사를 통한 실천 위주의 소비자교육

학교행사를 통한 소비자교육은 여러 교과 시간에 학습한 것을 통합적으로 적용할 수 있어 중요하다. 특별활동 시간, 시업식, 종업식, 소풍, 수련, 체육대회 등의 행사에 소비자교육의 가치를 달성할 수 있다. 학교에서 실시할 수 있는 행사에 접목할 수 있는 소비자교육을 제시하면 다음과 같다.

① 물려주기 행사

물려주기 행사는 중고품을 사랑하며, 물건을 끝까지 쓰는 습관을 들이는 방법으로 사용될 수 있다. 단, 모든 물품은 손질하여 정성스럽게 전달하고, 의류는 세탁 및 다림질까지 마친 후 물려주어야 한다. 전시를 위해서는 옷걸이를 함께 제출해야 가능하다는 사실을 잊으면 안 된다. 학기 초에 물려줄 대상자를 미리 선정해 두면 물건을 더욱 깨끗하게 사용할 것이다.

- 의류 : 교복, 사복, 청소년 단체의 단복, 체육복, 신발
- 서적류 : 교과서, 전과, 동화책, 교양서적
- 학용품 : 리코더, 소고, 리듬악기
- 체육용품 : 훌라후프, 스케이트, 롤러스케이트, 고무공

② 소비자체험활동

소비자체험활동은 집단 활동의 장점을 이용하고 평상시 학교나 가정에서 지도할 수 없는 체험을 제공할 수 있다. 예를 들면, 보릿고개 식단체험 프로그램을 운영하여 한 끼 주먹밥 먹기, 한 끼 굶기 등을 실시하면서 예전의 어려웠던 시대를 체험할 수도 있고, 식량의 귀중함을 느끼게 할 수 있다.

- 야영시설 : 자체 학교 시설, 자매학교 시설, 빈집 많은 시골 마을
- 취사 : 고학년일 경우 직접 취사 적절
- 시기 : 성수기보다는 비수기 적절
- 프로그램 : 보릿고개 식단, 멀리 걷기, 모의 소비자자료 회의 등
- 지도 : 본교 교사, 아동 자치활동 적절

③ 알뜰가게 운영

최근 소비자단체를 중심으로 녹색가게운동이 확대되고 있는데, 원래는 알뜰가게라는 명칭으로 오래 전부터 시행해 오던 프로그램이다. 알뜰가게는 학급 차원에서 소규모로 실시할 수도 있고, 학년이나 학교 차원에서 대규모로 운영할 수도 있다. 상설로 알뜰가게를 운영할 수도 있는데, 일단 한두 차례 실시하고 난 후 상설가게 운영 여부를 결정해야 한다. 알뜰가게를 운영할 때 규칙을 정해 두고 운영하면 효과적인데, 예를 들면 다음과 같다.

- 깨끗하여 버리기 아까운 물건을 가지고 와서 둘이 바꾼다.
- 여럿이 서로 바꾼다.
- 돈을 내고 산다.
- 학급 신문이나 게시판을 통해 알린 다음 적절한 물건으로 골라서 바꾼다.
- 값싸고 좋은 물건을 내놓는다.
- 적당한 가격을 정한다.
- 물건에 가격표를 붙인다.
- 상대방의 마음에 들지 않는 물건은 도로 바꾸어 준다.

④ 토론회

학급회의 시간에 소비생활 관련 주요 이슈를 정해 토론하는 방법이다. 예를 들어 '골목시장 살리기'를 주제로 토론을 실시한다면 불건전 소비실태를 반성하고, 합리적인 소비생활을 추구하는 것이 골목시장을 살리는 방향으로 토론할 수 있다. 다른 나라 골목경제 관련 소비실태 조사·발표, 골목시장이나 전통시장 이용 실태 및 문제점 파악 등을 검토하고 토론한다.

⑤ 소비자교육 방송

학교 내 방송프로그램에 소비자교육을 편성하는 방법이다. 이것이 현실적으로 어려우면 아침 방송 등 다른 목적의 방송프로그램을 활용할 수 있다. 아침 방송 훈화는 자칫 형식적으로 흐르기 쉽다. 아동의 입장에서 보면 재미없고 자신과 무관한 이야기가 방송될 수 있는데, 이때 소비자교육 방송이 추가될 수 있다. 아동들은 아동 스스로 만들어 가는 방송을 흥미있어 한다. 그러므로 아동이 아침 방송을 주관하되 소비자교육 내용을 포함할 수 있다.

아침 방송에 소비자교육 내용을 추가시킬 때 소비자교육 관련 영상, 그림, 연극형식 등의 소비자교육 프로그램을 추가시킬 수 있다. 이때 방송에 참여한 사람의 사기를 높여 주고, 소비자교육에 참여한 사람을 카메라로 비추는 것도 좋다. 보통 2학년 이상의 어린이라면 소비자교육 방송제작에 참여할 능력이 있다.

⑥ 소비자탐구대회

경제에 관련된 주제를 선택하고 실천한 후 그 결과를 보고서로 꾸며 제출하는 방법으로, 그 보고서를 발표하는 대회를 개최하는 것도 가능하다. 과학탐구대회의 성격과 비슷하다. 다만 탐구주제가 소비자교육 내용으로 예를 들면 절약·근검 영역, 농촌 및 골목시장 살리기, 재래시장 또는 경제 살리기 등이 추가될 수 있다. 이때 문헌조사보다는 실천경험이나 결과를 중시한다. 실제 소비자탐구대회에서 어떤 어린이는 다음과 같이 수계부를 이용한 물 아껴 쓰기라는 주제를 선정한 사례도 있다.

수계부 이용 물 아껴 쓰기 탐구 내용
- 변기에 벽돌을 넣고 매달 수돗물 사용량을 비교해 본 결과에 대한 그래프 혹은 허드렛물을 다시 써 본 결과에 대한 분석
- 고학년의 경우는 결과를 수치로 나타낼 수도 있다. 그릇에 받아 설거지를 하면 74l, 컵에 물을 떠서 양치질하면 4.8l의 물이 절약되어 국가적으로 각각 연간 2,080억 원, 436억 원을 절약할 수 있다는 내용 삽입 가능

이외에도 소비자교육이 가능한 구체적인 프로그램을 예를 들면 다음과 같다.

- 폐품을 이용하여 장난감 만들기
- 폐품을 이용한 놀이 기구로 게임하기 : 페트병을 이용한 볼링 핀, 헤진 포대를 이용한 포대 뛰기, 폐타이어 굴리기, 풀어진 박스 조립하여 쌓기
- 수수께끼 교실 : 우리 밀과 수입 밀 중 어느 것에 농약이 더 많을까? 어떤 밀에 바구미가 더 많을까? 우리나라의 개인당 물 소비량은 일본보다 많을까, 적을까?
- 전기를 아껴 쓰는 방법 10가지 말하기

- 폐식용유를 이용하여 비누 만들기
- 수도꼭지, 고장난 물건 고치기 시합
- 가장 오래된 옷을 입고 있는 사람 선발

⑦ 실천카드

학교현장에서 실천 위주의 교육목표를 효과적으로 달성하기 위해 실천카드를 많이 사용한다. 바른생활 카드를 사용하고 있는 학교의 경우 소비자 관련 덕목을 카드목록에 일부 첨가하면 좋다. 새로운 실천카드를 만들 경우 바람직한 실천카드로 다음의 실천목록이 가능하다. 매달 실천목록을 바꾼다면 실천목록 수를 줄이는 것이 적절하다.

| 표 8-4 | 매주 소비자실천목록 예시

구 분	실천덕목 / 실천기간	3월				4월	
		1주	2주	3주	4주	1주	2주
아껴 쓰기	쓰지 않는 가전기기 플러그 빼놓기						
	미리 TV 프로그램 안내를 보고, 꼭 보아야 할 프로그램만 보기						
	자기 물건 이름 쓰기						
다시 쓰기	고장난 물건 고쳐 쓰기						
	쓰레기 분리수거하기						
덜 쓰고 저축하기	필요한 물건만 사기						
	검소한 옷 입기						
	적은 돈도 저축하기						
식생활 바로하기	먹을 만큼 덜어 먹기						
	음식 남기지 않기						
	외식 줄이기						
보호자 확인							
담임 확인							

☆ : 잘 실천함, △ : 보통임, × : 좀 더 노력해야겠음

(3) 정보자료에 의한 소비자교육

소비자교육방법에 있어 실천 및 체험 등에서 구체적인 통계자료나 정보, 그리고 실습을 통하여 소비자교육을 실시할 때 교육 효과가 될 수 있다. 예를 들면 지금까지의 근검·절약에 대한 교육은 구호 위주였다. '수돗물을 아껴 쓰자', '전기를 절약하자' 하는 식의 구호를 내걸고 수돗물 아껴 쓰기나 전기절약실적을 누군가 기록하고 점수화함으로써 어린이들에게 절약하는 태도를 기르려고 하였다. 이렇게 구호와 실적조사로 절약 교육을 하는 경우 어린이들은 절약하는 생활태도가 습관화되지 못하고 남이 시켜야만 하는 수동적인 생활을 하게 된다.

수돗물 1ℓ를 만드는데 전기는 얼마나 필요하며, 이 전기를 생산하는데 기름은 얼마나 있어야 하는지? 그리고 그 기름을 수입하기 위하여 외화는 얼마나 들어가는지를 구체적인 통계 자료에 의하여 찾아보게 하고, 한 방울씩 떨어지는 수돗물을 몇 시간 동안 모아 보게 하는 학습을 수행하는 경우 어린이들이 '수돗물을 아껴 쓰자'라는 구호를 외치지 않아도 수돗물이나 전기를 항상 아껴 쓰는 생활을 하게 될 것이다. 모든 국민이 하루에 TV를 1시간 덜 켜면 1년에 409억 5천만 원, TV나 컴퓨터 플러그를 하루에 8시간 빼놓으면 1년간 57억 3천만 원을 절감할 수 있으며, 엘리베이터 버튼을 한번 누르는데 30원 상당의 전기가 소모된다는 것을 가르쳐 주면 전기기구를 쓸 때마다 전기료에 대한 생각이 들어 전기를 절약하게 될 것이다.

(4) 실천체험 소비자교육

성장과정에 있는 어린이들에게 개념이나 원리 등을 지도할 때는 자세한 설명보다 구체적 조작이나 체험을 통하여 스스로 깨닫게 하는 것이 효과적이다. 소비자교육도 이해하기 어려운 경제원리나 개념들을 교사가 설명을 통하여 이해시키는 것보다 현장체험, 역할극, 놀이학습, 간접체험 등을 통하여 지도하면 어린이들은 학습에 흥미를 느껴 학습활동이 더욱 활발해지고 목표 도달이 쉬워진다. 예를 들면, 금융기관을 지도하기 위하여 은행에 가서 은행 직원들과 고객이 하는 일을 직접 관찰하고 돌아와서 은행놀이 학습을 하게 하거나 회사를 가르치기 위해서 주주 총회의 모습을 역할극으로 꾸며 직접 활동하게 하면 이해하는 정도가 훨씬 빠르게 된다. 전기 절약을 지도하는데 있어서도 집안에 있는 전등을 모두 켜고 30분간 사용한 전기의 양을 계량기에서 직접 확인한 후 전등 한 개를 껐을 때의 이익을 알게 되기 때문에 한 등 끄기 운동에 스스로 참여하게 될 것이다. 다만 체험을 통한 학습은 효과가 크지만 가르칠 주제를 어떤 방법으로 체험시키느냐 하는 문제는 교사가 계속해서 연구하고 검토해야 될 부분이다. 교사는 언제나 어린이들이 흥미를 느끼며 능동적으로 학습에 참여할 수 있도록 교육방법 등의 아이디어 개발에 힘써야 한다.

3) 가정과 연계된 초등학교 소비자교육 방향

초등학교 위주의 소비자교육으로만 아동소비자교육의 효과를 높일 수는 없다. 아동들은 학교 외적 요인, 예를 들면 부모나 가족, 친구, TV 광고 등 다양한 요인들에 막대한 영향을 받기 때문이다. 예를 들면 부모의 과소비 풍조는 소비자교육에 부정적 영향을 미침에 틀림없다. 가정교육과 연계된 학교 소비자교육이 중요하다. 가정통신문이나 아동의 숙제, 학교 소비자교육 행사 등에 부모의 공동참여, 부모들 대상 소비자교육 등의 방법이 있다. 가정통신문은 학부모 계도방법으로써 좋은 수단이 될 수 있다. 가족이 가정통신문을 돌려 읽음으로써 학교 소비자교육의 방향을 인식할 수 있고, 학교의 교육방향에 부모가 같이 보조를 맞출 수 있기 때문에 중요하다. 다른 교과에서 가족신문을 많이 만드는데, 이때 소비자교육 관련 기사를 한두 개씩 넣도록 유도하여 소비자교육 효과를 추가시킬 수 있다.

(1) 부모의 가정소비자교육 강화

영·유아기에는 부모의 밑에서 성장하면서 부모의 언행, 습관, 가치관 등을 본받으며 자신의 인성과 생활습관을 형성하므로 부모의 행동은 자녀의 일생에 대단히 중요한 의미를 지니게 된다. 그런데 일부 부모들이 자녀에게 근검절약 및 저축습관보다 자녀에게 비싼 것을 사줌으로써 많은 어린이들이 옷과 신발도 유명 브랜드가 아니면 안 되고, 학용품도 외국제품이어야 남보다 수준 높은 생활을 하는 것이라고 착각하고 있다. 1주일에 몇 번은 외식을 해야 하고, 1년에 한두 번은 국내외 여행을 하는 것이 당연한 것처럼 생각하는 어린이도 증가하고 있다.

① 에너지관리공단

'에너지는 달러입니다'라는 소책자를 개발하였는데 에너지 절감에 관한 각종 아이디어가 풍부하게 소개되어 있으며 에너지 절약을 위한 100가지 실천사항이 개조식으로 나열되어 있다. '시원한 여름, 알뜰한 가정'이라는 소책자는 여름철 절전 지혜를 소개하고 있다.

② 한국소비자원

소비자 관련 읽기 자료를 제작·배포한 바 있는데 '작은 실천이 경제를 살립니다'라는 소책자에는 건전소비생활 실천방안 10가지, 실천해야 하는 이유와 실천방안이 구체적으로 제시되어 있는데, 특히 실천 이유를 설명함에 있어 과소비 현황에 대한 수치를 다음과 같이 제시하고 있다.

- 사치스러운 옷차림을 자제한다
  - '96년 한 해 동안 옷을 사는데 지출한 돈이 자그마치 14조 78천억 원에 이르고 의류 구입비는 연평균 16.2% 증가해 소득 증가율 12.5%를 상회합니다.
  - '92~'96년의 수입 의류 증가율은 무려 62.4%로 국내 의류 증가율 16.2%의 3.8배에 이릅니다. 이 중 '96년 한 해 동안의 의류 수입액만도 2조 8천억 원이나 됩니다. 유명 브랜드 의류 선호도도 72.0%로 일본의 18.0%보다 훨씬 높습니다.
  - 실천방안
    ‣ 유행에 휩쓸리지 말고 검소하고 실용적이며 자기 취향에 맞는 옷을 삽시다.
    ‣ 크기가 맞지 않아 못 입는 자녀 옷을 깨끗이 빨아 필요한 곳에 보내 재활용합시다.
    ‣ 중고 의류나 유행이 지난 옷을 고쳐 입읍시다.

- 자녀에게 근검·절약 습관을 가르친다
  - 청소년들은 용돈을 타서 쓰지만 지출 내용은 기록하지도 않는 경우가 대부분입니다. 용돈을 제대로 관리하지 못하고 절약 정신이 모자라는 것은 부모의 관심 부족에서 비롯됩니다.
  - 60% 이상의 청소년이 광고를 보고 충동적으로 상품을 삽니다. 또 50% 이상의 청소년은 유명 브랜드를 상품 선택 기준으로 삼는 그릇된 소비 습관을 가지고 있습니다.
  - 실천방안
    ‣ 자신의 노력으로 용돈을 벌 수 있는 기회를 제공하여 어려서부터 일하는 기쁨을 일깨워 줍시다.
    ‣ 고가품, 고급 브랜드 제품을 요구한다고 무조건 사주면 낭비벽을 길러 줄 뿐입니다. 스스로 용돈을 절약해서 계획성 있게 구매하는 습관을 길러 줍시다.
    ‣ 용돈은 정기적으로 필요한 만큼만 주고 용돈 기입장을 기록하도록 유도해 계획적으로 사용하는 습관을 길러 줍시다.
    ‣ 외형이나 유행보다는 품질, 안전성 등을 살피는 올바른 소비 습관을 길러 줍시다.
    ‣ 생일, 입학식 등 기념일에 선물을 주기보다는 통장을 만들어 줍시다.

부모로부터 받기만 하고 어려움을 모르며 자란 아동은 물자의 소중함을 모르고 작은 것이라도 남을 위해 베푸는 일에는 인색한 사람이 될 가능성이 높다.

감수성이 예민하고 모방심리가 강한 어린이들이 학교 및 가정보다 또래 집단, 언론매체 등에서 영향을 많이 받으므로 부모들은 심신이 건전하고 올바른 소비자시민의식을 심어 주어야 한다. 무엇보다 부모가 자녀들에게 모범적인 소비자의식 및 가치, 소비선택의 본을 보여주어야 한다.

부모들이 무의식/의식 중에 자녀들에게 개인주의, 금전만능주의, 허영심만 부채질하고 있지는 않는지 검토해 보아야 한다. 과거 버릇이 없거나 올바르지 않은 소비행동을 하는 아동을 보면 동네 어른들이 가르쳐 주었는데, 지금의 어른들은 주변 아동들의 잘못된 행동을 보고도 가르치려 하지 않는 점도 심각하다.

(2) 학교 소비자교육의 활성화

소비자교육은 단편적, 시사적으로 이루어져서는 실효를 거둘 수 없다. 초등학교 소비자교육이 중·고등학교 및 대학으로 일관성 있게 연결되도록 이루어져야 한다. 초등학교 소비자교육의 방향을 제시하면 다음과 같다.

첫째, 바람직한 소비자 형성에 주안점을 두어 소비자교육의 내용체계를 확립해야 한다. 소비자교육의 목적은 책임 있는 소비자시민 양성과 합리적 의사결정 능력을 배양하는 데 두어야 한다. 둘째, 교수·학습방법이 소비자교육에서 중요한 개념과 탐구 중심의 학습이어야 하는데, 방송매체를 활용하는 등 교육효과를 높이는 전략이 필요하다. 주입식 설명방법에서 탈피하여 역할놀이, 소비자 관련 TV프로그램 및 교육용 동영상 제작보급 등 소비자교육의 방법을 개선해야 한다. 셋째, 합리적 판단과 소비자능력을 기르기 위한 교육내용이 강화되어야 한다. 경제의 기본개념과 원리를 교육시키더라도 합리적 사고와 논리적 분석, 해결능력 등에 초점을 두어야 한다. 넷째, 교사의 전문성 향상이 시급하다. 전문성 향상을 위해 교사 스스로의 노력은 물론, 교사 재교육의 기회와 소비자교육자료가 조직적으로 제공되어야 한다. 끝으로 지역사회, 민간소비자단체, 언론 등의 적극적인 활용이 필요하다. 장기적이고 미래지향적인 안목에서 학교 소비자교육과 사회 소비자단체는 물론, 정부, 언론, 지역사회 등과의 연계성을 강화하여 소비자교육의 효과를 높여야 한다.

| **표 8-5** | 초등학교 소비자교육 실천 목록 예시

• 과소비 자제	• 필요한 물건만 사기	• 소모품 절약하기
• 근검절약 생활화하기	• 용돈 아껴 쓰기	• 고가 학용품 사용 자제하기
• 우리 소비자 바로 알기	• 예산 절감하기	• 1인 1통장 갖기
• 덜 쓰고 아껴 쓰기	• 국산품 애용하기	• 재활용품 이용하기
• 다시 쓰고 바꾸어 쓰기	• 건전한 소비문화 정착하기	• 분수에 맞는 생활하기
• 식생활 바로 하기	• 시설물 바르게 이용하기	• 해외여행 · 출장 · 연수 자제하기
• 사교육비 줄이기	• 허례허식 근절하기	• 카드 사용 자제하기
• 저축의 생활화	• 복무 기강 확립하기	• 조기 유학 안 하기
• 사치품 안 쓰기	• 승용차 운행 자제하기	• 물자 절약하기
• 일회용품 안 쓰기	• 대중교통 이용하기	• 직분에 충실하기
• 바른 가치관 정립 지도하기	• 사무용품 절약하기	• 금 모으기 동참하기
• 에너지 절약하기	• 경상 경비 절감하기	• 알뜰시장 운영하기
• 외식 줄이기	• 불법 과외 안 하기	• 폐품 수집 운동 전개하기
• 군것질 안 하기	• 교과서 · 교복 물려주고 받기	• 학부모 계도하기

소비자교육 길잡이 8-4　　　**초등학교 소비자교육 프로그램 사례**

‣ 퍼즐　　　　　　‣ 삼행시 짓기　　　　　　‣ 용돈기입장 쓰기
‣ 동네에 있는 은행을 방문하여 통장 만들고 저축하기

• 집에서 재활용, 분리수거하기
　– 각 가정에서 재활용하여 사용하는 제품들을 체크리스트로 작성하기
　– 친구의 집을 방문하여 재활용을 잘하고 있는지 살펴보고 재활용제품 체크하기
　– 재활용할 수 있는 상품들을 작성하여 그 상품들이 어떻게 재활용되는지 살펴보고 간단한 재활용 상품들은 만들어 보기

• 구매행동 작성 및 평가
　– 소비생활 관련 블로그나 사이트에 학생들이 구매한 소비품목, 가격, 사용목적, 사용 후 평가 등을 적어 올리기
　– 미리 필요한 품목들에 대한 정보를 올리고 그 이후 실제로 구매한 품목과의 차이를 비교 · 분석하기
　– 일주일에 한 번씩 자신과 다른 사람들이 구매한 물품들이 적절했는지 반성하고 서로 토의하기

• 은행 방문하기
　– 통장을 만들고 입출금하는 방법 배우기

• 저축하기
　– 어떤 것들을 아껴서 저축했는지 일주일이나 한 달에 한 번씩 서로 토의하고 아껴 쓸 수 있는 것들을 알아보기

청소년
소비자교육

청소년은 발달단계상 아동에서 성인으로 넘어가는 과도기에 위치한다. 신체적·심리적으로 급격히 변화하는 시기로써 신체적으로는 성인과 비슷하게 발달하지만 심리적으로는 이에 미치지 못하여 불균형을 초래한다. 자아에 대한 기대와 실제 자아와의 차이, 사회적 위치의 불분명함, 미래에 대한 불확실한 전망 등을 인지하여 정서적 불안감을 느끼게 되며 지식과 경험도 부족하다. 특히 1980년대 이후에 태어난 오늘날의 청소년들은 과거 의식주 해결에만 의존하던 부모세대와는 달리 비교적 풍부한 물질적 지원을 받고 자라난 세대이다. 또한, 기성세대와는 달리 서구의 다양한 문화와 문물을 인터넷이라는 정보의 바다에서 접하며 생활하는 세대로 컬러 TV, 케이블 TV, 위성방송, 스마트폰 등을 보며 자라난 화려한 영상세대이며, 인터넷을 매개체로 하는 네트워크 세대이다. 이러한 청소년의 특징들이 소비자행동에 반영되어 미숙하고 충동적이며 비합리적인 소비자행동을 하기 쉽다.

특히 청소년기는 소비자사회화의 결정적 시기이고 이 시기의 소비생활 습관이 성인기 소비생활에까지 연장되므로, 청소년소비자들을 미래의 현명한 소비자로 육성하기 위해서는 청소년들이 올바른 소비가치관을 정립하고 바람직한 소비생활 양식의 기틀을 마련할 수 있도록 청소년의 소비생활 환경을 점검하고 관심을 가지고 소비자교육을 시켜야 한다.

1. 청소년소비자의 개념과 특성

1) 청소년소비자의 개념

청소년에 관한 정의는 시대와 상황에 따라 다양하지만 연령 기준으로 규정하는 것이 일반적이다. 서구 사회에서는 18세 미만을 청소년으로 규정하고 있으며, 한국·일본을 비롯한 동양 문화권에서는 20세 미만을 청소년으로 규정하고 있다. 문화체육관광부가 정하고 있는 청소년의 연령층은 9세에서 24세까지로 유년층과 청년층을 포괄하는 광범위한 개념이다.

발달 심리학적 측면에서 청소년기는 아동기가 끝나는 약 12세부터 23, 24세까지로, 사춘기를 기점으로 하여 그 이후의 약 10년간을 포함하는 시기이지만 통상적으로 13~18세의 중·고등학생을 청소년이라 한다.

2) 청소년소비자의 특성

신체적으로나 정신적으로 청소년기의 학생들은 어느 정도의 다른 특성을 가지게 마련이다. 이를 토대로 본 청소년 집단은 학문적으로, 또 사회적으로 가장 다양하게 개념화된 집단이라고 할 수 있다. 청소년기를 '사춘기'라고 하거나 '주변인'이라는 명칭을 사용하기도 한다. 이러한 용어들은 주로 청소년기의 불안정성이나 과도기적 특성에 초점을 맞춘 것들이다. 간혹 청소년기를 지불 유예적 시기(moratorium)라고 부르기도 한다. 청소년들은 능동적인 사회 주체로서 활동하지 못하고 단순히 교육받고 보호받는 피동적 존재로 긴 기간을 보내야만 하는데, 이런 현상은 청소년들에게 사회적 소외감과 함께 스스로의 역할이나 정체성을 찾는데 어려움을 야기시킨다. 이러한 여러 가지 청소년의 특징으로 인해 청소년소비자는 다른 시기의 소비자와 구별되는 다음과 같은 특성을 갖는다.

(1) 독립된 소비자행동의 증가

청소년기는 부모나 권위적인 존재에 의존해 왔던 위치로부터 자아의 정체성 확립을 이행해 가는 시기이다. 이러한 시기에 속해 있는 청소년들은 성인 집단과는 구별되는 자신들 특유의 정체성을 원하며, 이는 그들의 옷차림이나 머리 모양, 말투, 문화적 취향 등을 통해 표현된다. 이러한 것들은 청소년소비자가 아동소비자보다는 부모의 영향을 덜 받고 본인 스스로 구매의사결정을 하는 비율이 높아지기 때문에 가능하다. 그리고 연령의 증가에 따라 가족 공용의 상품과 서비스에 대한 구매의사결정에 직간접적으로 영향을 미치게 된다.

(2) 또래집단의 영향력 증가

청소년은 자신을 개념화시키고 가족보다도 친구, 동료집단과의 동일시에 초점을 두면서 생활양식의 의식적인 변화를 갖기 시작하며 또래집단이 청소년의 사회화에 중요한 역할을 한다.

2010년도 통계청이 발표한 2010년 청소년 통계에 따르면 15~24세 청소년들이 가장 고민하는 문제는 공부(38.5%), 직업(24.1%), 외모(12.7%) 등의 순이고, 이러한 고민을 주로 가족이 아닌 친구들에게 털어놓으며 해결책을 구하는 것으로 나타났다. 고민상담 대상이 친구라고 말한 비율이 53.6%로 압도적이고, 어머니(18.5%), 스스로 해결(13.9%), 형제자매(4.8%) 순으로 나타났다. 이러한 결과는 청소년기에는 특히 교우집단의 역할이 큰 것을 알 수 있다.

실제로 청소년소비자들은 또래집단에 의한 소비행위의 영향을 대단히 크게 받으며 유행에 민감하고, 광고에 현혹되기 쉬우며 신체적, 심리적 변화에 의한 가치관의 혼란과 그들의 사회적 위치와 역할이 불분명함으로 인한 갈등을 겪고 있으며 이것이 소비행동에서 나타나고 있다.

청소년의 순응성은 그들의 우상인 연예인이나 운동선수, 그들의 또래집단에 대하여 나타난다. 이는 취사선택이나 비판적 수용이 아니라 맹목적이고 감각적인 추종 현상으로, 그들이 입은 옷, 말투, 생활태도, 헤어스타일 등이 그 대상이 된다.

(3) 성인소비자로의 이행과정

오늘날의 청소년들은 풍요로운 경제성장으로 인한 유무형의 풍부한 물질과 서비스, 늘어난 자유재량 소비액의 덕분에 이전 어느 세대보다 풍요로운 소비생활을 누리고 있으며, 이전 세대와는 달리 매우 적극적이며 실질적인 소비주체로서 역할을 담당하고 있다. 청소년층은 구매력이 크고, 일생동안 중요한 잠재고객이 될 수 있는 집단으로 마케터의 관심을 끌게 되었는데, 주로 패션의류, 식품, 음료, 레코드산업, 스포츠, 화장품, 레저산업 등 가시적인 품목이 청소년시장의 주축을 이룬다. 또한 구매의사결정에서의 독립성이 점차 증가하여 스스로 구매하는 품목이 다양해지고 구매액수도 점점 커져 아동기의 단순한 소비행동에서 성인의 독자적인 소비행동으로 이행해 가는 과정이다. 그러므로 아동기의 소비 관련 경험과 함께 그 양과 내용이 더욱 다양해지는 청소년기의 소비 관련 경험은 성인기에 직접적인 영향력을 미치게 된다.

2. 청소년소비자의 소비행동 특징과 문제

발달단계상 청소년이 보여 주는 특징과 이로 인해 소비생활에서 나타날 수 있는 문제점을 중심으로 볼 때, 우리나라 청소년들의 소비문화의 특징과 문제점은 다음과 같다.

1) 소비행동의 특징

(1) 동조소비

여러 가지 소비행동 중에서 청소년기에 가장 문제를 일으키기 쉬운 소비행동 양식은 동조소비라 할 수 있다. 동조소비는 주어진 상황이 애매모호하거나 집단의 응집력이 강한 경우, 소속되고 싶은 욕구가 클 경우에 강하게 나타나게 된다. 또래집단의 응집력이 행동에 많은 영향을 행사하게 되는 청소년기에는 동조소비의 경향이 매우 강하게 나타나며 이것은 무분별한 소비행동의 모방으로 이어지기 쉽다.

청소년들은 경제에 대한 이해와 지식이 전반적으로 부족하기 때문에 무비판적으로 대중매체의 광고를 수용하고 더 나아가 광고된 제품을 여과하지 못하고 그대로 수용하는 경향을 보인다. 이러한 현상은 청소년들 사이에 빠른 속도로 확산되는 특정 연예인에 대한 호감이나 머리모양에서부터 의복, 소지품의 유행, 대화할 때의 일시적 유행어 등에서 관찰할 수 있다. 그리고 외모에 많은 관심을 갖게 되는 청소년들은 의복에 의해 행동과 심리에 크게 영향을 받게 된다. 청소년들이 친구들과 같은 브랜드의 제품을 구매하려는 욕구나 대중매체의 스타가 광고하는 제품을 기어이 구매하려는 욕구를 갖는 이유는 바로 이들이 열망집단이나 또래집단의 영향을 쉽게 받기 때문이다.

결국 동조소비는 대중스타와의 동일시나 준거집단에서 소외되지 않으려는 소속욕구에 의한 소비행동으로 소비자 자신에게 꼭 필요하고 어울리는 것보다는 남들이 많이 구매하고 사용하는 유행 브랜드를 소비하는 형태로 나타난다. 그러므로 순수하게 소비자 개인의 필요와 욕구에 의해 자발적으로 특정 재화나 상표를 선택하지 못하고 타인의 영향에 의해 수동적으로 선택하게 되므로 구매한 제품에 대한 만족이 지속되지 못하고 유행에 따라 반복적으로 재화와 상표를 바꾸어야 하는 악순환에 빠지게 된다.

(2) 충동소비

많은 청소년소비자들이 무엇을 왜 살 것인가부터 구입한 물건을 어떻게 관리하느냐에 이르기까지 소비행동 전 과정에서 대개 직관적이고 충동적인 판단에 의존하는 경향이 있다. 그리고 전통사회에서 청소년들의 사회화에 강력한 영향력을 발휘하던 가족, 친지, 지역사회 등 개인의 사회화를 돕는 기구들이 현대사회에서는 그다지 영향력을 발휘하지 못하고 있으며, 오히려 매스미디어의 사회적 영향력이 크게 증가하였다. 이러한 가운데 청소년들의 대중매체와의 빈번한 접촉과 매체 자체가 갖는 강력한 영향력은 청소년의 사고방식과 행동에 많은 영향을 미치고 있다.

청소년을 대상으로 한 여러 조사들에 의하면 청소년들은 소비를 당연시하고, 소비 그 자체를 즐거움으로 여기며, 자기만의 개성을 추구하면서도 다른 사람을 모방하고 유행을 추종하는 이중적인 모습과 함께 신상품에 대한 관심과 충동구매, 보는 즉시 구매하는 성향을 나타낸다. 상품 구입 행위 자체를 좋아하는 경우가 많고 주머니에 돈이 있으면 사고 싶은 물건을 쉽게 사고 때로는 돈이 없어도 외상 또는 기타의 방법으로 사고 싶은 물건을 사기도 하는 등 충동구매를 많이 한다.

청소년의 즉흥적·충동적 소비 경향은 광고와 대중매체에서 새롭게 보이는 상품을 구매하도록 한다. 뿐만 아니라 청소년들은 매사에 금방 싫증을 느껴 한 가지에 만족하지 못하고 새로운 것을 계속 추구한다. 따라서 이들은 새로운 상품이나 서비스에 관심이 많고 신제품이 나오면 남보다 먼저 사는 성향을 보인다. 즉, 제품의 수명이 다하여 신제품을 구입하는 것이 아니라 사용하던 제품에 싫증을 느껴서 혹은 단순히 시장에 신제품이 나왔기 때문에 남보다 먼저 구입하고자 하는 것이다. 이것은 청소년들의 유명상표 집착 경향과도 관련이 있다. 즉, 기능을 위주로 상품을 구입한다면 상품이 제 기능을 발휘하지 못할 때 신제품을 구입하게 되지만, 상표 위주로 구매를 하다 보니 신제품이 등장할 때마다 지속적인 소비를 하게 되는 것이다.

청소년소비자를 대상으로 한 실증적인 연구들에서는 청소년층을 대표하는 집단이 즉흥적이고 충동적이며 물질적인 것에 강한 집착과 높은 가치를 부여하는 편의주의적 생활양식을 보인다. 의복 구매에 있어서도 용도, 품질, 필요성 등을 고려하기보다는 유행하는 스타일과 색상을 중시한다는 결과가 이러한 사실을 뒷받침해 주고 있다.

(3) 과시소비

청소년소비자에게 소비는 개인의 정체성, 행동양식을 나타내고 나아가 타인이나 사회와의 관계에서 중요한 매개로 작용하고 있다. 오늘날은 상품의 기능을 통한 효용을 추구하기보다는 상품이 지니는 이미지를 소비하는 추세에 있다. 재화는 현실 또는 이상을 기호나 이미지로 전달하는 매체로 기능하고 있으며, 소비행위는 단순히 재화의 기능적 소비에 그치지 않고 재화가 지닌 기호나 이미지를 소비하고 있다. 이러한 재화의 이미지와 상징성 때문에 청소년들은 자신의 차별성과 정체성 획득의 수단으로 소비를 이용한다.

그러나 차별화의 추구는 개성을 추구하면서도 끊임없이 타인을 의식하는 소비 행태로 나타나며, 비싼 옷이나 유행상표가 규범적 표준으로 작용하여 이것을 입지 않으면 소외되는 상황으로까지 나타난다. 이것은 겉모습이나 소유물에 의해서 사람을 평가하는 사회분위기를 그대로 반영하는 것으로 보인다. 청소년소비자는 제품의 지위상징성을 인식하는 데 있어 친구나 연예인과 같은 준거집단의 영향을 가장 많이 받고, 다음으로 물질주의 가치와 광고의 무조건적인 수용도에 영향을 크게 받는다. 이는 재화의 소유나 소비를 통해 행복을 추구하는 물질주의 가치관이 물질을 통해 자신의 신분을 과시하려는 과시소비를 유도하는 것이라고 할 수 있다.

한편 광고에 대한 관심이 높고 광고 내용을 사실적이라고 지각하는 청소년일수록 제품의 지위상징성을 크게 인식한다. TV나 상업광고는 시간제한 때문에 등장인물의 특성을 배경, 옷차림, 물건의 질이나 상표 등을 통해 시각적으로 전달하는데, TV나 광고를 시청하는 사람들은 소유물과 지위 간에 연상작용이 일어나 사람을 소유물에 근거해 평가하고 접근하도록 학습되며, 이는 타인에게 높게 평가받기 위해 재화를 소유하고 싶은 욕망을 갖게 한다.

그리고 청소년의 약 80%가 유명, 고급 상표에 호감을 가지고 있으며, 2/3 가량은 유행에 관한 기사나 잡지를 즐겨 보고, 남들이 어떤 옷을 입고 다니는지에 관심이 많다. 특히 청소년의 1/4 가량은 '유명상표의 옷을 입어야만 자신감이 생긴다.'고 할 만큼 지나칠 정도로 상표에 대한 집착을 보이고 있으며, 청소년의 1/3 가량은 주변 친구들이 유행하는 상품을 가지고 있으면 이를 따라 구입하는 경우가 많다. 특히 남학생이면서 용돈이 많거나 고소득 가정의 학생일수록 이런 성향이 강한 것으로 나타났다.

2) 청소년소비자와 소비자문제

　청소년들은 현재 우리 사회에서 볼 때 이들을 위한 재화가 재화시장에서 커다란 비중을 차지하여 이들의 소비지출이 전체 경제에 미치는 영향력은 상당하며, 실수요자일 뿐만 아니라 실제 구매집단으로서의 중요성도 크게 증가하였다. 아동기나 청소년기에 형성된 기초적 소비가치관과 소비와 관련된 경험들은 이들이 성인이 되었을 때의 소비행동에 많은 영향을 미치게 되며, 특히 청소년들의 부주의하고 낭비적인 소비패턴은 성인 생활까지 연장되고 확대될 가능성이 크다. 미래 사회의 주역인 청소년들이 바른 소비가치관을 갖지 못한다면 고도의 경제성장이 이루어진다 하더라도 그 성장에 따른 실이익을 소비자가 향유하지 못하게 될 수 있다.

　그리고 무엇보다 청소년들이 원하는 소비문화를 향유하기 위해서는 경제력이 뒷받침되어야 한다. 그러나 경제력이 부족한 청소년들은 소비문화의 두드러진 행동양식을 취득하기 어렵고, 매체를 통해 소비문화가 사회적으로 확산될수록 이들이 느끼는 상대적 박탈감이나 소외감은 깊어진다.

　경제력이 부족한 경우, 소비문화를 향유하고자 하는 청소년과 가족구성원들 간의 갈등을 예상할 수 있으며, 나아가서는 청소년 범죄의 가능성이나 바람직하지 못한 청소년 아르바이트와 같이 사회의 문제 행동도 나타날 가능성이 크다.

　더욱이 기업들은 청소년을 구매력이 큰 집단으로, 또 일생동안 중요한 잠재고객이 될 수 있는 가능성을 염두에 두고 지속적으로 신제품을 시장에 내놓고 청소년들에게 친숙한 광고나 영상매체들을 통하여 홍보함으로써 계속적인 소비를 부추기고 있다. 또한 강력한 또래집단의 영향력은 충동적인 동조소비를 조장한다.

　그러므로 체계적인 소비자교육을 통하여 청소년들이 바른 소비가치관을 형성하고 건전한 소비문화를 만들어 갈 수 있는 능력을 함양하기 위해서는 무엇보다 이러한 청소년소비자의 특성, 청소년소비자의 소비생활 양식을 잘 활용한 소비자교육이 필요하다.

3. 청소년소비자교육의 고려 사항

최근 청소년소비자들이 소비시장에서 차지하는 위상은 크게 변화하고 있다. 음반시장이나 의류시장, 인터넷 통신을 비롯한 각종 통신서비스 시장, 그리고 방송 오락 프로그램 시장은 이미 청소년층의 수요가 시장을 지배하고 있다. 이와 같이 주된 고객층이 청소년인 시장은 점점 늘어가는 추세를 보이고 있으며, 가계 소비의 측면에서도 상품 구매에 대한 의사결정권이 부모 세대로부터 점점 자녀 세대에게로 이동하고 있다.

부모가 원하는 것을 자녀에게 사 주는 시대는 점차 지나고 있다는 이야기다. 오히려 가정에서 가전제품이나 내구성 소비재의 구입까지도 자녀들의 의견이 크게 작용하고 있는 추세이다.

이와 같이 청소년의 소비자로서의 역할이 양적·질적으로 팽창하고 있다. 특히 청소년의 소비자행동에 영향을 미치는 요소는 다양하지만 개인적 특성, 준거집단, 가정요인, 학교요인, 사회문화적 요인 등을 들 수 있으며, 이 중에서 오늘날 청소년소비자의 특성을 고려할 때에는 그 무엇보다 준거집단, 대중매체의 역할이 중요하다.

과거 전통사회에서 많은 영향력을 발휘할 수 있었던 가족, 친지, 지역사회 등 개인의 사회화를 돕는 여러 요인들이 현대사회에서는 청소년소비자의 사회화에 크게 영향을 미치지 못하고 있다. 반면에 매스미디어와 준거집단이 매우 큰 영향력을 행사하고 있다.

1) 준거집단의 역할

청소년소비자는 소비생활에 있어서 동료집단인 준거집단과 TV 광고 등과 같은 대중매체에 의해 크게 영향을 받으며, 준거집단과 대중매체는 청소년의 소비행동에 있어서 합리적이고 경제적인 동기보다는 감각적인 동기를 촉진시키는 데에 그 문제점이 있다.

특히 청소년기의 일반적인 준거집단인 교우집단은 성격 형성 및 사회적 발달, 인간관계의 형성에 지대한 영향을 미치며, 서로의 경험과 지식을 교환하면서 자기 통찰에 이르게 하는 등 매우 폭넓게 청소년의 생활에 영향을 미친다.

또한 청소년기의 준거집단인 교우집단은 다른 어떤 사회 집단에서보다 영향력이 강하여 동료들이 하는 일이 곧 자기에게 동기화가 되어 그것을 모방하게 되며, 모방하지 않으면 소속되지 못한다는 고립감과 관계가 있다. 청소년의 준거집단인 교우는 성인보다 더 많은 눈높이의 정보를 제공해 주는 정보원이 되므로 그들에게 관심 있고 흥미로운 새로운 정보망으로 받아들인다.

여러 가지 소비행동 중에서 청소년소비자에게 가장 문제를 일으키기 쉬운 소비행동 양식이 동조소비라 할 수 있다. 청소년의 경우 특정 점포의 특정 브랜드를 선호함으로써 준거집단과 동일시하려는 경향이 강하기 때문에 또래집단인 준거집단의 응집력이 행동에 많은 영향을 행사하게 되고 이것은 무분별한 소비행동의 모방으로 이어지기 쉽다.

그러므로 청소년소비자의 교육은 개개인의 청소년소비자를 교육시키는 것도 중요하지만 이들에게 중요한 영향을 미치는 준거집단인 동료집단을 동시에 교육하는 것이 효과적이다. 이는 학교 소비자교육을 통해서 매우 자연스럽게 이루어질 수 있다.

2) 매스미디어의 역할

매스미디어가 청소년의 사회화에 미치는 영향력이 부정적이든지 긍정적이든지 간에 그 효과의 심도가 크다는 점은 부정할 수 없을 것이다. 매스미디어의 역기능 측면에서 보면 영상매체에서 묘사되는 좋지 않은 장면은 직접적 모방 행위를 유발하는 자극으로 청소년 범죄나 비행을 저지르게 한다는 것이다. 이와 대조적으로 스타인(A. H. Stein) 등이 제시하는 긍정적인 측면에 의하면, 전파매체는 어린이들의 협동심, 어려운 일을 하는데 있어 인내심 및 감정 표현력 등과 관련하여 그러한 것을 이해시키고 그렇게 할 수 있도록 행동 변화를 시켜 줌으로써 아동의 사회화과정에 있어 매우 중요한 역할을 수행하고 있다고 설명하였다.

청소년들에게 이미 가깝게 다가간 대중매체는 순기능도 있지만 역기능 또한 있으므로 불건전매체 접촉 차단이나 유해매체 단속도 중요하지만 청소년들이 이미 보고 있는 현실을 전제로 이들이 유해매체와 유익매체를 구분해낼 수 있는 비판적 교육을 하는 것이 중요하다.

그러므로 그동안 매스미디어에 관한 한 수동적인 수용자로 미디어가 내보내는 메시지를 수동적이며 무비판적으로 수용하기만 하던 대중으로서의 수용자인 청소년소비자를 소비자교육을 통해 매스미디어를 적극적으로 해석하고 능동적으로 활용하는 공중 혹은 사회집단으로서의 수용자로 변화시킬 필요가 있다.

4. 청소년소비자교육의 주요 주제

청소년소비자교육은 청소년이 많은 시간을 보내는 학교교육의 특성을 잘 살려 이루어져야 하고 청소년의 특성과 청소년의 소비문화 및 소비행태가 갖는 독특한 특성을 충분히 고려한 교육이 되어야 한다. 특히 소비행위에서 나타나는 청소년들의 바람직하지 못한 양상들을 청소년 스스로가 자각하고 극복할 수 있도록 소비자교육이 조력자의 역할을 해야 한다.

그러나 현재 우리나라는 청소년을 대상으로 하는 체계적인 소비자교육이 이루어지지 못하고 있는 실정이다. 그러므로 청소년소비자의 관심과 흥미를 유발할 수 있는 소비자교육 내용으로 학교라는 시스템을 적극적으로 활용하여 소비자교육을 실시해야 하며, 그 내용에는 다음과 같은 것들이 포함되어야 한다.

1) 배분자 역할의 습득

소비생활과 관련된 소비자의 주된 관심사는 소비를 위해 필요한 돈을 어떻게 벌고 어떻게 잘 배분해서 사용하는가이다. 그러나 청소년소비자의 경우는 소득자로서는 먼 미래의 상황이지만, 배분 및 사용은 현재의 상황이기 때문에 소득보다는 배분과 사용이 더 중요한 관심사가 된다. 그러므로 청소년소비자는 소득에 대한 직업의식 및 윤리도 중요하지만 무엇보다 배분자로서의 역할 습득이 중요하다.

일반적으로 청소년소비자가 속한 가계는 소득의 증대뿐만 아니라 한정된 소득으로 합리적인 소비생활을 지향해야 하며 그러기 위해서는 보다 현명한 가계의 수입과 배분과 관련된 지출 관리가 필요하다. 즉 가계는 이러한 기술, 환경의 변화에 따라 가족원 전체의 가치와 목표에 잘 부합되는 재화와 용역을 어떻게 선택하여 가족구성원의 욕구를 최대로 충족시키는가 하는 것이 최대의 당면 과제이기 때문이다.

배분관리 능력은 개인의 소비자 욕구충족뿐만 아니라, 가정경제 더 나아가 국가경제까지 영향을 미치므로 반드시 어린 시기부터 체계적으로 훈련되어야 한다. 특히 청소년소비자는 미래에 그 사회의 주축이 될 것이므로 그들의 가치와 행동을 분석하여 그들에게 소비자교육을 시키는 것은 의미가 있다.

2) 의사결정방법의 습득

우리는 하루에 많게는 수십 번 무엇인가 결정해야 하는 상황이 생긴다. 선택의 자유와 권리는 귀중한 것이므로 선택을 위해서는 고민해야 하지만, 선택 후에는 자주 후회가 따른다. 따라서 의사결정을 잘 한다는 것은 후회나 오류를 가급적이면 줄일 수 있고, 진정으로 선택의 자유를 누리게 되므로 중요하다.

소비자의 생활은 적게는 무엇을 살 것인가에서부터 많게는 얼마나, 어디서, 어떻게 구매할 것인가 등의 복잡한 선택을 끊임없이 하게 된다. 이러한 선택을 할 때 소비자들은 일반적으로 일련의 과정을 거치는데, 이는 문제인식, 정보탐색, 대안의 평가 및 선택, 평가 등의 과정이라고 할 수 있다.

첫째, 필요성 인식 단계(문제인식) : 상품이나 서비스가 필요하다고 느끼는 구매 의사결정의 첫 단계를 의미한다.

둘째, 정보의 수집 단계(정보탐색) : 필요한 정보를 얻기 위해 자신의 경험, 기억 속의 지식, 외부로부터 정보를 수집하는 단계를 의미한다.

문제 인식	상품구매의 필요성을 느낀다.	• 나에게 정말 필요한가? • 어디에 쓸 것인가? • 이미 있지는 않은가?
관련 정보 탐색	필요한 상품과 관련된 정보를 수집한다.	• 예전에 구매했던 경험이 있었는가? • 종류와 디자인은 어떤 것들이 있는가? • 어디서 구매할 수 있는가? • 가격은 적당한가?
대안 평가	대안을 비교하고 평가한다.	• 가격이 예산과 맞지 않는다면, 대체할 수 있는 것은 무엇인가? • 원하는 디자인이나 색상이 없다면? • 치수나 크기 등이 맞지 않는다면?
구매 선택	상품을 선택하여 구매한다.	• 나에게 가장 적당한 상품을 선택한다. • 지불 방법을 신중하게 결정하고, 영수증을 꼭 받는다. • 상품에 결함이 있는지 확인한다.
구매 결과 평가	구매 결과를 평가한다.	• 구매한 상품이 만족스러운가? • 구매한 상품에 불만족할 때 환불, 교환, 수리를 어떻게 요구할 것인가?

| 그림 9-1 | 구매의사결정 과정

셋째, 대안의 평가 단계(대안평가) : 평가 기준(가격, 내구성, 상표, 품질, 디자인, 색상, 치수 등)에 따라 대안을 비교 평가하여 우선순위를 정하는 단계를 의미한다.

넷째, 선택의 단계(구매) : 대안을 비교 평가한 다음 가장 우선순위의 대안을 선택하여 구매하는 단계를 의미한다.

다섯째, 결과의 평가 단계(구매 후 과정) : 만족과 불만족을 나타내며, 다음 번 구매에 영향을 미치는 단계를 의미한다.

예컨대 청소년소비자의 경우, 합리적인 구매를 하기 위해서는 어떻게 하는 것이 좋을까 하는 단순한 문제에서 시작해 보자.

- 구매의 필요성 확인 및 구매목록 작성 : 즉, 구매하고자 하는 상품의 서비스가 꼭 필요한지, 대체할 수는 없는지, 가지고 있는 금전 자원으로 구입할 수 있는지의 검토가 필요하다. 그리고 불필요한 물건 구입이나 필요한 물건을 빠뜨리고 구입하지 않는 것을 방지하기 위하여 구매할 목록을 작성하는 것이 좋다.
- 정보탐색 및 대안평가, 선택 : 무리하게 구매를 강요하지 않고, 정찰제 또는 정량 판매를 하는 상점, 그리고 반품을 인정하는 신용 있는 상점을 선택한다. 그리고 구매시기, 상품의 질과 가격, 구매 시 지불방법 등에 대한 정보를 수집하고 가장 합리적인 대안을 선택한다.
- 결과의 평가 : 구입한 제품을 사용하면서 제품과 구입상점, 지불방법 등에 대한 평가를 하게 되고 이러한 평가의 결과는 추후의 구매의사결정에 중요한 정보로 사용되게 된다.

소비자의 합리적인 의사결정을 위해서는 무엇보다도 질 높은 객관적 정보가 낮은 비용으로, 그리고 소비자가 이해하기 쉬운 내용과 방법으로 제공되어야 한다. 이러한 소비자의 합리적인 의사결정을 위한 환경 조성을 위하여 소비자 스스로의 노력도 필요하지만, 기업, 정부의 노력 또한 필요하다.

3) 비판적 광고 보기와 유행 분석

(1) 청소년소비자와 광고

광고는 소비자에게 상품의 구입을 강요하는 것이 아니며, 상품을 구입할 것인가 안 할 것인가는 소비자 자신의 자유 의사결정에 달려 있다. 그러나 소비자의 생활에 일부분이 된 광고는 소비자에게 맹목적인 동경심을 심어 주고 욕구충족을 위해서는 끊임없이 소비를 자극하는 물질 지향적인 메시지를 던지고 있고, 소비자도 이에 발맞추어 누구나 특정한 제품의 이미지를 도구로 하여 자신의 이미지를 형성하고자 하며, 다른 소비자인 타인들과의 차별화를 위하여 기호품을 사들이므로 자신의 욕구를 충족시켜왔다.

특히 경제 발전과 더불어 가계의 실소득이 증가하면서 청소년은 생산활동을 면제받는 동시에 소비에 있어서 우선적으로 혜택받는 집단이 되고 있다. 그리고 구매의사결정에서 그들의 영향력이 날로 증가하고 소비 규모와 범위가 점차 늘어나 과거에 비하여 의사결정과정에서 독자적인 구매력을 지니게 된 하나의 소비 주체로 급부상하고 있다. 따라서 청소년소비자는 기업에서의 마케팅 전략 활동의 주요 대상이 되고 있다.

청소년소비자는 매일 많은 광고를 접하면서 상품과 서비스에 관한 정보를 제공받고 있다. 그러나 상품의 가격이나 기능, 구조, 성능 등에 대한 정보를 정확하게 제시해 주는 청소년소비자에게 유익한 광고가 있는 반면, 상품의 품질과는 무관한 과장되거나 객관적이라고 인정할 수 없는 주장을 펼치는 과대 및 허위 광고도 있다. 광고는 구체적인 소비자행동에만 영향을 미치는 것이 아니라 청소년의 가치관에도 영향을 미친다. 따라서, 아직 소비자로서의 확실한 가치관이 정립되지 않은 청소년소비자가 광고에 대해 합리적이고 건전하게 대처할 수 있는 비판 능력을 습득하는 소비자교육이 필요하다. 청소년소비자를 대상으로 광고와 관련된 소비자교육을 실행할 때 다음 사항이 잘 전달되어야 한다.

첫째, 광고와 상품의 질은 관계가 없을 수 있다.

둘째, 광고의 내용을 무조건 신뢰하지 않는다.

셋째, 광고의 내용보다는 소비자보호기관이나 중립적 원천의 정보와 함께 이용한다.

넷째, 허위나 과대 광고가 아닌지 소비자 입장에서 감시하도록 한다.

다섯째, 감정적인 호소에 의한 충동구매를 하지 않도록 유의해야 한다.

참고 | 조심해야 할 광고 |
- 절대적 문구, 즉 '최고, 최대, 최초, 최저, 국내 유일' 등을 쓰는 광고는 주의하자.
- 마치 국가 공인기관, 단체 같은 명칭은 주의하자.
- 분별하기 어려운 외국의 마크, 심벌 이용은 주의하자.
- 너무나 많은 이익을 보장하는 문구를 사용하는 경우에 주의하자.
- 사업자의 주소가 우체국 사서함만 있는 경우는 조심하고 확인하자.
- 현금을 전송하는 업체를 통해서 송금하라고 요구하는 사업자는 꼭 확인하자.

(2) 청소년소비자와 유행

일반적으로 유행은 현재 널리 수용되거나 인기 있는 스타일로서 비교적 장기간(때로는 단기간)에 걸쳐 각 집단에 의해 차례로 받아들여지고 구매되는 어떤 스타일을 의미한다. 따라서 유행은 항상 변화하며, 반복적인 주기가 있다. 이는 소비자 집단에 의해 형성되기도 하지만, 기업이 유동적으로 유행을 상품생산과 판매전략에 이용하는 경향도 많음을 의미한다. 이러한 유행에는 일반적으로 일정한 단계가 있다.

소비자교육 길잡이 9-1 　　 **유행의 단계**

- 독특성 단계(Distinctiveness stage) : 일부 소비자만이 관심을 가지고 있으며 아직은 가격이 높고 소량으로 생산하며, 소집단 구매가 일어나는 단계
- 모방 단계(Copying stage) : 점차적으로 많은 소비자들의 관심을 끌어 대량생산이 시작되는 단계
- 대중유행 단계(Mass fashion stage) : 많은 소비자의 눈에 띄어 유행의 대중화 단계이며 대량생산 또한 절정에 이르는 단계
- 쇠퇴 단계(Decline stage) : 점차 소비자의 시선이 사라지면서 새로이 다른 유행을 추구하는 단계

기업은 소비자의 심리를 활용하여 기존 상품을 구식화시키고 새로운 스타일이나 디자인의 상품을 주기적으로 제시함으로써 판매량을 증대하려는 행위를 자행하고 있는 바, 우리는 이를 유행의 퇴화(계획적 진부화 : planned obsolescence)라고 한다. 따라서 소비자가 상품의 종류에 따라 선택할 때 유행을 추구할 것인가는 매우 중요하다. 왜냐하면, 상품의 생산량에 따라 상품의 가격과 서비스가 달라지기 때문이다. 소비자는 각자의 재화에 따라, 추구하는 목적에 따라 적절한 시기에 구매하는 것이 매우 중요하다.

기업 측면에서 유행은 소비자의 욕구에 부응하며, 계층에 따라 때로는 저렴한 가격에 제공하므로 저소득층을 위한 것이기도 하고, 또한 경제적 순환을 부드럽게 하여 국가경제 발전에 기여한다고 본다.

반면에 소비자 측면에서 보면, 유행은 자원과 생산능력을 효율적으로 이용하는 방안이 될 수 없으며, 상품의 수명을 의도적으로 단축시킴과 동시에 계층 간에 위화감 내지는 의식의 반감을 조장시키는 부정적인 면을 볼 수 있다. 유행은 소비자에게 욕구충족 및 사회적 리더의식의 발로라는 의미에서 좋은 점도 있으나, 경제적인 면에서는 부정적인 관계에 놓일 수 있다. 그리고 이러한 소비자로 하여금 의도적으로 유행을 추종하게 하여 관련 상품을 소비하게 함으로써 이익을 얻는 기업의 이윤 추구의 목적을 상기해야 한다.

결론적으로 고도의 소비사회에서 소비자와 유행은 상부상조하는 관계이며, 여기에는 소비자에게 유행의 단계별 금전적·심리적 자원과 관련이 깊다. 따라서 어떤 목적으로 어느 단계에 어느 정도의 유행을 추구하는 것은 전적으로 소비자의 책임과 역할이다. 따라서 청소년소비자를 대상으로 유행과 관련된 소비자교육을 실행할 때 유의 및 고려할 점은 다음과 같다.

- 소비자와 유행단계는 상품의 양, 가격 등과 관계가 밀접하다.
- 소비자는 기업의 계획적인 유행에 수동적일 수 있다.
- 소비자는 유행에 종속하기보다는 본인의 개성을 추구할 필요가 있다.

(4) 권리와 책임의 상호관계

청소년을 대상으로 하는 소비자교육의 기본적인 주제에는 우선 소비에 대한 올바른 의미뿐만 아니라 소비와 사회와의 상호작용 및 관계가 포함되어야 한다. 소비자는 항상 소비자의 권리 주창을 중요하게 생각하지만, 그 이면에는 소비자 스스로 책임과 역할, 그리고 그 의무를 소홀히 하지 않으면 안 된다. 왜냐하면, 소비자의 권리 획득은 바로 소비자의무를 다하는 것을 기본으로 하기 때문이다.

소비자교육에서 소비자의 책임 및 권리에 관한 것이 과거에는 인식이나 가치관과 관계된 측면에서 강조되었지만 오늘날은 직접적인 참여와 교육에 대한 책임이 보다 강조되고 있다. 즉, 수동적인 소비자에서 능동적인 소비자로, 그리고 의식보다 직접 참여하는 행동을 강조하는 소비자로의 전환에 초점을 맞추고 있는 것이다.

청소년의 소비문화는 최근 집중적인 관심을 받으며 일상생활의 비공식적인 문화 영역에서 젊은이 문화를 이끌고 있는 중요한 문화현상이라고 볼 수 있다. 즉 준거집단의 영향력이 큰 청소년들의 특징을 생각하면 이들의 특정한 소비주의 문화의 유형은 많은 다른 청소년들에게 모방의 대상이 되고 있다. 청소년의 소비문화는 물론 경제적 풍요를 전제로 하고 있으며, 세계가 열리고 개방된 현재, 각종 문화상품의 무분별한 유입은 특히 문화적 종속의 우려도 낳고 있다. 또한 교육제도의 허구가 가져오는 정신적, 육체적 스트레스는 청소년들로 하여금 소비를 통해 분출구를 만드는 사회구조적 조건이 되고 있다.

이러한 사회환경에서 청소년은 그들만의 소비 규모와 범위가 점차 늘어나고 있으며, 과거에 비하여 의사결정 과정에서 독자적인 구매력을 지니게 된 하나의 소비주체자로 급부상하고 있다. 이는 기업의 경영, 마케팅 전략 및 가계의 소비생활에서, 더 나아가서는 국가적인 경제문제에도 영향을 미치고 있다.

아직 생산의 역할보다 소비의 역할을 우선적으로 배우는 시점인 청소년소비자는 그 소비도 부모로부터 받는 용돈이 주된 원천이므로 이들에게 과시소비는 올바른 소비문화가 되지 못할 뿐만 아니라, 과시소비로 인한 소비의 극대적 만족은 생산의 방법에도 많은 영향을 끼칠 수 있다. 또한 이러한 과시소비의 문제점을 보다 넓게 본다면, 계층 간의 위화감을 줄 뿐만 아니라 사회 전반적인 자원의 낭비 등 바람직하지 않은 결과를 초래한다.

광고를 무분별하게 수용하고 충동적으로 또래집단에 동조소비를 하는 등의 소비행동이 가지는 사회적 파급효과와 경제시스템에 미치는 영향에 대해 충분히 교육하여 사적인 소비자행동의 효과가 개인에게 국한되지 않고 사회 전체의 경제시스템, 더 나아가 세계의 경제에 영향을 미친다는 것을 교육한다. 또, 소비자로서의 권리를 확보함과 동시에 사회적 책임감을 가져야 함을 반드시 교육해야 한다.

소비자단체들을 통해 이루어지고 있는 소비자운동의 현황을 적절히 소개하고 특히 최근에 사회적으로 쟁점화된 소비자피해 사례나 소비자의 권리 쟁취 및 보호 사례를 청소년들에게 알려 준다. 이를 통해 소비자의 권리를 찾고자 하는 실질적인 노력들이 어떻게 이루어지고 있으며 그러한 노력의 성과가 무엇인지를 알려 주고 권리를 확보하기 위해 행동하는 책임을 다하는 것을 교육하여 소비자의 주권 의식을 강화시킬 수 있을 것이다.

청소년이 좋아하는 단어는 '자유'라고 하며, 반면에 상대적으로 무관심한 단어는 '책임'이라고 한다. 의무와 권리의 관계처럼 책임과 자유는 동전의 양면이라고 할 수 있다. 따라서 책임을 수반할 때에 자유의 권리를 누릴 수 있는 진정한 권리를 획득할 수 있음을 명심하고, 이에 대한 소비자교육의 중요성을 인식하자.

(5) 소비자 계약의 내용과 효력

청소년들이 경험하는 소비자문제 중에는 미성년자의 휴대전화 가입에 따른 문제와 같이 계약의 기본적인 의미와 효력을 모르기 때문에 발생하는 것이 많이 있다. 그러므로 청소년들의 소비자교육에는 계약에 대한 기초적인 지식이 포함되어야 한다.

① 계약에 대한 인식

현대사회에 있어서 소비자는 일상생활에 필요한 상품이나 서비스에 대하여 대가를 지불하는 거래로 매일의 생활을 영위하고 있다. 소비자가 상품이나 서비스를 거래하며 그 장소에서 대금을 지불하고 상품을 인도하는 '매매계약'은 '계약'이라고 인식하지 못할 정도로 일상적인 것이 되었지만 '매매계약'은 기본적인 계약의 한 종류이다.

거래는 점포에 가서 거래하는 '점포거래' 이외에 방문판매, 통신판매, 다단계판매, 전자상거래 등 판매방법의 다양화와 지불방법의 다양화로 무수히 많은 종류가 있다. 그러나 어떠한 형태의 거래이든지 간에 이들의 거래는 계약이라는 점에서 공통점을 지닌다.

계약이라는 것은 복수당사자 간의 합의에 의해서 성립되는 것이다. 계약에 관한 기본적인 것은 민법에 의해 정해져 있지만 기본적으로는 당사자 간에 합의된 내용으로 서로 구속될 수 있다. 따라서 계약이라는 것은 두 사람 이상의 당사자 간의 의사가 합치되는 것에 의해 성립하는 법률행위이며, 간단히 설명하면 사람과 사람과의 약속을 의미한다. 약속에도 여러 가지가 있지만 그 중에서 법률에 의해 약속을 지키는 것이 보호될 수 있는 경우에 계약이라고 할 수 있다.

② 계약의 성립 및 효력

　계약은 복수당사자 간의 합의에 의해서 성립되는 것이다. 당사자 간에 승낙이 일치했을 때에, 즉 합의가 성립했을 때에 계약이 이루어진다는 것이다. 그러므로 승낙이 없다면 계약은 성립되지 않고, 신청서와 다른 내용이 있을 때에도 신청서와 승낙은 일치하지 않기 때문에 계약은 성립되지 않는다.

　따라서 계약은 원칙적으로는 당사자 쌍방 간의 합의로 성립된다. 계약을 체결하는가 안 하는가는 당사자의 자유이다(계약체결의 자유). 따라서 당사자와 거래하는데 있어서 교섭상의 타협이 이루어지지 않을 때나 혹은 스스로 필요하다고 생각되면 계약을 맺지 않을 수도 있는 자유가 있다. 또 계약의 내용도 원칙적으로 당사자의 자유에 달려 있다(계약내용의 자유). 당사자 쌍방이 자유롭게 타협한 것에 합의가 있다면, 쌍방이 납득하고, 또 합리성이 있다고 생각하는 데에 기초를 두고, 당사자 쌍방의 자유에 달려 있는 것이다. 그리고 계약서 등의 서류작성은 계약의 성립을 위해서는 필요로 하지 않을 수도 있다(계약형식의 자유). 그러나 그 내용이 반사회적인 것이라든지 사회적인 타당성이 결여된 '공공의 질서, 미풍양속' 등에 위반되는 경우에는 법률상의 권리를 지킬 타당성은 없다.

　계약이 성립하기까지는 당사자의 자유에 달려 있지만, 일단 성립되면 당사자들을 구속하게 된다. 계약에 따라서 당사자 쌍방이 그 합의 내용을 함께 지켜 나가지 않으면 안 되는 의무를 부담하게 되는 것이다. 계약을 채결할 것인가, 거부할 것인가, 어떤 내용으로 할 것인가 하는 것은 당사자의 자유이지만, 그 자유 중에서 일단 상대방과의 사이에 계약을 체결한 이상은 그 합의내용을 지키지 않으면 안 되는 구속력을 지니고 있다.

　따라서 계약이 성립한 후에는 그 합의내용에 따라서 당사자는 서로 수행할 의무를 져야 한다. 만일 당사자가 계약에서 정해진 대로 수행하지 않는 경우에는 상대방은 약정에 따라서 수행을 요구할 수가 있다. 다시 말하면, 신청이 승낙된 시점에서 계약은 성립된다. 성립을 객관적으로 확인할 수 있는 것은 계약서로서 당사자 간의 서명, 날인한 시점이다. 계약의 방법이나 형식은 당사자 간의 자유이지만 계약이 성립되기 위해서는 그 내용에 관하여 당사자에게 권리와 희생이 따르며 '꼭 지켜야만 한다'는 구속력이 생긴다. 따라서 계약을 할 때에 계약서는 자신의 눈으로 계약내용을 직접 확인하는 습관이 필요하며, 계약을 할 때에는 언제, 누가 누구와, 어디에서, 무엇에 대하여, 얼마로, 어떻게 할 것인가를 충분히 주지해야 한다.

특히 청소년들에게 소비자교육적인 측면에서 계약을 주지시키기 위해서는 많은 직간접적인 경험을 제공하는 실질적인 연습뿐만 아니라, 충분한 약속과 계약은 일방적으로 쉽게 하는 것이 아니라는 근본적인 인식을 심어 주어야 한다. 약속이나 계약은 당사자 간의 충분한 협의와 신중한 고려를 통해 이루어져야 하고, 한 번 이루어진 약속이나 계약은 최선을 다해 지켜야 한다는 것을 가르쳐 주어야 한다. 그러기 위해서는 약속을 남발하거나 강요하지 않고 소중히 여기는 경험들을 함께 공유하면서 약속이나 계약에 임하는 가장 기본적인 소비자 자세를 성인들이 함께 보이는 것이 전제되어야 할 것이다.

그리고 만 20세 미만의 부모 등 법정대리인의 동의 없이 체결한 계약을 미성년자와의 계약이라고 할 수 있으며, 미성년자와의 법률행위는 원칙적으로 법정대리인의 동의 없이 행한 행위에 대해서는 미성년자 본인이나 법정대리인이 이를 취소할 수 있다.

(6) 소비자 환경문제와 지속가능한 소비

상품의 소비는 한편으로 소비자에게 경제적 효용을 안겨 주지만 다른 한 편으로는 반드시 폐기물을 발생시키고 환경오염이라는 결과를 낳게 된다. 아무리 건전하고 합리적인 소비라 할지라도 결국 소비행위 자체는 환경문제를 악화시키는 원인이 된다. 우리 세대의 만족을 위한 소비행위로 인해 다음 세대가 동등한 만족을 추구할 수 없게 된다면 이는 심각한 문제가 아닐 수 없다.

대량생산, 대량유통, 대량소비로 상징되는 현대의 대중사회에서 대량소비는 현 사회를 지탱해 주는 기둥이라고 믿어 왔으나 이제는 그런 생각과 개념을 바꿔야 할 때이다. 환경문제는 근본적으로 환경에 대한 인간의 잘못된 인식에서 비롯되었기 때문에 일정한 지역 내에서, 그리고 단기간 내에 해결될 수 있는 성질의 문제가 아니다. 소비자와 환경과의 상호작용을 이해한다면, 소비자는 생활자와 시민으로서 바람직한 환경을 위해 무엇인가 공헌해야 함을 의미한다. 이는 소비자가 스스로 쾌적한 환경에서 살 권리가 있지만, 반대로 쾌적한 환경을 유지해야 할 의무이자 책임도 있음을 의미한다.

그러므로 소비자는 쾌적한 환경을 향유하기 위해서 낭비적인 생활을 절제해야 한다. 개인적으로 허용되는 소비 수준이라 하더라도 필요 이상의 자원을 사용하는 낭비적인 소비행동은 시장경제의 효율성을 저해하여 결과적으로 소비자주권을 침해하는 결과를 가져온다. 따라서 소비자교육이 소비자주권과 건전한 소비생활의 실천을 지향한다면 이제는 반드시 환경친화적 소비생활을 같이 강조해야할 것이다. 대안적인 인식의 틀을 형성하기 위한 교육적 접근이 매우 중요하며, 특히 기존의 사회문화적 질서로부터 비교적 독립적으로 존재하는 다음 세대에 대한 교육은 환경문제를 해결하려는 다양한 시도들 중 핵심적인 위치에 있어야 한다.

인간의 소비행동은 니코시아(Nicosia, 1974)가 말한 것처럼 구매활동(buying activities)뿐만 아니라 사용활동(using activities)과 처분활동(disposing activities)을 포함하므로 합리적인 소비자가 되기 위해서는 합리적인 구매뿐만 아니라 재화의 사용과 처분에 관해서도 합리적이어야 한다. 피랫(Firat, 1974)은 제품의 소비를 인간의 사회적 관계와 제품의 이용범위, 그리고 인간의 에너지 투입량에 따라 다음과 같이 구분하였다.

① 사회관계적인 측면
- 개별적 소비 : 재화의 소비행동이 개인에 국한되어 일어나고 본인만의 소비로 그친다.
- 사회적(군집적) 소비 : 소비가 전체적으로 일어난다. 물, 대기, 토양 등 대부분의 소비가 환경문제와 관련되며 무임승차 심리가 나타난다.

② 제품활용 범위의 측면
- 사적 소비 : 개별적 소비로 상품을 사서 소유하고 사적인 개인에 한하여 사용한다.

- 공적 소비 : 개인적으로 상품을 소유하지 않고 필요한 시기에 사용하는 형태의 소비이다. 공적 소비가 늘면 렌탈 산업이 발달하게 된다.

③ 인적 활동의 투입 측면

- 수동적 소비 : 주어진 대안에 만족하고, 그 대안 중에서만 소비할 재화를 선택한다.
- 능동적 소비 : 주어진 대안에 만족하지 않고 대안을 변화시켜 본인에게 만족을 최대로 주는 것을 선택하여 소비한다. 완전히 욕구충족시킬 수 있는 재화가 나오도록 시장에 계속적으로 요구하고, 또 이를 기업에 전달한다. 바로 이러한 것이 소비자교육의 목적이며, 소비자주권이 실현되도록 소비하는 행위가 된다.

과거에는 개별적, 사적, 수동적인 소비로 환경문제를 고려하지 않는 소비행동을 하였으나 이러한 소비양상은 제품을 군집적, 공적, 능동적 소비로 이용할 때보다 사회적 비용을 훨씬 증가시키며, 이로 인한 제품 사용 후의 폐기물 또한 크게 증가시켰다. 그러므로 환경문제를 해결하기 위해서는 군집적, 공적, 능동적 소비로의 전환이 필요하다.

처분활동은 제품이 그 원래의 목적과 기능을 상실하였을 때 가계가 그 제품에 적용하는 활동을 말한다. 제품의 사용으로 오는 욕구충족은 개별적으로 이루어지지만 처분 행위에서 발생하는 오염된 환경의 피해로 인한 불이익은 모두가 공히 나누어 가질 수밖에 없다. 이 점이 우리가 사용 후의 처분방법에 관심을 가져야 하는 이유이다.

경제발전의 필연적인 결과라 할 수 있는 환경문제는 인간이 생활의 풍요로움과 윤택함을 포기하지 않는 한 결코 없어지지 않을 사회문제이다. 그 하나의 예가 급속한 고도의 경제 성장과 지속적인 도시화, 인구 증가, 소득 수준의 향상과 소비생활의 활성화로 인한 쓰레기 배출량의 증가이다. 이러한 쓰레기 배출량의 증가는 쓰레기 처리비용의 증대, 환경오염, 매립지 선정에 따른 해당지역 주민의 반발과 같은 경제적, 사회적 문제를 발생시키고 있다. 청소년소비자가 생활 속에서 이러한 환경과 관련한 사회문제를 해결하는데 기여하는 방법은 재활용이다. 다양한 의미를 가지는 재활용은 불용품(不用品)의 재사용, 재생 이용(재자원화)

및 쓰레기로부터의 에너지 회수 등 세 가지 활동을 포함한다.

재활용은 쓰레기 감량의 효과를 가지고 있지만, 재활용의 보다 본질적 의의는 자원 및 에너지 절약과 그로 인한 환경 보전적 효과이다. 폐기보다는 재활용을 우선적으로 고려하고, 새로운 자원의 투입을 가능한 한 억제하며, 자연생태계에 되돌려지는 배출량을 최소 한도로 하여 환경을 훼손하지 않는 사회를 구축해야 한다.

(7) 사회문화 및 소비문화 관련 교육

인간은 다른 동물과 달리 가족이라는 집단체제를 형성하여 긴 유아기를 거쳐 학습, 경험, 동일시를 통하여 출생하고 성장한 곳의 문화 속의 일원이 되는 특징을 지니고 있다. 여기에는 물론 이를 습득할 수 있는 인간의 타고난 지능이 전제되어 있다. 그러므로 인간은 지극히 문화적인 동물이다. 소비자가 행하는 소비는 한 사회의 문화적 가치관, 제도, 규범, 윤리 등이 그 사회를 주도하는 생산방식과 생산되는 제품의 속성에 영향을 미치며, 이는 소비자의 욕구 충족 형태에도 영향을 미친다. 소비는 결국 한 사회의 문화적 행위이다.

소비문화라는 것은 특정상품에 상징성을 부여함으로써 소비자가 그것을 선택하도록 유도한다. 따라서 소비자들이 상품구매 결정을 내리기까지 그 상품이 소비문화가 규정하는 상징성을 지니고 있는가 아닌가에 전적으로 의존한다고 볼 수 있다. 결국 오늘날의 소비자는 자신의 생활을 하나의 시스템으로 여기면서 개개인의 소득 수준과 시간환경에 따라 변모하는 새로운 욕구가 생성됨에 따라 이를 충족시키고자 또 다른 소비에 나서며, 상품의 소비를 통해 자아 이미지의 의식적인 조작 및 표현에 참여하게 된다.

따라서 오늘날의 소비자는 경제적인 합리성보다는 자신의 개성 표출에 얼마나 도움이 되는가를 기준으로 재화를 사들이게 된다. 즉, 소비자의 재화구입은 일차적인 소비욕구를 뛰어넘어 자신의 개성과 지위, 명성과 위상과 같은 자기표현을 위한 커뮤니케이션 수단의 구입이며, 특정 상품을 소유하거나 사용하는 것은 사회적 지위를 획득하는 것과 동일시된다. 이러한 흐름은 아직 확고한 가치관이 정립되어 있지 않고 또래집단이 매우 큰 영향력을 가지는 청소년소비자 집단에 부정적인 영향을 미치기 쉽다.

경제발전으로 인한 풍요의 혜택이 계층 간에 고르게 배분되지 못하면 사회의 빈익빈 부익부 현상이 심화되고, 이는 계층 간의 갈등을 초래하며 더 나아가 심각한 사회문제가 된다. 우리나라의 경우 성장 중심의 경제구조에서 지난 수십 년간 억눌려 왔던 소비 욕구가 소득의 증가 및 시장의 세계화의 영향으로 다양한 과소비 열풍으로 나타나고 있다. 청소년소비자는 아직 생산행위보다 소비행위를 우선적으로 배우는 단계에 있고 소비행위도 부모로부터 받는 용돈이 주된 원천이므로, 이들에게 과시소비는 올바른 소비문화가 되지 못할 뿐만 아니라 일부 청소년의 과시소비가 또래집단 사이에서 동조소비로 확산되어 청소년 집단 간의 위화감을 조성하고 사회의 자원낭비 등 바람직하지 않은 결과를 초래하게 된다.

청소년들이 미래 경제의 주역으로 성장한다는 점을 고려하면 청소년의 소비문화는 미래 소비문화의 방향에 지대한 영향을 미치게 된다는 점을 쉽게 이해할 수 있을 것이다. 따라서 미래의 건전한 소비문화를 위해서는 무엇보다도 청소년이 바람직한 소비문화를 습득하도록 교육해야 할 것이다. 청소년을 대상으로 한 소비자교육은 무엇보다도 청소년들을 능동적으로 변화시키는 일이 중요하다. 청소년들이 소비자문제에 대해 더욱 적극적인 마음과 참여의식을 갖게 될 때만이 바람직한 청소년 소비문화가 정착될 수 있으므로 소비자교육을 통하여 능동적이며 적극적인 청소년소비자를 양성해야 할 것이다.

10

성인
소비자교육

10 | 성인 소비자교육

성인기는 일생에서 가장 긴 기간으로 사회적으로 활발하게 활동하고 사회발전을 주도하는 시기며, 가장 왕성하게 다양한 소비자의 역할을 수행하는 시기이다. 성인소비자는 사회적으로 가장 활발하게 생산활동에 참여하는 집단일 뿐만 아니라 사회의 주도층으로 다음 세대의 사회화에 직접적인 영향력을 가지고 다양한 의사결정행동을 통하여 정치, 경제를 비롯한 사회 전반에 큰 영향을 미치는 매우 중요한 소비자이다.

그러나 국제협력개발기구(OECD)가 회원국을 대상으로 한 조사에서 우리나라는 젊은 세대의 중등교육 이수율은 세계적인 수준이나 중장년층의 재교육이 더욱 강화되어야 하는 것으로 나타났다(세계일보, 2001. 3. 29).

우리는 급격한 사회의 변화에 따르는 새로운 지식과 정보의 폭발적인 증가, 직업사회 및 가치관과 생활양식의 변화, 경제적 수준의 향상과 여가의 증대, 인간의 평균 수명 연장, 교육 수준의 고도화 추세, 인간교육의 필요성 증가 등 다양한 사회적 요구에 직면하고 있다. 이렇게 쉬지 않고 급변하는 시장환경에 소비자들이 발맞추어 나가기 위해서는 끊임없이 새로운 지식을 습득해야 한다. 그러므로 성인소비자들을 대상으로 하는 계속적인 소비자교육이 필요한 것이다.

1. 성인소비자의 개념

성인기는 청년기부터 성인기, 중년기, 장년기를 포함하는 시기로, 생활연령으로는 18세 이후부터 59세까지를 말한다. 성인기는 인간발달의 전 단계에 걸쳐 볼 때 가장 길고 규모도 크므로 효과적인 소비자교육을 하기 위해서는 성인소비자 집단을 다양한 특성을 가진 하위집단으로 나누어 그에 맞는 교육프로그램을 마련하는 것이 바람직하다.

핵가족에서 가계소득의 주획득자이며 가계소득을 전체적으로 관리하는 역할을 수행하므로 다른 연령층에 비해 소비품목이 다양하고 그로 인해 다양한 소비문제를 접하게 된다. 그러므로 교육내용이 이에 맞추어 폭넓고 다양하게 구성되어야 한다.

2. 교육대상자로서 성인소비자의 특성

1) 성인소비자의 인지적 특성

성인의 학습능력과 연령에 관한 연구 결과는 다소 엇갈리는 주장들이 있으나, 대체로 성인의 학습능력이 연령에 따라 감소한다는 부(負)적인 관계에 놓여 있는 것은 아니라는데 의견이 모아지고 있다.

일반적으로 성인기에 접어들어서도 학습활동을 꾸준하게 지속하는 경우 그렇지 않은 사람들과 학습능력 및 그 속도, 능률성에 있어서 훨씬 앞서게 된다는 것이다. 특히 학력 수준(level of schooling)으로 표현될 수 있는 교육연수가 길고 학력이 높은 사람의 경우 성인의 지적 능력이 비교적 안정적으로 유지되거나 나아지는 경우가 많다는 연구 결과가 있다. 즉 성인소비자교육에 있어서 학습자들의 지각 과정, 태도, 주의집중, 동기, 질병을 포함한 유기체의 생리학적인 상태가 단순한 연령보다 교육효과에 더 많은 영향을 미친다는 것이다. 그러므로 성인소비자의 교육을 위해서는 이들의 학습을 위한 최적의 조건을 구비해 주는 것이 우선되어야 한다. 그리고 주어진 교육내용을 서서히 지각하고 파악하며 천천히 사고하고 반응하도록 충분한 시간적 여유를 주어야 한다.

2) 성인소비자의 정의적 특성

많은 성인소비자들이 교육에 대하여 일단 부정적인 반응을 보이는 것이 일반적인 특성이다. 성인들은 지나가 버린 과거의 학습에 대한 부정적인 경험으로 인해 새로운 것을 배우는 것에 대해 불안감을 갖게 되고, 이것이 지나친 자기방어적인 행동으로 나타나게 되는 경향이 있다. 또한 나이가 들었기 때문에 배울 수가 없다거나 두뇌 회전이 되지 않아 어쩔 수 없다고 자인함으로써 스스로 학습의 능력에 대한 부정적인 인식을 갖게 되기도 한다. 따라서 성인들을 교육함에 있어서 자신들도 훌륭히 훈련을 받아낼 수 있다는 자신감을 넣어 주는 일이 중요하다.

교육의 계획이 수직적인 관계에서 가르치는 교육자나 혹은 교육을 실시하는 주체에 의하여 일방적으로 세워지기보다는 성인들의 자율적인 참여와 자신들이 느끼는 수요와 필요에 입각하여 자기주도적(self-directed)인 학습계획을 수립함으로써 능동적으로, 그리고 자기 주도적으로 모든 과정이 진행되어 가도록 만들어야 한다. 즉 성인들의 자아와 자존심이 존중되도록 교육의 준비가 이루어져야 할 것이다.

또한 교육의 방법에 있어서 학습자들이 스스로 무엇인지를 이루어 가고 있다는 성취감과 성공감을 불어넣어 줄 수 있도록 학습이 짜여져야 한다. 성인소비자 교육은 사회적으로나 개인적으로 별달리 강제성을 띠지 않고 이루어지는 사회교육이 많은 까닭에 학습자들이 단계마다 모종의 성취감에 의한 학습의 강화를 얻지 못할 경우 지속적인 학습의욕을 상실하게 되는 것이 통례이다.

3. 성인소비자교육의 원리

성인소비자교육은 대부분 사회교육의 형태로 이루어진다. 성인을 대상으로 하는 교육의 특성과 성인소비자들의 인지적, 정의적 특성을 고려하여 효율적인 소비자교육이 진행되기 위한 방법의 원리는 다음과 같다.

1) 자발학습의 원리

사회교육은 학습자가 어떠한 권력이나 타인으로부터 강요를 받아 학습에 임하여서는 아니 되며 어디까지나 학습자의 자발적인 의지에 따라 교육에 참여해야 한다는 것을 기본 철학으로 한다. 따라서 교육방법을 구상함에 있어서 학습자들이 학습의 장에 자발적으로 찾아올 수 있도록 관심과 흥미를 유발시키고, 또 일단 관심을 보인 대상자들이 지속적으로 학습 활동에 참여할 수 있도록 계속 동기를 유발시키는 일이 중요하다.

자발적으로 학습에 임하도록 하기 위해서 성인소비자들이 특정한 분야나 내용에 대한 학습의 필요성을 인지하도록 이들을 자극하고 촉구하는 일도 중요하지만, 학습자들이 스스로 그 필요성을 깨닫고 자주적으로 배우고자 하는 욕구를 내부로부터 절감하도록 하는 것이 필요하다. 그리고 매 학습으로 인한 성과를 평가하고 깨닫게 함으로써 자발적으로 지속적인 학습활동이 이루어지게끔 학습을 조직화하고 구성하며, 각종 매체와 학습보조의 기술 및 장비 등을 동원해야 한다.

2) 자기주도적 학습의 원리

자기학습의 원리라고도 할 수 있는 것으로 개개인이 스스로 학습의 주체가 되어 어떤 것을 언제부터 학습할 것인지를 결정지으며 자기 학습의 속도 및 그 결과의 평가에 이르기까지 타인의 판단이나 기준에 의거하지 않고 스스로 결정지을 것을 촉구하는 원리이다. 자기주도적 학습의 원리는 자습의 의미로도 쓰일 수 있으나 이보다는 자율성과 자기 계발의 의미를 더 크게 지닌다고 볼 수 있다.

3) 상호학습의 원리

상호학습의 원리는 사회교육에 있어서 학습자들이 상호작용을 통하여 학습의 효과를 높이도록 여러 가지 집단과정을 활용할 필요성을 밝혀 주는 원리이다. 상호학습이 이루어질 수 있는 상황은 브레인스토밍이나 집단토의 등과 같이 학습자들이 똑같은 주제를 어떻게 서로 다른 각도에서 보고 이야기할 수 있는가를 집단과정을 통하여 깨닫게 함으로써 서로 배울 수 있게 되는 경우가 있고, 학습자 중에 어떤 특정한 부문에 전문적인 지식이나 경험이 있는 사람을 택하여 그들로 하여금 설명하고 가르치도록 기회를 줌으로써 별도로 강사나 지도자 없이 서로 배우고 가르칠 수 있는 과정을 마련할 수도 있다.

상호학습은 특히 배우고 가르치는 사람들 간의 지위의 격차가 없이 동료 간의 영향이라는 강력한 힘을 발휘하기도 하는데, 학습자들이 어떠한 사물이나 사상에 대한 태도나 행동적인 변화를 필요로 할 경우 특히 효과적인 것으로 알려지고 있다.

4) 현실성의 원리

현실성의 원리는 생활즉응(生活卽應)의 원리라고도 한다. 교육이 점차 제도화되고 형식화되면서 일상적인 생활, 즉 현재의 상황과 거리가 멀어지고 있는 것을 감안하여 교육을 보다 실생활 속에 기반을 두고 구축하여 교육의 목적이나 내용의 선택으로부터 교육을 받은 결과가 생활 속에 즉각적으로 되돌아갈 수 있도록 짜여지고 실시되어야 함을 강조하는 원리이다.

학습자들은 가정생활, 직장생활 등 현실적으로 여러 가지 문제와 교육의 필요성을 느끼고 있다. 그러므로 사회교육에 있어서의 교육목적이나 교육내용, 교육방법 등이 현실에 밀착된 것일수록 그 교육이 보다 의미를 더하게 된다. 따라서 사회교육은 이러한 관점에서 수시로 재검토가 이루어져야 할 것이다.

5) 다양성의 원리

사회교육의 특성 중의 하나가 다양성이다. 학습의 대상자가 계층별·연령별·성별·관심 및 흥미별 학습의 능력과 학력별 기타 학습의 필요성의 인지에 있어서 혹은 학습 결과의 활용에 대한 기대면에 있어서 다양한 사람들로 구성된다는 것이다. 이처럼 이질적이고 다양한 사람들을 대상으로 하는 사회교육은 시간과 장소, 그리고 대상에 따라서 달라져야 함은 두말할 나위도 없다. 그러나 더욱 중요한 것은 다양한 대상자들의 필요를 최대한 충족시켜 주고, 이들의 학습 능률을 높이기 위해서라도 다양한 방법들의 조화로운 활용이 바람직하다.

다양한 방법의 채택은 특히 단조로운 일의 장시간 지속이 불가피한 경우, 쉽게 흥미를 잃게 되는 학습자들의 특성과도 연관이 있다. 아동들도 마찬가지고 연령이 높은 성인의 경우 장시간의 집중이나 학습활동에 권태감을 느끼게 되는데, 이럴 때 방법의 적절한 변형으로 주의를 새롭게 환기시키면 학습 의욕을 북돋워 줄 수 있게 된다.

성인을 대상으로 하는 사회교육은 융통성이 있어야 한다. 비록 당초의 계획과 달라진다 하더라도 상황에 따라서 임기응변적으로 새로운 방법의 도입이 불가피한 경우가 있다. 따라서 사회교육에 있어서는 다양성과 융통성이 보장되어야 한다.

6) 능률성의 원리

사회교육의 대상자들은 다양하고, 사회교육에 동원될 수 있는 기법 및 기술, 시청각 기재 등도 다양하다. 더구나 사회교육을 필요로 하는 사람들의 사회교육에 대한 요구도 역시 다양하다. 그러므로 다양한 목적으로 다양한 기법이나 다양한 교육기자재를 활용하여 사회교육이 이루어질 수 있게 되었다.

그러나 사회교육에 투입되는 노력보다 그것으로부터 얻는 효과가 커지는 길을 선택해야 할 것이다. 이러한 관점에서 사회교육의 방법은 여러 가지 측면에서 능률적이고 효과적인 가장 적절한 방법들을 선택해야 할 것이다.

사회교육의 새로운 방법의 개발에 있어서도 이러한 능률성을 고려하여 최신의 공학을 활용하는 문제와 각종 대중 전달 매체의 활용 등에 대한 고려가 있어야 할 것이다.

7) 참여교육의 원리

참여교육은 사회교육을 시행함에 있어서 교육의 계획, 목적 및 내용의 선정, 방법의 채택 및 실시, 그리고 교육의 평가에 이르는 전 과정에 교육을 전문적으로 실시하는 사람들과 사회교육을 받아야 하는 사람들이 함께 참여하면서 이루어지고, 그 결과의 평가에 의하여 새로운 교육을 또 다시 계획하고 수행하도록 하는 것이다.

따라서 참여교육은 사회교육에 있어서의 학습자들이 교육의 전 과정에 여러 가지 측면에서 적극적으로 참여함으로써 사회교육이 보다 실질적으로 학습자들의 생활의 질을 개선하고 보다 나은 상태로 변하는 데 도움을 주어야 한다는 것이다.

8) 유희·오락성의 원리

사회교육의 방법을 선택함에 있어서 이들 방법들이 게임이나 오락적인 성격을 동반할 경우 그 참여의 폭과 질을 훨씬 향상시킬 수 있다는 점이다.

놀이적인 성격으로도 표현될 수 있는 유희·오락적 성격은 교육 참여자들로 하여금 새로운 것을 배운다는 무거운 심리적 압박을 주는 대신에 알게 모르게 즐기고 그 속에 몰입하게 함으로써 배움과 더불어 긴장을 풀고 즐길 수 있다는 느낌을 동시에 줄 수 있게 하는 장점을 살리는 것이다. 예를 들어 역할극을 통하여 문제를 숙지하고 그 해결 방법까지 깨달을 수 있지만 이러한 학습이 진행되는 동안 연극을 감상하거나 혹은 연기를 한다는 새로운 분위기로 부담 없이 흥겨운 시간을 보낼 수도 있다는 점이다.

사회교육의 방법이 진지하고 딱딱한 내용이라 할지라도 유희·오락적인 방법으로 다루는 동안 오히려 그 진수를 더욱 심각하게 다룰 수 있도록 전체를 이끌 수 있기를 요하는 원리라 할 수 있다.

4. 성인소비자교육의 기회

성인소비자교육의 기회는 다양하다. 우리 생활 주변에 쉽게 접하여 배울 수 있는 기회가 많이 있으므로 그러한 기회를 이용하여 자아를 실현하는 계기로 삼을 수 있다. 성인이 소비자교육을 받을 수 있는 기회는 다음과 같다.

- 대중매체 및 정보제공 시설 : TV, 신문, 잡지, 도서관, 서점, 정보센터 등
- 클럽 및 자원단체 : 청소년단체, 정치단체, 노동조합, 종교단체, 봉사단체, 꽃꽂이, 요리강습 등
- 지역사회 개발 및 사회운동 : 소비자교육, 인구교육, 모자 보건교육, 새마을교육 등
- 학교와 대학의 평생교육 및 비형식적 교육 : 방송통신교육, 공민학교, 기술학교, 각종 학교 등 학교 형식 교육과 학원 비형식 교육

우리나라의 학교는 학생을 대상으로 하는 정규의 학교 교육 외에 상설 새마을학교, 새마을교실, 어머니교실, 경로교실, 주부교실, 부부교실, 신부교실, 지역사회 학교 등이 성인 대상 사회교육의 일부를 담당하고 있다. 그 대상은 학부모, 지역민, 졸업생 등이 중심이 되고 있으며 학생을 중재로 한 유형, 무형의 사회교육 역시 성과를 올리고 있다. 어머니 교실을 비롯하여 최근에는 교양, 건강과 미용 등에 더 많은 관심을 갖는 경향이며, 가정경영과 학교 교육과정 이해와 자녀의 생활지도에 관한 강의 시간을 요구하고 있다.

성인소비자의 소비능력을 향상시키기 위해서는 이러한 다양한 성인 사회교육의 기회를 활용해야 할 것이다.

평생교육

우리나라에서는 헌법과 사회교육법에서 학교교육을 제외한 사회교육을 '평생교육을 위한 교육활동'으로 규정하고 있기 때문에 평생교육은 학교교육을 제외한 모든 교육 활동이라 할 수 있다. 즉, 평생교육은 평생 계속되는 인간 교육의 일환으로써 정규 학교 외에서 이루어지는 사회화과정을 말한다.

즉 평생교육이란 개인의 생의 전 과정을 통하여 생활의 질을 향상시키고 나아가 집단과 사회 발전을 도모하기 위하여 다양한 학습 기회를 평등하게 보장하여 줌으로써 교육역량을 극대화하려는 것이다.

5. 성인소비자교육 프로그램

1) 프로그램 교육목표 설정의 원칙

성인소비자를 대상으로 하는 교육프로그램의 교육목표는 다음과 같은 원칙에 의하여 설정한다.

① 프로그램 특성과 수강자들의 요구에 맞게 설정한다.
② 수강자가 도달 가능한 목표를 설정한다.
③ 활동을 통하여 자아성취의 보람을 느낄 수 있는 목표를 설정한다.

2) 프로그램 교육 주제 및 내용 선정

프로그램별 교육목표를 달성하기 위해서 구체적으로 다음과 같은 교육내용을 선정하는 것이 효과적이다.

① 일회성, 단편성을 지양하고 실생활에 유용하게 쓸 수 있는 내용
② 수강자의 수준과 요구에 맞으며 가능한 활동적인 내용
③ 활동의 연속성, 계열성이 있는 내용
④ 수강자가 가지고 있는 생활 과제와 관련 있는 내용

3) 성인소비자교육 프로그램 작성의 기본방향

기본방향은 다음과 같이 제시할 수 있다.

① 소비생활을 잘하고 못하는 주체가 소비자 개인임을 자각하게 하고, 소비자의
   마음을 움직일 수 있는 동인을 부여하여 일상의 작은 실천이 반복되도록 함
   으로써 소비생활에 변화를 가져오게 한다.
② '나 → 가정 → 사회 → 나라'의 살림살이 향상에 이롭고 만족을 늘려주는 각 대
   상자의 소비환경에 적합한 구체적인 유인 사례를 발굴하여 활용한다.
③ 소비 주체의 합리성·과학성, 사회적 책임을 유도할 수 있고 내면화시킬 수
   있는 지식, 기능, 가치·태도가 통합적 연계망 속에서 추구될 수 있도록 한다.

6. 성인소비자교육의 주요 주제

자본주의 사회에서 능동적인 소비자가 되어 자신의 욕구를 조절하고 그에 따
라 소비행동을 하게 될 때 소비행동 자체가 왜곡되지 않는다. 그렇지 못하면 소
비에 관한 의사결정이 자신의 의지와는 별개로 기업이나 생산자에 이끌려 가는
수동적인 소비자로 전락하고 만다.

학교라는 테두리 안에서 이루어지는 공식교육을 마친 성인의 소비자교육은 사
회교육의 형태로 이루어진다. 사회교육의 형태로 이루어지는 성인의 소비자교육
은 소비자 단체, 대중매체, 정부기관 및 공익기관 등이 주로 그 역할을 담당하고
있다. 그러나 실질적으로 지금까지 성인의 소비자교육을 주도적으로 담당한 주
체는 여성들이 중심이 된 소비자단체였다. 이러한 여성단체를 중심으로 한 지금
까지의 소비자교육은 가계를 중심으로 한 미시적인 문제에 중점을 두어 왔다. 그
러나 소비자교육의 목표는 앞서 소비자교육의 효과에서 살펴본 바와 같이 궁극
적으로 소비자들이 능동적으로 행동하여 모든 경제체계가 소비자를 중심으로 이
루어지도록 하는 것이다. 모든 소비자가 부적절한 경제구조를 변화시키기 위해
능동적으로 행동해야 하지만 현실적으로 아동이나 청소년에게 이러한 역할을 기

대하는 것은 매우 어려운 일이므로 이러한 부분은 주로 성인소비자가 담당해야 하는 영역이라 할 수 있다. 그러므로 성인의 소비자교육에 있어서 중요한 부분은 적극적인 참여의식이라 할 수 있을 것이다. 나 하나쯤이야 하는 의식을 버리고 나부터라는 의지를 갖고 적극적으로 행동할 수 있도록 성인의 가치관교육을 하는 것이 매우 절실하다.

더욱이 성인소비자가 어떠한 의식을 가지고 행동하는가는 다른 연령대의 소비자의 사회화에 많은 영향을 미치기 때문에 성인소비자들이 바른 가치관을 가지고 적극적으로 모든 문제에 참여하여 해결하려는 의지를 갖도록 교육하는 것은 매우 중요한 일이라 할 수 있다.

매스미디어를 통한 각종 캠페인의 효과는 대중매체의 영향력이 얼마나 막강한지를 보여 준다. 이와 같이 현대사회에서 대중매체는 매우 큰 영향력을 가지고 있으므로 대중매체를 효율적, 의도적으로 소비자교육에 이용해야 한다. 그러면 어떠한 내용들이 성인소비자교육에 포함되어야 하는지 살펴보자.

1) 시장과 가격의 기능

자본주의 경제에서 기본적인 경제문제는 시장을 통해 해결된다. 이 같은 시장의 역할을 시장기능이라고 하는데, 시장의 기능은 가격을 통해 이루어진다. 가격이 경제주체들의 행동을 조절하는 매개체 역할을 하며 경제주체들에게 선택의 방향에 대한 신호를 주고 있다. 경제학적인 의미에서 시장은 상품 및 생산요소 시장으로 크게 양분할 수 있다. 생산요소라 함은 노동, 자본, 지식, 기술 등 생산과정에 투입되는 자원을 의미한다. 소비자는 경제주체의 하나로서 소비재의 수요와 생산요소들의 공급에 관한 의사결정을 한다. 이렇게 정의되는 소비자는 소비에 관한 의사결정을 함으로써 저축에 관한 의사결정도 동시에 하는데, 현재소비 및 미래소비에 대한 의사를 결정함으로써 저축은 투자재원이 되고 투자는 물적 자본 및 인적 자본과 함께 국부의 근원이 된다. 이렇게 볼 때 시장경제에서 소비자의 역할이 얼마나 중요한지를 알 수 있다.

2) 화폐와 금융

화폐는 교환의 매개물로서 거래비용을 절감시켜 준다. 화폐가 가치저장수단이 되다는 것 역시 기간 간 거래의 매개물이 된다는 것을 의미한다. 화폐는 거래비용을 절감시킴으로써 경제적 후생을 증진시킨다. 화폐는 또한 계산의 단위가 되는 기능을 수행한다. 경제활동의 크기를 화폐로 측정하는 것이다.

화폐경제에서는 명목가격과 상대가격을 구분해서 이해하는 것이 중요하다. 명목가격은 화폐단위로 표시한 재화의 가격이며, 상대가격은 화폐와는 무관한 재화와 재화 사이의 교환비율을 의미하는데, 자원배분에 영향을 미치는 것은 명목가격이 아니라 상대가격이다. 그러나 가격이 화폐가격으로 표시되고 경제주체에게 화폐가격이 보다 더 익숙한 개념이므로, 명목가격의 변화가 경제활동에 영향을 줄 수도 있다.

화폐는, 화폐가 없었더라면 불가능하거나 아니면 아주 힘들게 이루어질 수밖에 없는 거래를 가능하게 함으로써 경제적 후생을 증진시키는 기능을 수행한다. 이와 같이 시장 실패를 극복하거나 시장을 보다 더 효율적인 것이 되게 하는 데 화폐의 가장 본질적인 기능이 있다.

3) 경제성장에 대한 이해

국민총생산량이 지속적으로 증가하는 현상을 경제성장이라고 한다. 경제가 성장하면 전 국민이 더 잘 살 수 있는 가능성이 생긴다. 성장하는 경제는, 그 나라가 현재는 후진국일지라도 언제인가는 선진국이 될 수 있다는 희망을 가질 수 있다.

국제무역과 경제성장은 강한 정적인 상관관계를 지니고 있다. 정부 부문의 역할과 경제성장을 비교해 보면, 정부 부문이 지나치게 크거나 지나치게 작으면 경제성장률이 낮다. 이것은 경제성장에 관해서 정부 부문의 적정규모가 존재한다는 것을 시사하는 것이다.

국제무역은 교역에 참여하는 당사국에게 무역의 이익을 가져다준다. 무역의 이익을 창출하는 근본원리는 비교우위의 존재에 있다. 국제무역은 자원을 보다

더 효율적으로 배분하게 함으로써 무역의 이익을 제공하고, 시장규모를 확대시
킴으로써 규모의 경제에서 오는 이익을 향유하게 한다. 또, 외국기업까지 경쟁대
상으로 끌어들임으로써 경쟁을 치열하게 만들어 비용절감을 촉진하고, 기술전수
와 모방, 개선을 가능하게 함으로써 경제성장을 촉진시킨다.

4) 경제의 세계화 및 지역주의의 확산과 광역화에 대한 이해

UR 타결을 계기로 WTO로 대변되는 신국제경제질서에 성공적으로 대응하는
것이 우리에게 주어진 새로운 과제이다.

개별국민경제들이 보다 긴밀하게 연결되어 가는 배경에는 무엇보다도 국가 사
이의 물리적 거래를 단축시킨 기술, 사회 및 문화적 변화가 자리잡고 있다. 통신
및 교통의 발달은 상품의 교역뿐만 아니라 자본, 노동력 및 정보의 교환을 용이
하게 하였다. 특히 정보통신기술의 발달은 금융혁신 및 자본의 국제화를 초래하
였고, 직접투자를 통한 기업의 세계화를 촉진하였다.

기술혁신에 못지않게 세계경제의 통합을 촉진한 요인으로 국경 간 무역장벽의
괄목할 만한 철폐를 들 수 있다. GATT 체제하에서 수차례에 걸쳐 진행된 자유화
협상은 무역장벽을 낮추는 데 결정적으로 기여하였다. 한편 1980년대 중반 이후
많은 개도국들이 대외지향적 성장정책으로 선회하면서 자율적인 자유화를 추진하
여 온 것 또한 무시할 수 없다. 상품교역에 있어서의 자유화는 물론이고 금융을
비롯한 서비스교역의 자유화도 최근에 들어 추진속도가 점점 빨라지고 있다.

생산의 세계화(globalization of production)는 수출을 통하여 국제분업에 참
가하던 국내기업이 주요 생산활동의 일부 또는 전부를 해외로 이전함으로써 다
국적생산체제를 구축하여 가는 과정을 의미한다. 세계 유수 기업들의 세계화과
정을 보면, 세계화는 경쟁에서 살아남기 위한 불가피한 선택이었음을 볼 수 있
다. 즉, 어느 정도 독점적 지위를 지닌 기업들의 해외시장 진출이 처음에는 수출
이라는 형태를 취하다가 독점계약을 통한 판매 및 서비스망을 구축하게 되고, 다
음 단계로 유통망에 투자하게 되며, 궁극적으로 해외 생산시설을 갖추게 된다.
최근에는 저임금 노동력을 활용하여 제3국시장에 진출하려는 동기에서 개도국

기업들이 개도국에 투자하는 경향도 나타나고 있다.

관세란 수입품에 대해 세금을 부과하는 제도로서 관세를 부과하면 그만큼 수입품의 국내가격이 상승한다. 이는 교역조건을 인위적으로 개선하는 것과 같다.

세계화가 20세기 후반 세계경제 변화의 커다란 조류라면, 지역화(regionalization), 또는 지역경제 통합(regional integration)이라는 또 하나의 조류가 병존하고 있다. 지역경제 통합은 흔히 경제적 이해관계가 보다 밀접한 국가들끼리 특혜적인 무역 및 투자자유화를 통하여 추진하게 된다. EU와 북미자유무역협정(The North America Free Trade Area: NAFTA)은 이러한 지역경제 통합의 대표적인 예로 지목된다.

5) 건전한 소비문화의 조성

국가경쟁력 강화는 구조조정으로만 이루어지는 것은 아니며, 우리 경제에 대한 국민들의 올바른 인식과 현명한 경제행위가 동반되어야 하고 이를 위해서는 우리 경제 현실에 대한 철저한 교육이 필요하다. 개인의 소비가 국가경제에 미치는 영향을 고려한 분수에 맞는 합리적 소비가 국가경쟁력을 강화한다는 인식이 뿌리를 내릴 수 있도록 해야 한다.

절약과 저축이 가계의 안정된 미래를 보장해 주는 동시에 국민경제의 투자재원을 뒷받침해 주고, 물가안정에 기여함으로써 가정경제와 국가경제를 다같이 튼튼하게 해 주는 원동력이라는 사실을 다시 한 번 되새겨야 할 뿐 아니라 적절한 소비가 경제의 윤활유가 됨을 주지해야 한다. 무조건 안 먹고 안 쓰기는 절약을 강조하는 수준에서 벗어나므로 과소비 풍조를 근절해 나가면서도 건전하고 합리적인 소비를 장려하는, 새로운 소비문화를 만들어 나가는 데 역점을 두어야 한다. 즉 소비는 판매를 증가시키고 판매가 증가하면 재고가 감소하고 생산이 증가하며 이는 곧 소득의 증가를 가져와 경제성장을 촉진시키는 반면, 국내의 생산능력을 초과한 과소비는 물가를 상승시켜 수입을 촉진하므로 외화를 국외로 유출하게 하여 국내 생산감소 등의 부정적 결과를 가져온다.

건전한 소비는 정신적 가치를 추구하는 소비로 개인과 함께 사회를 잊지 않는 소비이며 성실한 대가를 지불하는 소비, 능력에 맞는 검소한 소비, 환경친화적 소비인 것이다.

6) 자원의 제한성과 기회비용

자원은 인간의 욕구충족에 필요한 수단이라고 정의될 수 있다. 더 단순하게 말하면, 무엇인가 우리의 목표를 달성하기 위하여 사용되거나 사용될 가능성이 있는 수단이 바로 자원이다.

'무한한 욕구에 비하여 자원은 유한하다.'는 말을 자주 듣는다. 원하는 것은 수없이 많고 큰데 이를 실현할 수 있게 해주는 수단, 즉 자원은 제한되어 있기 때문에 우리가 원하는 것을 다 충족시켜 줄 수 없다는 것이다. 이와 같이 상대적으로 제한된 자원을 갖고 가능한 한 많은 목표를 달성하기 위하여 우리는 자원의 사용에 관한 전략을 필요로 하게 된다. 어떤 자원을, 얼마만큼, 어느 순간에, 어떻게 쓸 것인가를 결정하는 자원관리는 매우 중요하며, 이러한 결정과 결정에 따른 행동이 삶의 질을 좌우한다.

자원 관리에서 고려해야 하는 중요한 요소가 기회비용이다. 즉 어떤 선택은 또 다른 선택의 기회를 박탈하기 때문에, 이처럼 박탈되는 기회의 비용을 고려해야 하는 것이다. 무엇을 할 것인지 결정하는 일은 다른 할 수 있는 일을 다 고려해야 하고, 그 중에서 가장 효율적이고 유용하고 필요한 하나를 결정하는 것이다. 따라서 다른 일을 할 수 있는 기회의 가치를 포함한다고 볼 수 있다. 이처럼 기회비용을 생각하면 관리가 보다 수월해진다. 많은 일 중에 보다 중요한 것을 가리게 되는 우선순위는 기회비용에 의해서 정해지게 되고, 다양한 자원의 조합도 효율적으로 할 수 있게 된다. 효율적인 자원관리의 기본은 기회비용이 최소가 되도록 하는 선택에 있다.

7) 자녀의 소비자사회화에 관한 교육

자녀의 소비자사회화에 미치는 부모의 영향이 매우 크다는 것을 감안하면 성인소비자는 자녀를 올바로 지도할 수 있는 역량을 갖추도록 해야 한다.

(1) 돈의 가치 및 중요성

자녀들에게 일상생활을 하기 위해서는 돈이 필요하고, 돈이 있어야 자신이 원하는 것도 가질 수 있다는 기본 개념을 알려줄 필요가 있다. 어려서부터 돈에 대한 올바른 인식과 작은 돈도 귀중하게 여기는 태도를 길러 주어야 한다. 돈의 귀중함을 알게 하기 위해서는 부모가 동전 하나라도 잘 관리하는 태도를 보여야 한다.

(2) 자녀의 용돈교육

사실 우리 부모들은 자녀교육을 위해 어떠한 노력도, 비용도 마다하지 않는다. 그러나 용돈 사용에 대한 관심과 교육은 그런 노력들에 비해 매우 빈약하기 짝이 없다. 심지어 자녀들이 어리다는 이유로 돈을 모르게 하는 편이 낫다고 생각하기 일쑤다. 이러한 생각은 매우 잘못되었으므로 바꾸어야 한다. 용돈을 사용하기 시작하는 단계부터 용돈에 대한 정확한 인식과 사용법은 자녀의 성장은 물론 앞으로의 사회생활에 매우 중요한 학습임을 인식해야 한다.

용돈은 자녀가 돈을 관리하는 것을 배우게 하는 중요한 학습도구다. 때문에 용돈교육은 돈의 소중함을 체득하게 하는 단순한 의미에 그치지 않고, 돈을 쓸 때 스스로 판단하여 결정하게 하며, 그 판단이 틀렸을 때 겪는 어려움을 이겨내도록 하는 훈련과정인 것이다. 용돈교육은 자녀들이 자기 학용품을 스스로 구입하기 시작하는 초등학교 1학년 때부터 시작하는 것이 좋다.

① 적당한 용돈을 정기적으로 준다

용돈을 지나치게 많이 주거나 자녀들이 요구할 때마다 주면 자녀들이 소비욕망을 스스로 조절하지 못하게 된다. 너무 적게 줘도 자녀들이 관리하거나 저축할게 없어 효과를 보지 못한다. 용돈은 저학년의 경우 주(週) 단위로, 고학년의 경우 월(月) 단위로 주는 것이 좋다.

② 집안일을 도운 대가로 용돈을 주지 않는다

일상적인 집안일을 도왔다고 용돈을 주게 되면 당연히 해야 할 일도 금전적인 보상에 따른 금전인식을 심어 줄 수 있으며, 경제적으로 의존하는 마음을 부추길 수 있다.

③ 용돈기록장을 쓰게 한다

아이들의 용돈 관리 능력은 선천적인 것이 아니다. 용돈기록장을 쓰게 해 꾸준히 학습하게 해야 한다. 이때 부모도 같이 가계부를 쓰는 모습을 보여 주면 간접적인 학습 효과를 높일 수 있다.

④ 저축은 용돈으로 하게 한다

저축은 특별한 날에만, 큰돈이 생겼을 때에만 하는 것이 아니라 평소에 정기적으로 하는 것이라는 생각을 자녀가 가지도록 해야 한다. 그리고 저축은 부모의 돈을 받아서 하는 게 아니라 용돈을 아껴 쓰고 남은 돈으로 하게 하고, 꼭 필요한 경우에는 일부를 찾아 쓰게 해야 한다. 이렇게 함으로써 저축의 중요성을 인식시키고, 저축의 습관을 기를 수 있다.

⑤ 미안한 마음을 물질적으로 보상하지 않는다

맞벌이 부부의 경우 자녀한테 미안한 마음을 물질적으로 보상하려는 심리가 있다. 이는 결국 자녀의 소비욕구를 점차 높일 뿐이다. 오히려 대화와 만남의 시간을 늘리는 게 물건을 사주거나 돈을 주는 것보다 더욱더 중요하다.

(3) 절제와 절약

물건을 아끼고 재활용하는 습관은 경제생활의 기본 조건이다. 물건을 적당량 사기, 깨끗이 사용하기, 수돗물 세게 틀지 않기, 전깃불 끄기, 색종이 함부로 버리지 않기, 폐품 활용하기 등을 습관화해야 한다. 그리고 자녀들에게 자기가 원한다고 해서 모두 가질 수 있는 것이 아니며, 자신의 욕구를 적절히 조절해야 할 필요가 있다는 것을 알려 준다. 쉽게 얻은 물건은 소중히 다루지 않으며 잃어버려도 아쉬워하지 않고 애착도 없는 경우가 많으므로, 비싼 것을 사 달라고 할 경우에 의도적으로 일정 기간을 기다리게 하거나 자신이 저축해 놓았던 돈을 보태

도록 하는 방법 등을 활용하면 그 물건을 갖게 되었을 때보다 소중하게 다루게
된다.

자녀의 바람직한 소비태도를 기르는데 가장 중요한 것은 역시 부모들의 금전
관리태도이다. 그러므로 평소에 검소하고 절약하는 모습을 자녀에게 보여 주는
것이 무엇보다도 중요하다.

8) 사회안전망과 지역사회공동체

세계화가 진행되면서 국가나 사회 단위보다는 지역 단위의 경쟁력이 중요해지
면서 지역사회공동체가 중요한 화두로 떠오르고 있다. 더욱이 그 사회의 선진화
여부를 판가름하는 중요한 기준이 지역사회의 주체가 단순히 기업, 정부, 가계라
는 3요소로 이루어진 단층사회가 아닌 지역공동체 의식에 기반한 시민이 주인이
되어 그 사회의 중심을 이끌어 가고 있는 복층사회임을 주시할 때 지역사회 공
동체에 대한 새로운 인식과 이를 확산시키기 위한 노력이 절실히 요구된다.

대표적인 지역사회 참여의 한 영역인 자원봉사 부문을 들여다보면 시사하는
바가 크다. 미국 성인의 54%가 주당 4시간의 자원봉사 활동을 하고 있고, 영국
의 경우 51%, 일본의 경우도 20%가 자원봉사 활동에 참여하고 있다. 우리나라
의 경우 15세 이상 국민 중 현재 자원봉사 활동을 하고 있는 사람의 비율은
5.4%로 선진 외국에 비해 매우 낮은 수준이다(한국여성개발원, 자원활동 정보편
람, 1995, p.13).

처음에는 주로 사회의존 계층에 대한 복지적 접근으로부터 시작된 지역사회
공동체운동은 그 이후 경제, 자활, 소비자운동, 환경, 교육, 교통, 스포츠, 범죄
예방 등 실로 지역사회의 주민과 삶과 관련된 모든 영역을 망라하고 있다. 특히
이제까지는 지역사회를 개발시키고 발전시키는 과정에서 경제개발 논리가 우선
시되어왔으나 지역사회의 환경과 문화적 요소들이 중요한 부가가치를 창출하는
자원이 될 수 있음을 점차 인식함에 따라 이들 요소를 창출하기 위한 지역사회
공동체운동이 활발해지고 있다. 지방자치제가 발달하면서 정치 영역 또한 지역
사회 참여의 중심 영역이 되고 있다. 그러므로 지역사회에서 소외된 시민들을 민

주사회의 책임 있는 주권자로 회복시키고 주민이 모든 분야에서 지역사회의 주인이 되어 실천에 앞장서는 적극적인 참여의식을 갖도록 해야 한다.

9) 직업윤리

흔히 '직업에는 귀천이 없다.'고 하지만 직업은 사회적 역할 분담을 의미하기 때문에 적어도 직업은 사회적으로 유용한 것이어야 한다. 바로 이러한 관점을 바탕으로 한 바른 직업관과 직업윤리가 성인소비자에게 필요하다.

그러나 아직도 잘못된 직업관을 가진 사람들이 적지 않다. 예를 들면, 전근대적인 관존민비 의식, 직업에 대한 차별 의식, 비합리적인 업무 처리, 정밀성과 절제의식의 부족, 자기 직업에 대한 소명 의식의 결핍, 불로소득과 부당이득의 추구, 사회 봉사 정신의 부족 등이다. 이러한 잘못된 직업 의식이 생기는 근본 원인은 사람들이 올바른 직업 윤리 의식을 확립하지 못한 데에 있다.

직업인이라면 누구나 최소한 다음과 같은 자세를 지니고 자신의 직업에 종사해야 할 것이다.

첫째, 직업적 양심을 가지고 각자가 맡은 일에 매진해야 한다. 모든 직업인은 자기를 믿고 일을 맡긴 사람들을 속이지 말아야 한다. 그리고 자기의 일에 순수한 애정을 갖고 온 힘을 기울이며, 자기 직업에 대하여 긍지와 자부심을 가지는 것이 매우 바람직하다.

둘째, 연대의식을 가지고 공동체를 위하여 일하며 서로 도와야 한다. 더불어 살아가는 지혜를 발휘하여 유기적인 공존 공영 의식이 필요하다. 전통적인 상부상조의 정신을 발휘해야 한다. 이것은 직장 동료들 사이에서뿐만 아니라 기업들 사이에서도 필요하다. 환경문제의 경우처럼 한쪽의 이익이 다른 쪽에도 이익을 가져다준다는 사실을 깨달아야 할 것이다.

셋째, 전문가가 되어야 한다. 다른 사람들의 신뢰를 받기 위해서, 업무를 제대로 수행하기 위해서, 그리고 고도 산업사회에 적응하기 위해서는 모두가 전문적 기술과 지식을 갖추지 않으면 안 된다.

넷째, 인간을 사랑하는 마음을 실천해야 한다. 사랑의 실천은 자기의 직업을 성실히 수행함에 있어서 최선의 덕이다.

직업 윤리의 근본 원리는 모두가 제각기 자기의 능력에 따라 맡은 바 직분을 성실하게 수행하도록 하는 것이다. 모든 직업은 그 나름대로 사회 발전에 이바지하고 있으므로, 사람들은 소명의식과 사명감 및 긍지를 가지고 자기의 직업에 임해야 할 것이다.

10) 사회문제해결을 위한 적극적인 행동

성인소비자는 자신이 속해 있는 사회나 기타 공동체 문제를 자기 일로 인식하여 해결하고자 하는 적극적인 자세가 필요한데, 이와 관련해서 여기에서는 특히 님비현상과 무임승차에 대해 살펴보기로 한다.

(1) 님비현상

님비(NIMBY)는 'Not in my backyard'라는 영어 구절의 각 단어 머리글자를 따서 만든 신조어로, '내 뒷마당에서는 안 된다.'는 이기주의적 의미로 통용되기 시작했다. 늘어나는 범죄자, 마약중독자, AIDS환자, 산업폐기물·핵폐기물을 수용·처리하는 마약퇴치 센터나 방사능 오염쓰레기 처리장 등과 같은 시설의 필요성을 인정하면서도 이것이 '남의 뒷마당'에서 이루어지기를 원하는 자기중심적 공공성 결핍 증상이다. 즉 환경적인 측면에서 혐오시설을 자기 집 주변에 두지 않으려는 지역주민들의 반대하는 현상을 의미한다. 님비현상과 같은 의미로 바나나(banana) 신드롬이란 말도 있다. '우리 동네 사람 근처에는 절대 아무것도 짓지 말라(Build absolutely nothing anywhere near anybody).'는 뜻이다.

NIMBY의 반대말은 PIMFY(Please, in my front yard) 또는 IMFY(In My Front Yard)로, 지역에 유리한 사업을 서로 유치하려는 현상이다. '제발 우리 집 앞마당에(Please in my front yard)' 지어 달라며 운동을 벌이는 현상이다.

혐오시설에 대한 구성원의 적극적인 행동이라고 볼 수 있는 님비현상은 긍정적인 측면과 부정적인 측면을 모두 가지고 있다.

먼저 긍정적 측면을 보면, 님비현상은 혐오시설로 인한 각종 위험의 가능성을 사전에 차단한다는 점이다. 핵 쓰레기장과 같은 혐오시설이 들어오면 주민들은 혹시나 있을지 모를 각종 위험에 노출된다. 최악의 경우 생명마저도 잃을 수 있다면 생존권을 보장하기 위해서 마땅히 반대를 해야 할 것이다. 이런 측면에서 님비현상이 반드시 나쁜 것만은 아니다. 지역에 대한 애향심과 자기보호를 위한 정당방위적 행동이라고 볼 수 있다. 이기주의라는 말은 사회의 해악요소라는 의미가 강하다. 그러나 자기 집 뒷마당에 냄새나는 쓰레기 매립장이 생기기를 바라는 사람은 아무도 없다는 점에서 님비현상은 국민의 당연한 권리이기도 한 것이다. 특히 혐오시설이 들어섬으로 해서 생계수단이 차단되는 지역 주민들에게 있어서 님비현상은 생존권적 권리의 한 표현으로 볼 수 있다.

1990년 안면도에 핵폐기장이 들어선다는 소식에 대다수의 지역 주민들이 완강하게 저항했다. 당시 이들은 정부에 의해 '지역이기주의자'라고 매도당했다. 그러나 지역 선정과정에서 이 지역 주민들의 의사를 철저하게 배제하는 등 비밀행정을 총괄했던 당시의 과학기술처장관이 경질되고 건설계획이 철회됨으로써 사태는 일단락되었다.

지리산과 설악산의 양수발전소 건설, 소각장 건설, 핵발전소 건설, 핵폐기장 건설, 쓰레기 매립장 건설 지역 등에서 계속되었던 이런 현상이 현재까지도 정부와 계획추진자들에 의해 지역이기주의로 매도되고 있다. 정부와 계획추진자들은 어디엔가는 건설되어야 한다는 당위성을 내세우며 이에 반대하는 지역주민들을 지역이기주의라고 비난한다.

그러나 이것은 독성폐기물을 후진국에 몰래 버리다 들킨 선진국이 '이것은 지구상의 어디에선가는 처리되어야 한다. 후진국 너희들이 이기주의다.'라고 말하는 것과 마찬가지다.

정부 스스로 국민의 알 권리와 헌법상의 환경권을 무시하고 관료적 비밀행정을 지속하는 한 님비현상은 해결될 수 없다. 따라서 이런 상황은 지역이기주의가 아니라 오히려 '관료이기주의'라고 하는 게 정확하며, 님비현상을 해결하기 위한 최소한의 전제조건은 정부와 계획 추진자들이 민주적 과정에 익숙해지고 성숙해지는 것이다. 공정한 정보공개와 광범위한 의견 수렴, 투명한 행정절차, 생존권에 직접적인 피해를 입는 이들에 대한 정당한 대우, 이를 거쳐 나오게 될 주민과 국민의 심판에 따르는 것이야말로 님비현상을 해결할 수 있는 최선이자 유일한 방법이다.

님비현상이 갖는 부정적 측면으로는 앞서 지적한 바와 같은 '지역이기주의'를 들 수 있다. 내 뒤뜰에는 안 되지만 다른 지역에는 가능하다고 주장하는 것을 근거로 지역이기주의라는 비판을 받기도 한다. 꼭 설치하지 않아도 된다면 내 뒤뜰에만 안 되는 것이 아니라 다른 지역에도 안 된다는 대승적 차원에서 반대 운동을 벌이는 것이 옳을 것이다. 그러나 반드시 어딘가에는 설치해야 할 혐오시설이라면 공청회 등을 통한 주민의 의견수렴, 외부 효과에 대한 보상, 유치 희망 지역의 조사, 환경 영양 평가 등, 투명하고 합리적인 절차를 통해 이를 해결해야 할 것이다.

(2) 무임승차

무임승차(無賃乘車)는 글자 그대로 차를 공짜로 타는 행위를 말한다. 그러나 공공경제학에서는 어떤 재화나 서비스의 대가를 지불하지 않고 그것을 향유하거나 소비하는 경우를 일컫는다. 이러한 현상은 흔히 소위 배제원칙(Exclusion Principle)이 적용되지 않는 재화나 서비스의 경우에 생기고 공공재가 이러한 속성을 지니는 경우가 많다. 외부 경제효과도 무임승차의 한 예이다.

우리 사회에서의 무임승차자 문제는 심각한 사안 중 하나다. 무임승차자(Free rider)는 소속된 조직에 기여도가 없거나 낮아서 가정·사회·국가에 부담을 주는 경우에 발생한다. 실업 같이 구조적인 경우와 제도적 혹은 관리상의 결함에서 나타난다.

먼저 실업으로 인한 무임승차자 문제를 보자. 최근 집계를 보면 우리나라의 실업자가 100만 명을 넘어서고 있다. 이들 실업으로 인한 부담을 가족이나 사회 또는 국가가 안고 있다. 정부가 실업자 재교육과 취로사업 등을 실시하고 있지만 단기적 처방에 불과하기 때문에 근본적인 처방이 필요하다.

상품이 시장에서 성공하기 위한 여러 가지 요건 중 창의성을 빼놓을 수 없다. 특히 광고만큼 시장에서의 성공요소 중 창의성이 차지하는 비중이 큰 상품도 없을 것이다. 광고회사는 창의성을 먹고 사는 기업이다. 광고인들이 CF제작부서를 통칭해 '크리에이티브(creative)'라고 부르는 것만 봐도 쉽게 수긍이 간다. 그렇다면 직원들의 창의적 아이디어에 승부를 걸고 있는 광고회사에서 지식경영이 가능할까. 광고회사에서 문서화되어 있는 형식지나 표준화를 운운하는 것은 왠지 어울리지 않는 것 같다. 더구나 머릿속에 문득 떠오른 독창적 아이디어를 다른 사람과 공유한다는 것이 불가능한 일인 것도 같다. 그러나 제일기획에서 지식경영을 총괄하는 배재근 담당(영업지원실장)은 "광고사에서 하는 일의 60% 이상은 과거의 반복이며 새롭고 창의적인 일은 20~40%에 해당한다."며 "반복되는 일의 시행착오를 줄이고 효율성을 늘리기 위해서는 물론, 개인적 노하우를 전달하기 위해서라도 지식경영이 반드시 필요하다."고 강조한다.

변화관리가 아무리 좋은 시스템을 갖추고 훌륭한 계획을 세운다 하더라도 직원들이 변하지 않으면 소용없다. 직원들이 지식경영에 적극적으로 참여하지 않으면 지금까지 유행적으로 실시되어 왔던 다른 경영혁신 이론과 다를 것이 없기 때문이다. 제일기획은 '지식 마스터'라는 직책과 효율적인 평가·보상체계를 통해 직원들에 대한 변화관리를 이끌어 갈 계획이다. 지식마스터는 분야별로 제공되는 지식에 대해 평가 및 인증을 하거나 자신이 맡은 분야에서 우수사례를 발굴해 전파하는 구실을 하는 사람이다. 이들은 기업에 따라 지식 챔피언이나 지식 엔지니어, 지식 스폰서 등 부르는 이름은 다르지만 지식경영의 선도자 및 첨병 구실을 하는 핵심인력이다.

제일기획은 다른 사람이 제공한 지식을 사용만 하고 자신의 지식을 내놓기를 꺼리는 이른바 무임승차자(프리 라이더)를 줄이기 위한 방안 마련에 골몰하여, 이른바 '지식대차대조표'를 도입하는 방안도 장기적 과제로 검토하고 있다. 즉 사내 지식시장을 활성화해 남의 지식을 사용한 것과 자신의 지식을 제공한 것을 일정기준에 따라 평가하고 그 결과를 개인별로 점수화하는 것이다. 이렇게 되면 마이너스의 점수를 받는 사람에게 벌칙이 부여되어 무임승차자가 자연적으로 해소될 수 있다는 것이다.

자료 : 매일경제신문, 1999년 7월 26일자

전직에 따른 마찰적 실업과 경기침체에 따른 비자발적 실업은 불가피하지만 자발적 실업이 의외로 높다는 데 문제의 심각성이 있다. 이 자발적 실업은 교육제도의 결함과 가정 및 사회제도의 전통성에 그 원인이 있다. 실업률은 높은데 힘들고 어렵고 더러운 일, 이른바 3D 업종은 아직도 인력난이 심하고 고급 인력이 소요되는 정보기술(IT) 업종은 국내 인력이 부족해 해외 인력을 수입하고 있는 실정이다. 독립성을 함양시키는 교육이 없고 사회제도도 빈약해 자발적 실업을 양산하고 있다. 최근 일본에서 문제가 되고 있는 기생독신자(Parasite single)

증가 문제가 우리나라에도 심각한 수준이라고 본다.

기생독신자도 어떤 의미에선 무임승차자이다. 부모에게 기생하는 독신자의 증가가 경제의 활력을 떨어뜨린다는 보고서가 있다. LG경제연구원에 의하면 일본에서 독립하기가 어렵게 된 1000만 명이 넘는 젊은이가 부모와 동거하면서 기초적인 생계비를 절약해 유흥비 지출과 사치품 구매만 늘린다는 것이다. 우리나라도 사회경제적 환경이 일본과 비슷해 기생독신자가 460만 명을 넘는 것으로 추정되고 있다. 우리나라에서 기생독신자가 증가하는 것은 IMF 위기 이래 경제가 어려움을 겪고 있기 때문이기도 하지만 사회 제도와 관습 때문이기도 하다. 젊은 층이 지나치게 부모 의존형이고 독립성이 약하다. 97년 기준으로 18~24세의 젊은이가 부모와 동거하는 비율은 미국, 영국, 독일이 40~50%인 데 비해, 우리나라는 80%를 넘었다. 일본은 우리나라와 비슷하지만 80%엔 못 미쳤다. 서양에서는 부모에 의존하는 것이 불명예인데 우리나라의 경우는 당연시된다. 자녀 사랑이 지나쳐 부모는 자녀에 대해 무한책임을 진다. 의식 있는 성인소비자라면 전통적인 가치관을 깊이 짚어 보고 개선책을 마련해야겠다.

제도적 결함으로도 무임승차자 문제가 발생한다. 예를 들면, 현대건설의 출자전환 추진 과정에서 직접대출채권을 가진 금융기관은 출자전환에 따른 부담을 지지만, 회사채를 보유하고 있는 간접채권자는 아무런 피해를 보지 않은 것이 그 예다. 취업을 하고는 있으나 관리상의 허점으로 무임승차자가 발생하기도 한다.

하여튼 어떤 경우든지 우리 사회에 무임승차자가 발생하지 않도록 제도와 관습을 고치고 관리해야 한다. 무엇보다도 성인소비자는 무임승차하려는 안이한 의식에서 벗어나 스스로의 몫은 스스로 찾을 수밖에 없고 그 비용도 지불해야 한다는 성인소비자 내부의 의식전환이 절실하다.

11) 비판적 사회의식

사회의식이란 일상적으로는 사회에 대한 관심 또는 인식을 의미하지만, 사회학에서는 지금까지 사회의 모든 구성원이 공통적으로 지지해온 사고·감정·의지의 여러 양식을 총칭하는 말로 사용해왔으며, 때로는 사회 자체와 같은 방침이다. 대표적 학자인 뒤르켐은 사회의식을 집합표상(集合表象)이라 불렀다. 그는 그 특징이 개인표상에 비해서 외부적·구속적인 점에 있다고 보았으며, 따라서 이는 개인표상을 초월한 독자적 실재를 이루고 있다고 주장하였다.

사회학에서는 점차 사회의식 대신 행동형상·행위형상 또는 문화라는 용어를 사용하는 경향이나, 마르크스주의에서는 사회존재에 대치된 의미로서 사회의식이라는 말을 자주 쓴다. 이 경우에는 일반적으로 경제적 하부구조를 기반으로 성립되는 정치·법·관념 형태를 포함한 상부구조를 의미한다.

사회를 이끌어갈 중추적인 연령대로서의 성인소비자는 공동체의 이해에 관심을 기울이면서 사회현상에 휩쓸리지 않고 객관적이고 냉철한 사고로 현상을 분석하여, 전체 구성원들이 올바른 방향으로 나갈 수 있도록 여론을 주도할 필요가 있다.

한 사회, 국가의 수준을 결정하는 요소는 전 사회구성원의 사회의식과 사회적 실천이며, 순간순간 그 시대의 모순을 해결하기 위해 얼마나 투쟁하였는지가 현재를 규정하고 나아가 미래를 예측할 수 있게 해준다.

예컨대 긴 역사의 프랑스는 질적으로 우수했다고 평가될 수 있는 반면, 짧은 역사의 우리나라는 오히려 많은 역사적 허점을 안고 있다고 한다. 일본 제국주의의 개가 되어 사욕을 추구했던 자들이 해방 이후 정치권력을 잡는 역사가 실현되고, 파쇼 군사정권의 수괴들이 마찬가지로 역사의 심판도 받지 않고 있다. 반면 프랑스 국민들은 제2차 세계대전 당시 나치에 부역한 자들에 대해서는 유명한 프랑스식 사고 '똘레랑스' 대신 '앵똘레랑스'를 외치며 철저히 단죄를 했다. 이런 역사적 정의를 바로 세우고자 치열하게 노력을 한 사회적 의식의 차이가 한 사회의 수준을 결정한다고 한다.

성인소비자들이 개인적 오류와 약점, 내부 갈등으로부터 자유로울 수 없지만 그래도 사회의 핵심세력으로서 그것을 성찰하고 의식적으로 개혁하려고 노력하는 존재가 되어야 한다. 이를 위해 성인소비자는 다음과 같은 점에 특히 유념해야 할 필요가 있다.

첫째, 정치권력과의 관계에서 비판적 의식을 가져야 한다. 즉, 우리사회에서 성인소비자는 항상 권력에 대한 감시와 비판세력으로 자리를 굳혀 나가야 한다.

둘째, 사회의식과 가치의 이중성을 극복해야 한다. 사회의 제도와 시민들의 의식을 지배하는 가치문화 차원에서의 이중성과 전근대성을 지속적이고 심층적으로 비판하기 위해서는 가부장적 남성중심주의, 혈연 중시와 가족이기주의, 줄서기와 패거리 문화, 지연·혈연·학연의 중시, 상하 서열적 위계 강조와 같은 우리 모두의 의식 속에 스며들어 있는 전근대적 유습을 해체하고 새로운 문화적 가치와 규범을 창출해야 한다.

12) 기본적 생활법률

사회는 여러 사람들이 어우러져 여러 가지 생활관계를 형성하고 있다. 이러한 생활관계 중 법에 의하여 규율되는 생활관계를 법률관계라고 하는데, 법률관계는 권리와 의무 관계가 그 중심을 이루고 있다. 물론 권리와 의무만으로 법률관계를 구성할 수도 있지만 권리만 있고 의무는 없는 경우와 권리와 의무 외에 다른 요소를 필요로 하는 법률관계도 있다. 가장 단순한 법률관계는 한 사람이 다른 한 사람에게 하나의 물건을 매매하는 것이다. 그러면 한 사람은 상대방에게 물건을 청구할 권리가 발생하는 반면, 대금을 지급할 의무가 발생한다. 권리의무는 당사자의 의사에 의하지 않고도 발생하지만 가장 일반적인 것은 당사자의 의사에 의하여 발생한다. 특히 당사자의 의사에 의하여 권리와 의무를 발생시키는 법률관계를 법률행위라 한다. 우리는 일상생활에서 법적인 문제에 봉착하지 않고 일생을 살아갈 수는 없고, 또 기본적 법률에 대한 지식을 가지고 있을 때 예기치 않았던 사고에 좀 더 신속하게 반응할 수 있기 때문에 최소한 표 10-1에 관련한 사항들을 알아둘 필요가 있다.

| 표 10-1 | 기본적 생활법률의 종류 및 내용

종 류	내 용
가사/호적 관련	출생 신고, 약혼, 결혼, 이혼, 친권, 호적 승계, 상속, 유언
부동산/등기 관련	등·초본 발급 및 열람, 부동산실명제, 주택임대차보호법
민사사건/소송 관련	자동차 소유권, 공탁제도, 가압류 가처분
형사사건/소송 관련	고소/고발, 입건, 체포. 기소, 보석, 재판, 가석방, 합의
금전거래/담보·보증 관련	저당권, 보증보험, 보증채무. 연대보증

소비자교육 길잡이 10-3   생활법률정보 관련 사이트

- KOLIS 종합법률정보(www.kolis.co.kr)
  생활법률, 법령정보, 법조인명록, 문서서식, 판례정보 등 수록

- 로앤비(www.lawnb.com)
  생활법률, 법률용어, 서식, 기업법무 등 다양한 법률정보 검색서비스와 법률상담

- 가압류처분 e서비스(www.ccourt.com)
  가압류, 가처분 서식 작성(신청, 해제, 보정, 공탁, 공탁회수 등)과 제출방법 안내, 변호사 대리작성 서비스

노인
소비자교육

11 | 노인 소비자교육

　　우리나라 노인인구의 비율은 지난 2000년 7.1%로 유엔이 분류한 '고령화 사회 (aging society)'로 진입하였고, 2022년에는 노인인구가 14%를 넘어서는 '고령 사회(aged society)'에 들어서고, 2032년에는 노인 인구가 20%에 달하는 '초고령 사회'가 될 것으로 보인다.

　　인간의 수명연장으로 노년기 삶에 대한 관심이 고조되어 여러 측면에서 노인에 대한 사회적 평가가 재정립되고 있다. 경제생활에 있어서도 예외는 아니어서 노인인구가 늘어나면서 그동안 신세대에 가려 평가절하되었던 노인소비자들이 새로운 소비계층군으로 부각하였다. 각종 연금제도의 확대로 인한 노인 경제상태의 개선으로 노인들의 구매력이 커지고 있으며, 노인 단독가구의 증가로 스스로 소비생활을 해야 하는 노인들이 많아지면서 노인들의 소비생활이 활발해지고 있다.

　　또한 노인에 대한 사회복지 서비스도 일상생활의 장과는 독립된 별도의 장에서 생활 전체를 책임지는 서비스에서 벗어나 보통의 지역생활을 영위하도록 하는 서비스가 지향되어 종래의 복지대상자가 아니라 소비시장에서 상품거래를 하는 주체가 되어 가고 있다. 이와 같이 노인의 소비생활의 비중이 커지고 있음에도 불구하고 그동안 노인을 소비자로 보는 인식이 미약하였을 뿐만 아니라 이들을 위한 실버상품 개발이나 소비자보호 방안 등이 소홀하였던 것이 사실이다.

　　여기에서 노인소비자문제의 부문별 실태와 교육방안을 살펴보기로 하자.

1. 노인소비자의 개념

몇 세부터 노인이라 할 것인가에 대한 명확한 기준은 아직 없으며 사회적·법률적 고용 부문에 있어서 퇴직연령은 55~60세이며, 국민연금법상 노령연금의 수혜대상의 자격은 60세, 노인복지법에서는 65세 이상을 노인으로 규정하고 있다. 대부분 정년퇴직과 소득상실, 여가증가, 사회적 이탈 등을 경험하는 65세를 경계로 하여 노인연령을 정의하는 경우가 가장 많다. 우리나라의 경우 건강이 쇠약해진 경우를 노인기의 시작이라고 응답한 경우가 가장 많고, 60세 정도가 되면 본인 스스로 노인이라고 생각하는 경향이 있다.

노인소비자는 생활주기상 노년기 또는 독거기에 있는 65세 이상의 사람으로서 그들 스스로 시장에서 구매의사결정 및 사용, 처분에의 참여가 있는 사람이라 할 수 있다.

2. 노인소비자의 특성

1) 경제상태

의학기술의 발달로 평균수명은 연장되었으나 노인은 활동 능력과 상관없이 정해진 은퇴시기로 인해 고정적인 근로소득 없이 상당히 긴 세월을 상대적으로 빈곤하게 생활한다.

노인의 경제적 생활에 대한 주관적 인식을 조사한 결과를 살펴보면, 매우 좋다 혹은 약간 좋다고 응답한 경우는 11.2%에 불과한 반면, 약간 나쁘다 혹은 매우 나쁘다고 응답한 경우는 49.9%로 절반에 이르고 있어 우리나라의 과반수 이상 노인이 어려운 경제적 상황에 놓여 있다고 할 수 있다. 이는 현 노령계층이 가족부양체계에서 공적부양체계로 이행하는 과도기적 사회변화의 과정에서 상대적으로 소외되어 충분한 가족부양도, 충분한 공적부양도 받지 못하기 때문인 것으로 해석된다.

노인의 소득원 유형은 크게 공적소득원과 사적소득원으로 구분할 수 있다. 공적소득원은 공적연금 및 생활보호 등 국가보조로 구성되며, 사적소득원은 근로를 통한 근로소득, 저축·임대·이자소득·사적연금 등에 의한 자산소득, 그리고 자녀 등으로부터의 사적 이전소득 등으로 분류될 수 있다. 우리나라의 경우, 공적 노후소득보장 체계의 중심축이라고 할 수 있는 국민연금의 도입 역사가 짧아 현 노령계층 중에는 공적연금 수급자가 매우 제한적인 실정이다. 이와 같이 공적 이전소득체계가 미비한 상황에서 우리나라 노인들의 대부분은 가족 등 사적 이전소득에의 의존 비중이 매우 높을 것으로 판단된다. 이는 노인들의 기본적인 생활자금이 충분하지 못하다는 것을 의미한다. 고정적인 연금이 있는 경우에도 지속적인 인플레이션 현상으로 돈의 가치가 계속 하락하여 실질구매력이 감소하게 되어 경제적으로 위협을 느끼게 된다.

이와 같은 노년기의 특징 때문에 노인소비자는 저소득층 소비자와 함께 취약소비자의 범주에 포함된다. 즉 노인은 경제력의 상실로 인하여 소비욕구를 충족시킬 수 없으며 낮은 구매력으로 인하여 저소득층 소비자와 마찬가지로 시장에서 영향력을 행사할 수 없게 된다. 그러므로 소득의 확보를 위해서 적극적으로 일하고 생활하려는 태도를 유지하도록 하는 교육이 매우 중요하다. 그러나 필연적으로 도래하는 정년퇴직과 그에 따른 소득의 감소에 적응하는 훈련 또한 간과해서는 안 될 것이다.

2) 노화에 따른 신체기능의 저하

노인이 되면 사물을 분석, 추리, 기억, 해결하는 능력이 감퇴할 뿐만 아니라 신체적 기능도 떨어지게 된다. 65세 이상 노인의 대다수(약 86.7%)가 장기간 치료·요양을 요하는 당뇨, 관절염, 고혈압 등 만성퇴행성질환을 앓고 있으며, 전체 노인의 약 3.5%가 일상생활을 위한 동작수행을 전혀 할 수 없는 것으로 나타나고 있다.

이러한 신체기능의 저하는 필연적으로 의료비 지출의 계속적인 증가를 가져오고, 의료비 지출이 고정비용화되어 자유재량소득이 크게 감소한다. 이는 다른 지출비목에 대한 지출의 직접적인 감소로 이어져 생활의 질이 떨어지게 된다.

노인소비자는 태도 측면에서 위험을 회피하고 안전과 보장을 받고자 하는 욕구가 강하며, 대개의 경우 노화에 따른 스트레스와 소외, 고독을 느낀다. 이들은 옛것을 선호하며 인생을 회고하는 과정을 보이지만, 타인에게 자신이 노인으로 인지되는 것을 싫어한다. 행동 측면에서는 소극적·수동적·내향적이며, 경직성이 강하여 안전한 방법을 찾는다. 이러한 노인의 특성은 건강과 질병에 관련된 상품에 대한 여러 가지 유혹에 쉽게 이끌리게 하여 자연히 이러한 상품에 대해 기만될 가능성이 높다.

3) 역할상실 및 사회·심리적 고립과 소외

얼마 전까지만 해도 노인이 자녀들에 의해 봉양되는 것은 당연한 것으로 받아들여지고 대부분의 노인들이 자녀·손자와 함께 노후를 보냈으나, 도시화·산업화와 함께 직장의 이동, 핵가족화와 여성의 사회참여 증가 등으로 가족의 연대감이 약화되고 노인부부 또는 혼자 사는 노인이 늘어나고 있는 실정이다.

자녀세대와 동거한다 하더라도 과거에는 가정에서 전통적 규범과 생활양식의 전수, 개인상담, 손자교육, 집안 대소사를 도맡아서 주관하는 중요한 역할을 담당해온 노인이, 부부·아동 중심의 핵가족 내에서는 보조적, 주변적 역할만 담당하게 되어 점차 소외당하는 위치에 놓이게 되었다.

노인은 사랑의 관계와 대인관계의 요구를 충족시킬 수 있는 원천인 배우자의 사망으로 말미암아 배우자로서의 역할을 상실하게 되고, 남은 사람은 절망과 고독을 느끼게 된다. 이와 같은 노년기의 제 특징으로 말미암아 노인은 의존적 특성을 갖는다. 이러한 노인의 의존적 특성은 노인의 심리적 고독감에 호소하며 개인적인 접촉을 이용하는 방문판매와 같은 판매유형에서 노인소비자피해의 급격한 증가를 가져오고 있다.

4) 취약소비자로서의 특징

노인인구의 증가에 따라 노인들이 일정한 소비자 계층군으로 떠오르고 있고 실버산업이 확대되고는 있지만, 다른 소비자 계층군에 비해 상대적으로 낮은 교육 수준, 심리적 불안정, 고독감, 신체적 노쇠 등의 특성과 상대적으로 낮은 구매력으로 말미암아 시장에서 영향력을 크게 행사하지 못한다.

그리고 핵가족화로 인해 과거와는 다르게 대부분의 노인들이 소비행위의 당사자로서 상품 및 서비스의 선택, 구입, 관리하는 소비활동을 자신이 직접 소비주체로서 처리해 나갈 수밖에 없게 되었다. 그러나 노인은 심신 기능의 쇠약 등으로 새로운 정보에 어둡고 사회의 급진적 변화와 새로운 생활 수단과 서구화된 시장형태에도 익숙하지 못해 시장에서 상대적으로 불리한 입장에 있는 경우가 많다.

노인들의 실버상품에 대한 욕구는 상당히 높은 것으로 나타나고 있으나 우리나라에서 노인을 위한 시설과 제품은 부족한 형편이다.

(1) 상품 구매의 문제

사회는 고령화되고 있지만 젊은 세대의 취향에만 포커스를 맞춘 새로운 상품 개발, 쉽게 바뀌는 제품 모델, 외국어의 지나친 사용 때문에 노인들은 상품과 서비스 이용에 어려움을 겪는다.

물건을 사기 위해 매장을 찾기도 불편하다. 지역밀착형이라 할 수 있는 정기시장과 소규모 쇼핑센터 등은 줄어들고 있는 반면, 백화점과 할인점은 급속도로 증가하고 있다. 우선 차를 가지고 가야 하는 시내와 변두리에 위치해 있어 찾아가기 쉽지 않고, 매장이 넓고 사람이 많아 노인이 쇼핑하기에는 적당하지 않은 실정이다.

소비자교육 길잡이 11-1 | **실버산업**

실버산업이란 노년층을 대상으로 하는 산업이다. 노인이란 말의 부정적인 이미지를 없애기 위해 흰색 머리카락을 의미하는 뜻에서 '은', 즉 실버(silver)라는 단어를 사용했다.

노인들이 상품구매 시 겪을 수 있는 일반적인 애로사항을 10가지 정도로 분류한 조사 결과에 의하면, 노인들은 가장 큰 애로점으로 '상품설명서 내용이 어렵고 외래어가 많아 이해하기 힘들다(78.8%)'를 꼽고 있다. 그 다음으로는 '상품설명서의 글자·표시가 작아 잘 볼 수 없다(78.0%)', '새로운 가전기기 등 상품이 복잡해서 다루기 어렵다(67.8%)'는 답변이 뒤를 이었다.

(2) 소비자안전의 문제

노화로 생활기능이 저하된 노인들은 사회적 관계가 축소되고 생활의 주된 시간과 공간을 가정에서 보내게 되는데, 안전하다고 생각하기 쉬운 가정 내에서 시설물이나 일상적으로 사용하게 되는 물품에 의한 사고로 골절에서부터 사망에 이르기까지 많은 사고가 발생하고 있다.

우리나라의 가정 내 노인 안전사고의 발생원인을 살펴보면 '주택구조 및 생활용품이 노인이 사용하기에 어려움(43.5%)'의 비율이 가장 높은 것으로 나타나고 있다. 그 다음으로는 '노인 본인의 부주의 및 방심에 의해서'가 27.3%, '노인질환 및 신체기능의 약화'가 12.5%, '주택 및 생활용품을 잘못 이용'이 12.4%, '주택구조 및 생활용품의 결함'으로 인해서가 3.4%, 기타 1.0%의 순이다.

즉 사고의 원인이 질환을 앓고 있거나 신체기능이 약화되어 몸을 가누기 힘든 상태에서 피치 못하게 사고가 난 경우는 13% 정도에 불과하다. 나머지는 주택을 개·보수하거나 결함을 제거하고, 노인에게 가정 내 위해장소나 사고원인 시설물 등에 대한 내용과 주택이나 물품 이용에 대한 사전교육을 통해서 예방할 수 있는 것으로 예측된다.

(3) 소비자피해와 피해처리의 문제

한국소비자원에 접수된 피해구제 사례 중 60세 이상 노인소비자들이 접수한 건수는 1997년 2.4%, 2000년 3.1%로 해마다 증가되고 있다. 노인의 신체적, 정신적 특성상 상담이나 피해 구제가 쉽지 않은 점을 고려한다면 실제 피해는 이보다 훨씬 많을 것으로 추정할 수 있다.

노인소비자피해는 정상적인 판매보다는 주로 방문판매를 통해 이루어지며, 판매방법도 공공기관 사칭이나 효도관광 빙자 등 허위나 강박에 의한 악덕상술이 대부분이다.

피해구제 사례와 설문조사 분석에 의한 악덕상술 유형에는 사은품 제공 상술, 강연회 상술, 효도관광 상술, 경로잔치(제품설명회) 상술, 공공기관 사칭 상술, 당첨 상술, 설문조사 상술 등이 있다. 피해물품의 종류는 한약 및 건강보조식품(42.9%)이 가장 많으며, 그 다음이 의료 보조기구(14.8%), 주방용품(13.1%), 건강속옷(12.5%) 순이다.

악덕상술로 물건을 구입한 후 55.9%의 노인들이 가정 내에서 가족 간의 불화를 경험한다. 물건 구입 후 후회와 불만에도 불구하고 노인소비자의 87.0%는 그대로 대금을 지불하며, 반품이나 해약을 요구한 소비자는 10.7%에 불과하다. 20~59세 일반 국민들의 60% 이상이 잘못된 상품 구입 시 '구입처에서 끝까지 따져 교환·환불을 받는다'거나 '소비자 고발센터에 고발한다'는 경우를 감안하면 노인들은 소비자피해를 그대로 떠안는다고 할 수 있다.

노인들은 불만이나 피해에도 불구하고 요금을 지불한 이유로 '정확히 판단하지 못한 것은 본인 잘못이라는 생각'과 '세상을 살다 보면 이런 일도 있을 수 있다는 생각'을 많이 들고 있다. 이는 노인들이 소비자 불만이나 피해의 원인을 구조적 차원으로 생각하기보다는 개인적 차원의 것으로 생각하고 있음을 나타내며, 이러한 부분에 대한 집중적인 소비자교육이 필요함을 시사하는 것이다.

3. 노인소비자교육 시 주의할 점

노인소비자는 일반 소비자와 의식이나 환경면에서 큰 차이가 있고 여러 가지로 불이익을 당할 우려가 있는 취약한 소비자 계층이다. 노인소비자들의 소비자피해예방과 책임 있는 소비생활을 위해서는 소비자보호의 법적 환경정비는 물론, 소비자로서의 의식과 역할을 자각하고 실천할 수 있도록 사회교육 차원에서 노인소비자의 특성을 고려한 소비자교육을 체계적으로 실시할 필요가 있다. 예를 들면 노인소비자들은 청약철회규정 자체를 모르고 있어 적극적인 피해구제를 하지 못하고 있으며, 대체적으로 소비자권리의식이 매우 부족한 실정이다. 따라서 대한노인회 산하 노인교실이나 지방자치단체가 운영하는 노인회 등에 보다 전문적이고 지속적인 노인 대상 소비자교육 및 홍보를 실시할 필요가 있다.

또한 노인소비자는 일반소비자와 별도로 구분하여 그들에게 알맞은 소비자교육방안을 마련해야 하며, 노인소비자를 대상으로 교육을 실시할 때는 다음 사항에 주의해야 한다.

- 노인소비자의 인지속도, 이해속도가 매우 느린 점을 고려하여 학습에 필요한 시간을 길게 잡아야 한다. 노인은 학습속도가 느리기 때문에 천천히 신중하게 새로운 정보와 개념을 제시하여 자료를 이해하는데 필요한 시간을 충분히 주어야 한다. 즉 일정한 기간 동안에는 새로운 자료는 제한된 양만 제공되어야 한다.
- 시각에 전적으로 의존하기보다는 청각 매체를 함께 이용하는 것이 좋다.
- 주제가 노인의 흥미에 기초한 것이고 제시되는 예가 그들의 일상 경험에 관한 것일 때 학습효과가 더욱 크다.
- 학습과정보다 자신의 경험에 더 의지하므로 학습자의 참여를 권장하고 의미 있는 구체적인 자료를 제시하는 것이 효과적이다.
- 요구분석을 통해 필요한 교육내용을 추출하고 적절한 교육방안을 마련한다.
- 노인소비자가 스스로 소비자교육 장소에 찾아오기를 기대하기보다는 그들이 있는 현장에서 소비자교육이 실시되도록 해야 한다.

소비자교육 길잡이 11-2   **노인 관련 전문정보 사이트**

- Silvernet (www.rich.chonnam.ac.kr) : 월간 『전자저널』 노인 관련 사이트. 노인 보건연구 소개, 국내외 노인 관련 연구, 정책, 학술동향 등을 살펴보고 다른 노인 사이트 소개
- 지파파 (www.gpapa.com) : 노인 대상 전문정보 제공. 노인교육, 치매방지운동 및 게임, 친구 찾기 등
- 시니어마을 (www.seni.net) : 노인 문화 사이트. 뉴스, 교육, 취미생활, 재테크, 건강, 레저 등의 정보 제공
- 호스텔 (www.elderhostel.org) : 노인 교육프로그램 제공
- 한국복지정보통신협의회 (soback.kornet.nm.kr) : 노인을 위한 pc통신 및 인터넷 등의 각종 교육정보 수록

4. 노인소비자교육의 방향

교육부에서는 노인교육의 활성화를 위해 다양한 정책개발 사업을 추진하고 있으며 노령화 시대에 부응하는 노인교육의 기본방향으로 다음 사항을 제시하고 있다(류종훈 외, 2002). 이를 바탕으로 노인소비자교육의 방향을 제시하면 다음과 같다.

- 퇴직 전 노후준비교육과 퇴직 후 교육을 통한 노령인력자원화를 확대한다.
- 노령자의 사회적·경제적 자활능력을 배양한다.
- 노년기 생활에 적응능력 배양과 세대 간 공동체를 형성한다.
- 노인의 세력화 방안을 모색한다.
- 세대 간 공동체 형성을 통한 사회통합을 증진한다.

저소득층
소비자교육

소비자로서 저소득층의 주권 및 권익은 개별 소비자들뿐만 아니라 사회복지 차원에서도 중요하다. 저소득층 소비자들은 일반 소비자들이 경험하는 소비자문제 외에 '불리한 입장의 소비자들'로서 더 많은 소비자문제들을 경험하기 때문에 소비자복지 측면에서 배려 대상이다. 저소득층들이 겪는 소비자문제들은 저소득층 소비자들의 건강, 교육, 심리 등의 문제들과도 연결되어 장기적으로 빈곤의 악순환 등 더 많은 어려움에 빠질 수 있다. 저소득층 소비자들은 일반 소비자들보다 심리적, 행동적으로 불리하여 소비자문제를 극복하는데 더 많은 어려움에 처하게 된다. 저소득층 소비자들이 주로 겪는 소비자문제는 구매력 부족, 소비자 경험 부족, 소비자정보의 불균형, 소비자능력 부족과 이로 인한 불리함으로 인해 소비자문제 극복 기회의 상실, 과다신용 사용 등 소비자복지 저하로 이어진다. 따라서 저소득층을 대상으로 이들의 교육수준이나 기타 능력에 적합한 생활교육으로서의 소비자교육이 필요하다. 불리한 상황에 처한 저소득층 소비자들이 소비자문제에 대응할 수 있는 장·단기적으로 유용하고 효과적인 소비자교육 프로그램 개발 및 효과적 시행이 필요하다.

1. 저소득층 소비자

　저소득층은 소득계층 구조에서 하위를 차지하는 계층집단을 지칭하는 용어이다. 저소득층은 현재까지 영세민, 빈민, 생활보호대상자 등과 함께 같은 의미로 쓰여 왔다. 빈곤이라는 용어가 일반적으로 저소득 문제와 유사한 의미로 사용되어 왔다. 그런데 저소득의 개념이 중요하다. 보통 사람들은 자신의 소득이 참을 수 없을 정도로 낮으면 빈곤하다고 생각하는데, 이는 상대적 빈곤의 개념이다. 절대적 빈곤 인구가 흔하지 않은 사회에서는 '상대적 빈곤'이 더 중요한 개념이다. 여기서 상대적 빈곤은 참을 수 없다고 생각되는 것이 무엇이냐에 따라 다르게 정의할 수 있다. 일반적으로 절대적 빈곤은 빈곤선(poverty threshold)을 이용하여 규정하는데, 세 가지의 빈곤 개념에 대해 살펴보면 다음과 같다.

　첫째, 절대적 빈곤 개념이다. 절대적 빈곤이란 객관적으로 결정한 절대적 최저한도(poverty line)보다 소득이 적은 것을 빈곤으로 간주하는 개념이다. 이것은 고전적인 빈곤 개념으로서 인간의 기본적인 생존욕구를 충족하는데 필요한 절대적인 자원이 부족한 상태, 즉 최저생활을 유지하는데 필요한 생계비 또는 영양을 충족하지 못하는 수준을 의미한다. 일반적으로 음식, 연료, 주거 및 의복 등을 최소 필수품으로 간주한다.

　둘째, 상대적 빈곤 개념이다. 특정 사회의 전반적인 생활수준과 비교할 때 상대적으로 박탈상태이거나 불평등한 경우, 즉 사회의 다른 사람에 비하여 주관적으로나 객관적으로 소득, 교육, 기회 등이 박탈되어 있는 빈곤 수준을 상대적 빈곤으로 간주한다. 소비자복지 측면에서 절대적 빈곤보다는 상대적 빈곤 개념이 주목받고 있다. 그러나 사회의 전반적 생활수준을 정확히 측정하기 어렵기 때문에 상대적 빈곤은 절대적 빈곤에 비해 덜 객관적인 지표라는 평가를 받는다. 세계은행에서는 선진국의 경우 평균 소득의 80%, 개발도상국의 경우는 33% 이하를 빈곤으로 잡고 있고, OECD는 40%를 기준으로 정하고 있으며, 일본 정부는 근로자가구 소비지출의 68% 이하를 빈곤으로 규정하고 있다.

　셋째, 주관적 빈곤 개념이다. 빈곤은 개인들의 복지와 관련되기 때문에 개인의 주관적 판단이 중요하다는 맥락에서 주관적 빈곤 개념이 중요하다. 보통 특정 지역사회에서 살아가는데 필요한 최소비용을 사람들에게 질문해서 얻은 액수를 평균해서 산출한다. 이러한 빈곤선 측정방법을 활용하여 절대적 빈곤 인구와 상대적 빈곤 인구를 추정하는데, 우리나라의 절대빈곤 인구는 경제발전 과정을 통하여 계속 저하되는 추세이다. 보통 최저생계비와 평균소득과 평균지출 등을 고려할 때, 우리나라의 빈곤 인구는 하위 20~25%로 보는 것이 타당하다는 견해가 지배적이다. 도시저소득층 인구가 증가하고 있고, 소득계층들이 느끼는 상대적 빈곤감은 다양한 사회문제를 일으키는 요인이 되고 있어 주관적 빈곤 개념이 중요하게 간주되고 있다.

2. 저소득층 소비자의 특성

저소득층 소비자들은 소비자교육이 필요한 취약소비자의 전형이다. 따라서 적절한 소비자교육의 기회와 효과적인 소비자교육 방법을 제공하여 소비자복지를 향상시켜야 한다.

1) 저소득층 소비자의 일반적 특징

저소득층 소비자의 불리한 일반적 특징은 다음과 같다.

• 주요 소득원의 사망
• 주요 소득원의 사고·질병·노령으로 인한 무능력
• 주요 소득원의 실직
• 오랫동안 불규칙한 일거리(때로는 정규직업을 가지려는 의사가 없기 때문)
• 많은 가족의 수
• 저임금

이외에도 음주, 도박, 소홀한 가정관리, 낭비적인 지출 등이 저소득층의 불리한 특성이다. 빈곤의 원인이 구체적으로 어디에 있는지에 관계없이 저소득층 소비자들의 가장 일반적인 특징은 소득이 없거나 부족하다는 것이다. 빈곤층의 인구·통계적 특징은 다음과 같다.

(1) 여성

빈곤의 여성화는 흔히, 자주 통용되는 용어로써 이는 빈곤과 여성이 많은 관련이 있음을 단적으로 알려준다. 여성은 저임금 및 불안정 고용 분야에 몰려 있어 빈곤의 여성화는 가속화된다. 빈곤의 여성화는 노동시장에서의 성차별과 전반적인 성차별 이외에 출산, 이혼 등으로 악화되는 경향이 있다.

(2) 소년·소녀 가장

소년·소녀 가장이란 부모의 사망, 질병 등으로 생활이 어려운 세대로, 20세 이하의 소년·소녀가 실질적인 가장으로 가정의 생계를 이끌어 가는 가구이다. 전통적인 가족제도의 붕괴로 핵가족화된 현대의 가족은 이혼, 별거, 가출의 경우 가족의 결속력, 연대감 상실로 인해 가족기능이 현저히 약화된다. 각종 사고, 산업재해와 재난으로 인해 부모를 잃은 경우, 도덕성 희박과 가치관 혼란에서 오는 가정 이탈 등은 소년·소녀 가장의 어려움을 가중시키는 주요 요인이며, 동시에 빈곤에 처할 가능성이 높다.

(3) 장애인

장애인의 빈곤문제는 미시적, 거시적 차원의 빈곤의 요인들이 상호복합적으로 작용되기 때문에 더욱 심각한다. 미시적 차원의 빈곤원인은 개인적 요인, 즉 무지, 게으름, 의타심, 음주·도박, 낮은 동기와 성취수준 등과 같은 개인적 결함에 의한 자발적 원인과 질병, 장애, 폐질, 부양의무자 사망 등과 같은 비자발적 원인이 있다. 거시적 차원의 빈곤은 주로 사회구조적인 측면에서 특정인들이 불리하게 처우되는 경우 발생하는 것을 말한다. 경제구조적 모순, 특정집단에 대한 교육기회의 제한, 소득 재분배의 사회적 기능 실종, 사회보장과 같은 복지대책의 미흡 등은 장애인의 빈곤악화를 초래한다. 장애를 갖는 사람은 개인적 차원에서 질병과 장애로 인해 비자발적으로도 빈곤 계층으로 전락하기 쉽다. 특히 심리적으로 낮은 동기와 열등감을 갖는 경우 자발적 빈곤의 주요 원인이 되고 있다. 현대사회에서는 선천성 지체부자유로 인한 장애인보다는 질병·교통사고·산재와 기타의 사고 등에 의한 후천적 원인으로 장애인이 많이 발생하고 있고, 소득상실과 장기간의 재활의료서비스 지출 등으로 인해 비자발적으로 빈곤층으로 전락하는 경우가 많다. 발생원인이 어떤 것이든지 간에 장애인의 경우 일반인보다 빈곤에 처할 가능성이 높고 소득 부족 이외에 여러 가지 이유로 소비자복지의 소외계층이 될 가능성이 높다.

(4) 노인

핵가족화로 노인에 대한 부양의무가 약화되고 은퇴에 따른 소득감소로 노인은 다른 연령층보다 빈곤할 수밖에 없다. 저소득층은 일반적으로 가구주의 평균연령이 상대적으로 높고, 가구주의 교육수준이 낮은 특성을 봐도 노인이 빈곤층에 처할 가능성이 높음을 쉽게 알 수 있다. 단순히 소득이 낮은 것 외에도 신체적·정신적 불리함, 정보의 비대칭성 등으로 다른 연령층 소비자보다 소비자복지가 저하될 가능성이 높다.

2) 저소득층 소비자의 소비행동 특성

저소득층 소비자의 구매력 부족은 시장에서 선택(기회)의 부족 및 소비자로서 영향력 행사 부족 등을 유발한다. 결국 저소득층 소비자들은 일반 소비자들에 비해 소비자행동과 태도, 구매행동에서 불리한 상황에 처하게 된다.

(1) 구매습관

일반 소비자들은 쇼핑을 할 때 상품이나 서비스에 대해 당당하게 물어보는 데 반해, 저소득층 소비자들은 이런 질문들을 하는데 불안해하거나 수줍어하며 주저하는 경향이 있다. 일반 소비자들은 주요한 구매를 할 때 비슷한 상품이나 상표, 여러 상점들을 비교 쇼핑을 하는 데 반해, 저소득층 소비자들은 같은 상점에서 반복적으로 구매를 하는 경향을 보이는데 이는 이들 상점의 분위기가 익숙하고 이미 신용이 형성되어 있기 때문이다. 저소득층 소비자들은 상점에서 다양한 상품이나 상표들을 비교하기보다는 소개되는 첫 번째 상품을 구매하는 경향을 보이고, 구매 전에 상품의 가격이나 특성 등에 대한 생각없이 알려진 상표명을 중심으로 구매를 하는 경향이 있다는 연구결과가 많다. 또한 일반 소비자들은 다른 여러 지역의 쇼핑센터나 시내중심지 등까지 쇼핑영역이 넓은 데 비해, 저소득층 소비자들은 주로 자기 주위의 쇼핑구역에서 구매하는 경향을 보인다.

(2) 구매의사결정

일반 소비자들은 상품이나 광고, 판매자들이 주는 정보들에 대해 비판적으로 평가하고 자신의 판단에 근거하여 구매의사결정을 하는 데 비해, 저소득층 소비자들은 광고나 판매자들의 주장에 많이 영향을 받아 구매의사결정을 내리는 경향이 있다. 또한 저소득층 소비자들은 일반 소비자들보다 비합리적이고 충동적이며 감정적으로 의사결정을 하는 경향을 보인다는 연구결과가 있다. 이는 저소득층이 갖게 되는 열등감, 위축감을 현재의 물질적인 소비행위를 통해 해소하려는 빈곤층의 심리현상으로 인해 소비충동이 많고 보상적 소비행위의 형태를 보이기 때문이라고 밝히고 있다.

(3) 재무계획

저소득층 소비자들은 미래에 대한 계획보다는 현재에 많은 관심을 보이며, 금융기관에의 접근성이 쉽지 않다. 일반 소비자들은 재정적 조언을 얻는 방법들이나 신용을 사용하는 것에 익숙하고 저축, 투자, 보험과 같은 재정적인 문제들에 대해 지식이나 경험이 많은 반면, 저소득층 소비자들은 이러한 재정문제나 재정적 수단들에 대해 경험이 부족하고 그 결과 미숙한 태도와 행동을 보일 수 있다.

3) 저소득층 소비자문제

저소득층 소비자들은 빈곤으로 인하여 다양하고 복잡한 소비자문제들에 대처할 능력이 부족하다는 사실이 무거운 짐을 지우는 결과를 초래한다. 저소득층 소비자들의 소비자문제는 그들의 소득이 낮고 구매력이 낮으며 교육수준이 낮다는 것과 연관이 깊다. 저소득층 소비자들은 소득이 적기 때문에 시장에서 대항력을 갖고 있지 못하고 직면하는 소비자문제에 대처할 능력이 상대적으로 더 부족한 것이다.

시장에서의 대항력 또는 소비자주권의 결여는 불충분한 정보, 시장 메커니즘에 대한 이해 부족, 전체 시장에 대한 개인의 왜소함 등으로부터 생기는 것이 보통인데, 저소득층 소비자들은 이러한 면에서 매우 취약하다. 저소득층 소비자의 문제점을 구체적으로 살펴보면 다음과 같다.

(1) 구매력 부족

저소득층 소비자들은 소득이 낮고 구매력이 낮아 시장에서 스스로 방어할 능력이 다른 소비자들보다 부족하다. 예를 들면, 저소득층 소비자들은 소득 부족으로 세일 시 절약의 기회나 대량구매를 하게 되면 얻을 수 있는 절약효과를 이용하지 못한다. 생필품뿐만 아니라 내구재의 경우에도 동일하게 적용되어 일반 소비자보다 높은 비용으로 이들 제품을 구매하게 된다.

(2) 소비자경험과 정보 부족

저소득층 소비자들은 구매력의 부족으로 인해 소비경험이 적을 수밖에 없다. 이러한 경험 부족은 정보 부족으로 이어지고 소비능력이 개발되지 못한다. 결국 기업, 판매자와 적절한 의사소통을 하지 못할 수 있다. 또한 저소득층 소비자는 새로운 소비상황에 직면하는 것을 두려워하며, 반복된 구매로 관계를 확립한 단골이나 지역 시장에 자신들의 구매영역을 한정하여 소비자권익을 얻지 못하는 경향이 있다. 오늘날과 같이 정보가 범람하는 사회에서도 저소득층은 정보를 얻는 것에서 불리하고 정보 활용을 잘하지 못해 정보의 효용을 누리기 어렵다. 게다가 저소득층 소비자는 저임금과 긴 노동시간 때문에 각종 정보를 충분히 탐색할 시간적 여유가 없을 뿐만 아니라 시간이 있다 하더라도 정보를 탐색하는데 필요한 다양한 비용을 지불할 능력이 없기 때문에 정보소외계층이 되기 쉽다. 저소득층 소비자의 경우 친교의 범위가 적고, 이들이 친교를 맺고 있는 소비자들

역시 저소득층일 수밖에 없어 상대적으로 일반 소비자들보다 구전정보 등에서도 불리할 수밖에 없다.

(3) 소비자능력 부족

동일한 구매력과 대안을 가지고 있는 상황에서도 저소득층 소비자들은 효율적인 소비자가 되지 못한다. 이는 저소득층 소비자들이 대체로 교육수준이 낮다는 것과 소비자경험이 적다는 데서 기인한다. 저소득층 소비자들의 낮은 교육수준은 소비자역할을 제대로 수행하는 데 필요한 소비자지식, 소비자태도, 소비자기능을 충분히 습득하지 못하게 할 가능성이 높다. 소비자경험 또한 적기 때문에 소비자정보를 이해하고, 효율적으로 평가하고 활용하지 못한다는 의미이다. 이들은 기업이나 판매자들, 그리고 광고로부터의 사기나 기만에 쉽게 현혹되어 구매력 한도 이상의 상품을 구매하는 등 현명하지 못한 의사결정을 하기도 한다.

(4) 불리한 시장환경

저소득층 소비자들이 직면하는 위험은 다른 소비자들보다 크고 불이익의 강도도 높은 것이 현실이다. 예를 들면, 저소득층의 취약성은 악덕 상인이나 상술 또는 소비자 기만의 주요 목표대상이 된다.

저소득층 소비자들이 주로 거래하는 지역시장은 전체적인 수요 수준이 낮기 때문에 대규모 소매점이 존재하기 어려우며, 일단 진입한 업체는 주요 고객의 저소득으로 인한 위험도가 크기 때문에 그 부담을 다시 소비자에게 전가시키기 위해 판매가격을 올리거나 품질을 낮추는 것이 보통이다. 그에 따라 저소득층이 주로 사용하는 지역시장에서 이들은 대량유통과 판매가 가능해야 얻을 수 있는 혜택을 받지 못하게 된다. 저소득층 소비자들은 소규모 상점을 이용하며 상점의 낮은 관리효율성 때문에 비싼 가격으로 낮은 품질의 제품을 사는 경향이 있다.

(5) 과다신용사용

저소득층 소비자들의 특징 중 하나는 외상거래가 많다는 것이다. 저소득층 소비자들은 초기비용의 문제 때문에 과다신용사용의 가능성, 즉 외상거래 가능성이 높다. 그 결과 저소득층 소비자는 비교 쇼핑의 기회를 얻지 못하고 이로 인한 이익도 얻지 못한다. 게다가 저소득층 소비자들의 신용사용의 또 다른 특징은 할부신용 사용이 많다는 것인데, 그것은 구매를 위한 초기비용의 지불이 어렵기 때문이다. 할부신용의 과다사용은 결과적으로 소비자들이 이자 등 할부비용을 포함하여 총비용을 증가시켜 가계경제복지에 부정적 영향을 미치게 된다.

(6) 심리적 불리함

우리나라 저소득층 소비자들은 자신의 경제상황을 극복하려는 '건전한 빈민'이라는 견해와 숙명론, 절망, 무기력 등 빈곤 문화적 태도를 갖는 '빈곤에 적응된 빈민'이라는 견해가 있다. 빈곤을 자신들의 영구적 처지로 받아들이는 저소득층 소비자들의 부정적 적응은 빈곤의 세습화와 긍정적 동기의 부족을 가져올 수 있으며, 이것이 이들의 소비자 의사결정 과정에 정보탐색, 대안탐색과 평가들에 대한 적극적인 의욕을 저하시키는 등 부정적 영향을 미치게 된다.

한편, 오늘날과 같이 매스미디어의 영향력이 큰 사회에서 미디어를 통해 제공되는 고소득층이나 중산층의 삶의 모습을 보면서 저소득층 소비자들은 현실과의 괴리감을 느끼고 고소득층의 환상적인 삶과 대비되어 심리적 압박을 느끼게 된다. 저소득층 소비자들은 이러한 소비생활 불만을 물질적 자원의 축적으로 보상하려는 보상적 소비동기를 갖게 되고, 이것이 자신의 소득현실을 넘어서는 모방소비나 과소비, 보상소비, 과시소비로 이어질 가능성이 크며 결국 합리적 소비행동을 저해시키는 결과를 야기시킨다.

3. 저소득층 소비자교육의 중요성

일반적으로 소비자문제를 해결하기 위한 방안으로 정부의 소비자보호를 위한 입법적, 행정적 규제를 통한 국민복지 향상과 기업들의 자발적인 소비자만족을 위한 소비자문제의 예방적 활동, 그리고 소비자교육을 통해 소비자문제 예방과 소비자복지를 향상시켜야 한다. 이 중 장기적인 측면에서 가장 중요한 것은 소비자교육이다. 특히 저소득층 소비자들의 소비자교육은 다른 일반 소비자들을 위한 소비자교육보다 더욱 중요하다. 그것은 저소득층 소비자들은 이들이 소득이 낮다는 특성 때문에 자신들의 문제를 해결하기 어렵고, 그렇기 때문에 다른 일반 소비자들이 소비자교육을 통해 얻을 수 있는 이익보다 더 큰 이익을 얻을 수 있기 때문이다.

저소득층에 대한 정부의 관심과 대책은 그 동안 고용과 소득, 직업훈련, 주거 문제, 의료 문제 등의 측면에서 논의되어 왔는데, 저소득층의 복지는 소득의 향상과 더불어 소비의 효율성이 증진되어야 한다. 그럼에도 소비의 효율성을 높이고 가계복지를 향상시키려는 시도가 간과됨으로써 저소득층을 위한 정부의 소득지원 프로그램에서 얻은 이익이 비효율적인 소비생활에 의해 상실된다. 따라서 저소득층 대상 소비자교육을 통해 저소득층 소비자들이 소유한 소득을 보다 효율적으로 사용할 수 있도록 지원한다면, 저소득층 소비자들의 복지향상에 효과를 얻을 수 있다.

4. 저소득층 소비자교육 방법

소비자교육의 특징은 소비자교육 대상인 소비자들의 교육수준이나 기타 능력에 관계없이 누구나 배울 수 있고 활용할 수 있는 생활교육이라는 것이다. 저소득층 소비자들이 안고 있는 부정적 요인에도 불구하고 이들에게 장·단기적으로 소비자교육을 시행할 경우 그 효과가 클 것이다. 그러나 저소득층 소비자들을 위한 소비자교육은 일반 소비자들과는 다른 고려와 교육영역들에 대한 차별적인 접근이 필요하다. 예를 들면, 저소득층의 생활수준 향상을 위해서 소득증대 방안을 마련해 주는 것도 좋지만, 소득이 증가되었다 하더라도 바람직하지 못한 소비행동을 그대로 가지고 있다면 소득증대에 의한 생활수준의 향상을 기대하기 어렵다는 것을 고려해야 한다. 따라서 저소득층 소비자들이 제한된 자원을 가지고 합리적인 소비를 할 수 있는 소비자교육 프로그램 개발, 효율적인 소비자교육 방법에 대한 모색이 필요하다.

1) 저소득층 소비자교육 내용

일반 소비자들과 달리 저소득층 소비자교육에서 보다 심층적으로 고려해야 할 교육 내용을 살펴보자.

(1) 정보가치 교육

저소득층 소비자들에게 정보의 비용은 직접적인 소비자복지 저해 요소이다. 장기적으로 저소득층 소비자들의 소비자지식이나 태도, 기능을 향상시키는 것도 중요하지만, 가장 빠른 방법은 가치 있는 소비자 정보를 충분히 활용할 수 있도록 하는 것이다. 저소득층 소비자가 비용을 들이지 않고도 가치 있는 소비자 정보를 얻을 수 있다면 많은 부분에서 합리적인 소비자행동을 할 수 있다. 이를 위해 다양한 소비자정보, 예를 들면 상품이나 서비스의 품질에 대한 정보, 계약 및 약관 등에 대한 정보, 소비자단체나 법률 등에 대한 정보, 공적 부조 이용 등에 대한 정보 등이 저소득층 소비자들에게 쉽게 제공되어야 한다. 또한 저소득층 가구가 다양한 공적 부조 제도의 존재와 이에 대한 상세한 정보를 가지고 활용할 수 있도록 각종 복지혜택에 대한 구체적인 정보를 제공해야 한다. 그리고 저소득층 소비자들이 도움을 받을 수 있는 다양한 서비스, 예를 들면 소비자불만 처리를 대행해 주는 기관에 대한 정보 관련 교육이 필요하다. 또한 금전관리를 위한 재정상담 서비스 등의 접근이 보다 용이해야 한다. 소비자교육을 통해 저소득층 소비자들에게 많은 정보를 제공하고 저소득층 소비자들의 정보획득비용을 감소시켜야 한다. 정부 및 소비자단체는 저소득층 소비자들에게 정보기술을 활용하여 소비자가 자신에게 필요한 정보를 가장 효과적으로 탐색하고 이용함으로써 효용을 극대화시킬 수 있는 능력을 향상시키는 정보화교육을 제공해야 한다.

(2) 소비자의식 강화교육

저소득층 소비자들은 사회·경제적 측면에서 불리한 여건에 처해 있는데, 이 과정에서 저소득층 소비자들은 자신들의 소비행동 영역이나 관계를 확대하는 것을 두려워한다. 그 결과 금전적 이익이 기대되더라도 심리적으로 편안함을 느낄 수 있는 지역에서, 편안한 사람들과 관계를 맺고 반복적인 소비자행동을 취함으로써 소비자권익과 이익을 포기하는 경향을 보인다. 따라서 이들을 위한 소비자교육에서는 소비자 자신의 상황을 자신의 권리 증진을 위해 적극적으로 활용하고 대처할 수 있는 내용 및 방법의 교육이 필요하다. 판매자와의 의사소통을 함에 있어서 갈등을 느끼거나 자신의 소비자 불만이 해결되지 않을 것이라는 부정적 생각을 바꾸어 주고 저소득층 소비자들이 갖는 심리적인 비용을 감소시켜 줄 수 있는 교육이 필요하다. 저소득층 소비자가 적극적인 소비자로서 정보를 탐색하고, 대안을 평가하며, 구매 전후의 만족을 극대화하기 위한 소비자교육이 필요하다.

(3) 소비자재무 교육

저소득층 소비자들은 일반적으로 금전관리 행동에서 미래에 대한 준비보다는 현재의 욕구 충족을 중시하는 경향을 보이고, 외상이나 할부를 이용하는 비율이 크며, 부채비율도 큰 것으로 나타나 있다. 따라서 이들에게는 소비지출의 배분이나 예산관리 및 가계부 작성, 할부나 부채의 실비용 계산 등 현재와 미래의 연속선에서 금전관리가 어떻게 이루어져야 하는지에 대한 소비자교육이 시급하다. 구체적인 실습을 통한 금전관리교육이 필요하다. 소득을 증대시키는 것과 자신들의 소비지출 항목과 지출액에 대한 검토와 분석을 통해 소비지출을 감소시키는 방안들을 탐색하고 실행해야 한다. 목표달성을 위해 현금을 노동이나 시간 등으로 대체하는 방안들을 모색하는 노력을 할 수 있도록 지도해야 한다. 금전관리 태도와 행동에서 현재의 상황을 극복할 수 있으며, 이러한 노력이 자식들에게 역할모델이 되어 빈곤의 순환적 관계까지 극복할 수 있다는 신념을 갖고 행동하도록 교육해야 한다.

2) 저소득층 소비자교육 방법

저소득층 소비자교육에서는 그들이 교육적 수준이 낮고, 시간과 비용을 투입할 여유가 부족하다는 것을 염두에 두어야 한다. 우선 저소득층 소비자 교육자료는 단순하고 쉽게 이해할 수 있으며, 흥미롭고 효과적이어야 한다. 교육 시 멀티미디어, 만화 교재 등이 활용될 수 있으며, 내용이 직접적이고 명쾌해야 한다. 저소득층 소비자들은 정보원으로서 문서를 잘 활용하지 않으므로 구두설명이나 개인상담에서 실증자료와 함께 활용될 때 교육이 효과적이다. 소비자교육자의 역할을 수행할 때는 저소득층 소비자들이 권위에 두려움을 갖고 있음에 유의하여 다정하고 관심 있는 태도로 신뢰감 있는 관계를 형성하는 것이 교육효과를 증대시킬 수 있다. 저소득층의 수준에 맞게 체계적으로, 또 이들이 이해할 수 있는 용어로 내용의 이해를 도와야 한다.

그러나 저소득층 소비자들이 소비자교육에 적극적으로 참여하는 것은 매우 어렵다는 것을 고려해야 한다. 저소득층 소비자들은 소비자의식이 미약하고 소비자교육의 필요성에 대한 의식이 부족하며, 무엇보다 소비자교육에 투자할 시간과 비용의 여유가 없기 때문이다. 이러한 조건에도 불구하고 이들에게 소비자교육기회를 제공하여 소비자능력을 향상시키기 위해서는 복지회관이나 직장 단위의 무료교육, 반상회 등을 통한 소비자교육으로 이들이 소비자교육에 투입해야 할 시간과 비용의 문제를 해결해 주어야 한다.

저소득층 소비자들이 가장 적은 비용으로 접근할 수 있는 소비자정보원 및 교육원은 대중매체이므로, TV나 라디오 등을 활용할 필요가 있다. 특히 이들 매체는 비용 면에서나 접근의 용이성 면에서 정보와 교육원으로써 탁월한 영향력을 가지므로 대중매체를 활용한 소비자교육이 저소득층에게 유용하다. 소비윤리 등 소비사회문제들에 대한 관심 유도, 소비자단체들에서 제공하는 정보 제공, 기타 소비자정보에 대한 보도나 심층취재보도 등을 통해 소비자교육을 실행할 수 있다. 대중매체가 단편적으로 소비자정보를 제공함에 그치지 않고 체계적으로 소비자교육을 시켜서 소비자복지 향상에 기여해야 한다.

13
Chapter

금융
소비자교육

13 | 금융 소비자교육

　　소비자는 가계의 한 구성원이다. 소비자의 삶의 원천이자 둥우리인 가계는 효율적인 재무관리와 금융관리를 통하여 가족원의 안전한 생활을 책임진다. 근간 해외 및 국내에서의 금융 관련 사회적 이슈가 떠오르면서, 금융소비자교육의 중요성이 부각되고 있다. 결국 개인의 금융관리는 가계의 금융관리, 그리고 개인과 가계가 존립하는 사회 및 국가의 금융관리와 밀접한 관련이 있기 때문이다. 금융시장의 개방, 소득 수준의 향상 등은 금융환경을 변화시켰으며, 특히 최근 몇 년 사이에 외국의 국제적 금융위기를 거치면서 소비자의 금융시장과 투자환경에 대한 관심도 증가하였다. 또한 금융시장과 투자환경이 변화하고 있어서 개인과 가계의 경제활동, 금융관리, 그리고 보다 더 넓은 재정적 복지감에도 많은 영향을 미치고 있다. 이에 본 장에서는 금융소비자교육의 개념, 금융소비자교육의 현황, 국내외 금융소비자교육의 비교, 그리고 금융소비자교육 관련 연구동향 등을 살펴보고자 한다.

1. 금융사회 환경의 변화와 소비자

　　현대사회에서 금융이 차지하는 비중은 가히 절대적이며 이로 인하여 금융환경 변화에 능동적으로 대처하는 금융소비자의 역할이 더욱 커지고 있다. 오늘날의 소비자는 일반화된 신용카드 사용, 결재 도구의 간편화, 다양한 금리, 파생금융상품 확산 등 복잡한 금융환경에서 살고 있으며, 다양한 지불수단을 사용하거나 신용 정도에 따라 더 많은 경제적 혜택을 누릴 수 있게 되었다. 이러한 변화는 우리 사회가 신용사회로 접어들었기 때문에 가능한 것이다.

정부는 2005년 4월부터 '신용불량자 등록제도'를 폐지하고 신용정보법령에서 신용불량자라는 용어를 없애고 신용불량정보를 신용거래정보로 통합하여 분류하고 있다. 현재 우리나라 신용불량자의 수는 정확히 알 수 없지만 '신용불량자 등록제도'가 폐지되기 전인 2004년 12월 말 기준으로 20대 신용불량자가 약 63만 명으로 전체 신용불량자 중 약 17.5%에 해당되었다(전국은행연합회, 2004). 뿐만 아니라 가계부채를 살펴보면 2012년 후반기에 약 1,000조에 해당하는 것으로 나타났다.

소비자교육 길잡이 13-1   **가계부채 937조 사상 최대 수준**

고위험군 대출을 중심으로 가계부채가 역대 최대치를 기록하면서 가계신용 부실화 우려를 낳고 있다. 다만, 증가세는 둔화하는 양상이다. 특히 대부업체 등 고금리 대출이 대폭 늘어 정책당국의 가계부채 관리대책 마련이 시급하다.

11월 22일 한국은행이 발표한 '2012년 3·4분기 가계신용' 자료에 따르면 3·4분기 우리나라 가계신용은 총 937조 5000억 원으로 사상 최대 수준을 보였다. 전 분기보다 13조 6000억 원 증가했다. 전년 동기 대비해선 5.6% 늘어나 지난해 3·4분기 이후 증가세 둔화가 지속되고 있다. 가계신용 증가율은 지난해 4·4분기에 8.1%, 올해 1·4분기에 7.0%, 2·4분기에는 5.8%를 기록했다. 가계신용은 은행 등 금융기관에서 빌린 대출과 카드·할부금융사의 외상판매인 '판매신용'을 합한 것이다.

금융기관의 가계대출은 882조 4000억 원으로 전 분기보다 12조 1000억 원, 판매신용은 같은 기간 1조 5000억 원 각각 증가했다. 이 중 은행 대출은 459조 3000억 원으로 전 분기보다 1조 4000억 원 늘었다. 증가폭은 전 분기(4조 8000억 원)보다 축소됐다. 주택담보대출은 311조 6000억 원으로 1조 1000억 원 증가했다. 이 역시 전 분기 증가폭(3조 5000억 원)보다 줄어든 규모다. 저축은행, 신용협동조합, 새마을금고 등 비은행예금 취급기관의 대출도 같은 기간 1조 2000억 원이 늘어 189조 2000억 원을 기록했다.

이 중 저축은행 대출은 1조 1000억 원 줄어든 9조 원에 달했다. 반면에 보험사, 카드사, 증권사, 자산유동화회사, 대부업체 등 기타 금융기관의 대출은 233조 9000억 원으로 전 분기보다 무려 9조 4000억 원 증가했다. 전 분기 증가폭(4조 1000억 원)을 두 배 이상 뛰어넘는 수치다.

전년 동기 대비로는 3·4분기 은행권 대출이 2.2%, 비은행권 대출은 7.6%, 기타 금융기관은 11.1% 각각 늘었다. 이는 차주들이 문턱이 높은 은행보다 금리가 상대적으로 높은 대부업체 등으로 유입되었다는 것을 뜻한다.

또한 금융감독원(2003) 연구에서는 카드가 발급되는 순간부터 능력에 관계없이 수백 만 원까지 사용할 수 있어 신용능력이 취약한 10대와 20대의 신용불량의 원인이 되었다고 주장하였다. 즉, 신용사회를 맞이할 준비가 부족한 상태에서 잘못된 신용이용은 개인 소비자에게 미치는 피해가 매우 커 이를 예방하기 위한 금융소비자교육이 요구된다(김시월·조향숙, 2010). 이러한 수치는 20대가 '금융문맹(Financial Illiteracy)'의 상태에 있다는 것을 보여 준다고 할 수 있다. 문자를 읽고 쓰지 못하는 것을 문맹이라고 하듯이 '금융문맹'이란 재화의 소중함과 관리 방식을 몰라 생활에 불편을 주고 삶의 질을 저하시키는 것을 지칭하는 말이다.

실제로 국민은행 부설 경제경영연구소에서 2002년 9월 한국·미국·일본의 대학생들을 대상으로 소비·금융행태를 조사한 연구결과에 따르면 우리나라 20대의 약 28%가 가정이나 학교 어디에서도 금융소비자교육을 받아보지 못했으며, 약 36%는 학교에서 소비생활이나 금융이용과 관련된 교육을 받은 경험이 전혀 없는 것으로 나타났다. 교육을 받은 경우에도 대부분 저축의 필요성이나 올바른 소비생활 요령과 같은 기초 수준의 항목에 집중되었고, 금융투자나 재무설계와 같은 실용적 지식 항목에 대한 교육을 받은 경험은 거의 없는 것으로 나타났다(국민은행 연구소, 2002).

이러한 '금융문맹(Financial Illiteracy)'은 현대 자본주의 사회가 낳은 새로운 형태의 문맹으로, 금융소비자교육 부재의 상황을 대변하는 현상이라 할 수 있을 것이다. 일상생활에서 차지하는 금융의 비중이 커지면서 금융소비자교육의 부재로 돈의 소중함과 관리방식을 모르는 금융문맹이라는 신종 문맹이 나타나고 있는 것이다. 또, 과거의 문맹만큼이나 금융에 대한 무지는 생활에 불편을 주고 삶의 질을 저하시키는 주된 요인이 되고 있다(도규태, 2004). 금융문맹은 개인적 차원의 문제로만 그치지 않고 빈부격차 심화, 저축률 저하와 그에 따른 성장 기반의 약화, 신용부실자 급증 및 금융기관의 부실화 등과 같은 경제위기의 근본적인 원인이 되고 있다. 또한 금융문맹의 심각성은 결코 경제적인 문제에 국한되지 않고 카드빚과 같이 우리 가정을 와해시키고 사회 질서를 파괴하는 사회문제로까지 확산되고 있다(박은주, 2004).

미국과 영국, 일본, 호주, 캐나다 등 신용 및 금융소비자교육 선진국의 경우, 1990년대 초반 경제불황과 함께 개인파산이 급증하고 소비자교육의 필요성에 대한 사회적 공감대가 확산되면서 정부부처, 기업, 금융기관, 여러 민간 기구, 학교 등을 중심으로 소비자교육을 실시해 오고 있다. 이러한 선진국의 현상을 분석해 보면, 신용과 관련된 교육의 시기는 어릴수록 좋다는 것, 다양한 기관 및 단체와 다양한 각도에서 연계하여 수행할 것, 그리고 수혜자 입장에서 적절한 매체를 사용하는 것이 바람직하다는 것이다(김시월, 2007).

이에 우리나라 역시 최근 각계에서 경제교육 혹은 금융소비자교육의 부재로 인해 야기되는 문제점들을 심각하게 인식하기 시작하였고, 이러한 현상을 근본적으로 해결하기 위해 금융소비자교육이 도입되어야 한다는 생각을 점차 확대해 나갔다(이지영, 2005). 신용 환경 변화에 능동적으로 대처하지 못한 신용부실자나 가계파산자들이 새로운 사회문제로 떠오르면서 이에 따른 신용과 금융 관련 소비자교육에 대한 관심이 한층 높아지고 있으나 교과서 등에만 의존하는 금융소비자교육을 강화하는 데에는 한계가 있다. 교과서는 급변하는 사회현상을 신속하게 반영하기 어렵기 때문에 이를 보완할 수 있는 다양하고 수준 높은 교재나 프로그램의 개발이 절실히 필요하다고 할 수 있다(김시월, 2007).

예컨대, S카드는 2002년 초부터 YMCA와 한국소비자연맹 등과 함께 전국의 중·고교생과 군인 등에게 신용교육을 실시하였으며, 2004년부터는 그 대상을 사회에 첫 발을 내딛는 대학생들에게도 확대해 운영하였다. 또, S카드는 대학교와 공동으로 '대학생 신용교육'을 정규 과목으로 채택하여 2004년 10월부터 강좌를 개설하였다. 또한, 예비 경제인인 대학생과 대학원생들에게 다양한 경험을 통해 실질적인 경제와 경영 분야에 대한 이해와 지식을 습득할 수 있는 기회를 제공하기 위한 경제유니버시아드 대회가 2003년 6월부터 열렸다. 이 외에 금융감독위원회와 금융감독원이 금융시장과 금융 산업의 발전방향을 제시할 참신한 금융논문을 공모하는 '대학(원)생 금융논문 공모'를 2006년부터 주최하였다. 신용회복위원회도 대학교, 기관, 기업 등 어디에서나 원하는 경우에 신용 관련 소비자교육을 실시하고 있다.

이러한 현상은 대학생 대상의 금융소비자교육의 중요성이 높아짐을 보여 준다고 할 수 있다. 대학생소비자는 직장인이 아닌 학생의 신분이지만 성인의 신분으로 사회생활에 첫 발을 디딘 소비자이다. 초·중·고등학생과 같은 학생이 아닌 스스로 선택하고 결정하고 책임을 가져야 하는 하나의 소비자로, 금융소비와 관련하여 매우 중요한 하나의 주체라고 할 수 있다. 앞으로 직업을 통해 스스로 독립적인 소득창출과 지출을 해야 하는 소비자로서 그러한 활동과 상황을 준비하고 대비해야 하기 때문에 대학생소비자를 대상으로 한 금융소비자교육은 매우 중요하다고 할 수 있다.

그러나 우리나라의 경우 현재 실시되고 있는 금융소비자교육의 대부분은 청소년 대상이며, 대학생을 포함한 성인을 대상으로 하는 뚜렷한 금융소비자교육 프로그램이 개발된 것은 거의 없다. 이들을 대상으로 실시되고 있는 금융소비자교육의 현황이나 교육 요구도를 분석한 연구도 거의 전무한 실정이다. 지금까지의 연구들을 살펴보면 교과과정을 중심으로 한 경제교육에 관한 내용분석 및 개선 방안 등이 대부분이며, 그 대상 역시 초·중·고등학생 및 부모 중심으로 금융소비자교육의 필요성과 방안에 대한 연구는 많이 이루어지지 않고 있다. 특히 대학생소비자를 대상으로 한 금융소비자교육의 필요성과 방안에 대한 연구는 거의 전무하다.

소비자교육 길잡이 13-2   가계부채

우리나라의 가계부채 증가 원인이 글로벌 금융위기를 불러온 미국 서브프라임위기와 비슷하다는 지적이 나왔다. 금융연구원은 2012년 5월 15일 '가계부채의 증가 원인 분석-미국 서브프라임발 위기와의 비교' 보고서에서 국내 가계부채와 서브프라임 간 상당한 유사성이 있다고 경고했다. 보고서는 "국내 가계부채 문제는 저금리 기조와 주택금융시장과의 연계, 담보 위주의 대출 관행 등을 감안할 때 미국의 서브프라임 위기와 유사하다."고 밝혔다.

보고서는 국내 가계부채 문제는 1차적으로 저금리 장기화 등 순응적 통화정책에 의한 유동성 효과에 금융회사를 통한 신용창출 효과가 2차적 요인으로 작용했으며 자산가격의 변화도 더해져 이들이 복합·확산되는 형태로 진행되었다고 지적했다.

특히 보고서는 주택담보대출 확대와 주택가격 상승이 부동산시장과 금융권 건전성 간 상관관계를 높여 부동산시장의 취약성이 전체 금융권으로 전이될 수 있는 여지가 높은 점과 담보대출 위주의 여신관행이 주택가격의 상승으로 인한 부채증가를 초래해 원금상환 시기나 차환단계에서 위기를 초래할 수 있다는 점 등이 미국의 서브프라임 위기와 유사하다고 분석했다.

2. 금융소비자교육의 개념

국내에서는 아직 금융소비자교육의 내용이나 범위에 대해 뚜렷한 기준이 정립되어 있지 않고, 경제교육, 금융교육, 소비자교육 등의 개념과 혼재되어 사용되고 있다. 경제교육은 다소 학문적인 성향이 강하며, 경제의 기본적인 원리·원칙이나 경제시스템 등의 이해를 통해서 '경제이해력(Economic Literacy)'을 높이기 위한 교육이다.

금융교육은 신용교육, 금융이해력교육, 개인금융교육, 화폐관리교육, 금융·자산관리교육, 투자교육, 소비·저축교육 등 여러 가지 용어들과 함께 사용되고 있으나, 이들 모두 '금융이해력(Financial Literacy)'의 함양을 목표로 한다는 점에서 공통된다(윤지애, 2005).

'금융이해력'이란 금융과 관련한 제반 문제에 대한 종합적인 이해와 활용 능력을 총칭하는 개념으로, Katy Jacob 외는 금융이해력을 금융 용어와 개념을 이해하고, 그것을 실생활에 효과적으로 적용할 수 있는 능력이라고 정의하였다(최유경, 2005). 이와 같이 금융교육은 경제 주체 중 하나인 소비자에 초점을 맞추고 있다. 특히 소비자에게 실질적인 금융지식 및 기능을 제공하여 소비자로 하여금 선택과 재정적인 의사결정을 올바르게 하도록 하는 것이 소비자교육의 일부라고 할 수 있다. 따라서 금융소비자교육은 거시적·미시적 경제 환경에서 습득할 수 있도록 교육 내용 및 활동과 경험들을 구성하여 일생동안 경제자원관리와 관련된 의사결정을 현명하게 할 수 있도록 도와주는 교육(이지영, 2005)이라고 할 수 있으며 금융교육(Personal Financial Education)을 금융소비자교육과 거의 동일한 개념으로 취급할 수 있다(김미리·김시월, 2011).

2003년 7월 금융감독원은 '청소년 금융이해력(FQ : Financial Quotient) 측정 결과'를 발표하면서 지수를 의미하는 'Quotient'를 '금융이해력'이라는 용어에 처음 사용했다. 기존의 연구자료에서는 '금융이해력'을 'Financial Literacy'라고 사용하여 특정 분야나 문제에 관한 지식이나 능력이 있음을 의미하는 단어인 'Literacy'를 사용했다(이상택, 2007). 금융감독원에서는 지수(Quotient)를 측정하기 위해 미국 Jump$tart의 12학년 금융소비자교육과 현행 우리나라 7차 교육 우리나라는 2012년 저축률이 급락하여 선진국의 '5분의 3' 수준이라고 한다.

한국의 가계저축률은 1988년(24.7%)을 정점으로 2010년 4.3%까지 빠르게 하락했다. 불과 20여 년 만에 '부자가 되는 지름길'이던 저축이 우리 주변에서 자취를 감춘 모습이다.

한국은행에 따르면, 가계저축과 정당, 종교단체 등 '가계에 봉사하는 비영리단체'의 저축을 합한 개인저축률은 1980년대 초반까지 10%대를 기록하다가 1988년 88올림픽을 계기로 27.6%까지 뛰어 올랐다. 줄곧 20%대를 유지하던 저축률은 1997년 외환위기 이후 하락 추세를 보이다가, 2002년 카드 사태를 맞아 5.1%까지 내려갔다. 금융위기가 발생한 2008년에도 7.5%라는 낮은 수치를 기록했다. 주요국과 비교하면 우리나라에서 저축을 대하는 태도가 얼마나 빨리 바뀌고 있는지 더 명확하게 드러난다. 2010년 기준 OECD(경제협력개발기구) 가입국들의 가계저축률은 평균 7.4%다. 한국의 가계저축률은 OECD 평균의 약 5분의 3 수준에 그치고 있는 것. 특히 저축률 하락 속도는 1990년 이후 OECD 국가 중 가장 빨랐다. 그렇다면 부채를 줄이기 위해서는 무슨 일을 해야 되는 것일까?

이론적으로는 간단히 가계소비를 줄이고 가계소득을 높이면 된다. 그러나 이렇게 간단한 것을 왜 하지 못하는 것일까?

• 치솟는 물가를 잡을 길이 없는 점 : 기름 값과 공공요금, 식탁 물가 등이 연일 치솟으면서 서민들의 살림살이가 벼랑 끝까지 내몰렸다. 한국가스공사는 다음 달부터 가스요금을 인상하기 위해 정부와 협의 중인 것으로 알려졌으며 상하수도 요금과 정화조 청소료, 임대료, 학원비, 의료비도 조만간 오를 것으로 알려졌다. 이처럼 쉴 새 없이 오르는 각종 물가에 서민들의 허리는 휘고 있다. 실제 고물가가 계속되면서 생활자금을 마련하기 위한 '생계형 대출'도 늘었다. 2012년 5월 17일 한국은행에 따르면 국내 가계 중 절반 이상인 54%가 금융기관에 대출을 받고 있으며 특히 생활자금(32.2%)이 주거용 주택구입(17.7%)과 전세 자금(11.6%)보다 2배 이상 많은 것으로 나타났다. 살림을 꾸려 나가기 힘든 서민들이 대부분 대출을 받은 것이다.

• 늘어나지 않는 가계소득 수준 : 미국 재정위기와 함께 유럽 발 경제위기로 인해 세계경제가 어려워졌다는 것은 모든 사람들이 알고 있을 것이다. 한국의 경제 수출의존도, 즉 해외 의존도가 상당히 높아 한국 또한 선진국으로써 이러한 부정적인 영향을 피해 가기는 힘들었다. 이와 더불어 치솟는 물가를 막지 못해 실질가계소득의 감소로 이어지게 되었다. 경제가 어려우니 실업률도 상승하여 많은 학생들이 취업을 하지 못하고 있는 현실이다. 경제가 살아나지 않는 이상 이러한 딜레마는 계속될 것으로 예상되고 있다.

과정의 고등학생 사회 과목 학습내용에 근거하여 금융 관련의 문제지를 만들었다. 이 문제지는 4개 영역 30개 문항으로 구성되며, 이를 통해 각 문항의 정답률을 산출하고 이 정답률이 지수(Quotient)가 된다. 따라서 금융이해력(FQ : Financial Quotient)은 '금융'이라는 특정 분야의 지식과 이해력의 수준의 정도를 알아볼 수 있는 지표이며 관련 분야의 지식생산의 기준점을 제시하는 것이라

할 수 있다(김미리·김시월, 2011).

금융교육을 다루는 연구와 함께 금융이해력을 변수로 이용하는 연구가 대부분으로, 금융이해력을 직접적으로 다루는 연구는 많이 이루어지지 않고 있었다. 금융이해력을 직접적으로 다룬 오영수(2005)의 연구를 살펴보면 미국의 Jump$tart에서 개발한 설문지를 통해 조사한 청소년 금융이해력을 통해 금융소비자교육의 방향을 제시하였는데, 학교에서의 금융소비자교육의 문제점이 있음을 지적하였다. 이에 따라 교과과정에서의 '경제'의 비중을 증가시키고, 전문교사의 육성 및 경험 위주의 다양한 현장 학습과 온라인을 통한 연계 학습이 필요하다고 주장하였다.

금융이해력에 영향을 주는 요인에 관한 연구 역시 많이 이루어지지 않고 있었다. 이러한 연구 중 김미리(2007)의 대학생소비자의 금융이해력에 관한 연구에서 금융이해력의 4개 영역(소득이해 영역, 화폐관리이해 영역, 지출과 부채이해 영역, 저축과 투자이해 영역)에 영향을 주는 요인으로 연령을 지적하고 있으며, 연령이 높을수록 금융이해력의 4개 영역의 점수가 높게 나타났다고 하였다. 이는 어려서부터 금융과 관련된 이해력을 위한 체계적인 교육과 다양한 매체가 필요하다고 말하고 있다. 김은정(2009)의 청소년소비자의 금융이해력에 미치는 요인에 관한 연구에서는 부모의 소비생활태도와 용돈의 규모가 중간이며 용돈 받는 방법을 조건 없이 정기적으로 용돈을 주는 경우 금융이해력에 영향을 준다고 하였다. 또한, 청소년의 금융소비자교육에 대한 학습욕구가 강한 학생인 경우 금융이해력이 높게 나타났다고 하였으며, 돈 관리 학습방법이 학교와 가정보다는 언론매체를 통해 학습한 청소년이 금융이해력이 높게 나타나 언론매체가 청소년의 금융이해력 수준에 큰 영향을 미친다고 하였다.

3. 금융소비자교육의 현황

1) 국내 금융소비자교육의 현황

최근 우리 정부는 다양한 관점에서 금융소비자교육에 대한 관심을 기울이고 있다. 재정경제부는 청소년 등 국민들의 경제이해도 제고가 절실히 필요하다는 인식 아래 국민경제교육을 체계적으로 추진해 나가기로 하고 경제교육의 일환으로 금융 및 신용사회 구축에 관한 교육에 주력하기 시작했다(금융감독원, 2002). 2004년에는 민간 경제단체, 한국은행, 정부부처 등 경제교육 관련 14개 주요기관(재정경제부, 교육부, 산업자원부, 한국은행, KDI, 금융감독원, 전국경제인연합회, 대한상공회의소, 무역협회, 중소기업중앙회, 경영자총연합회, 증권업협회, 청소년금융교육협의회, JA Korea 등 14개 기관의 국장·임원급으로 구성)들과 '민관 경제교육 실무협의회'를 구성하였다.

금융감독원은 금융감독의 3대 설립목적 중 하나인 '금융소비자 보호'의 일환으로 2002년 '소비자교육실'을 신설하고 소비자들을 대상으로 한 금융교육을 시행하고 있다. 2004년 1월에는 금융내용 전반을 담은 기본 텍스트 '금융이야기' 시리즈를 발간하였는데, 이 시리즈는 명확한 콘셉트를 기초로 체계적인 내용을 담은 우리나라 최초의 금융교육용 기본 텍스트라는데 그 의의가 있다.

한국증권업협회는 투자자들과 일반인, 학생 등을 대상으로 증권 강좌 및 세미나, 언론매체 홍보 등을 통해 증권시장 제도 설명 및 투자 안내 업무를 수행하고 있다. 인터넷 홈페이지(http://www.ksda.or.kr)를 통해 '만화로 보는 증권시장', '증권시장의 이해' 등의 교육 관련 참고자료를 제공하여 증권시장에 대한 소개, 투자방법 안내, 기초적인 증권분석요령 등을 전달하고 있다.

금융기관 중 최초로 금융계몽운동의 청사진을 제시하고 금융교육에 앞장서고 있는 기업은 KB국민은행이라고 할 수 있다. 국민은행은 금융교육을 전담하는 TFT를 구성하고 『스무살, 이제 돈과 친해질 나이』(2003. 02), 『돈은 고마운 친구』(2003. 07), 『돈을 알자! 경제를 알자!』(2003. 11) 등의 금융교육 교재를 발간하여 전국 학교 및 공공도서관 등에 무료로 배포하였다. 또한, 『20대의 소비행태-현명한가?』, 『금융교육, 무엇이 문제인가?』 등 관련 보고서를 발간하였다. 이 밖에도 각 학교를 대상으로 하는 금융교육 순회강연회, KB 어린이 금융캠프 등의 오프라인 프로그램과 함께 초등학생 및 부모 대상의 금융교육 웹사이트 '키드 뱅크(Kid Bank)'를 운영하고 있다.

소비자단체 중 YMCA는 국민의 경제의식과 신용문화 인프라를 형성하기 위해 '건강한 신용사회 만들기 운동'을 전개하면서 2002년 7월 YMCA 내에 '신용사회 운동 사무국(http://www.ycredit.org)'을 설치하였다. '청소년 신용관리캠페인'을 전개하기 위해 각 지역 YMCA와 연계하여 중·고등학교를 대상으로 신용경제교육을 실시하고 있다. 또한, 기업(S카드)의 지원 및 기부금으로 교사들을 위한 청소년 신용교육교재인 『신용이 머니(money)?!』를 2002년 10월에 발간하였고, 비디오 영상물 및 브로슈어 등을 제작하여 전국 4,700여 개 중·고등학교에 배포하였다. 한편, 청소년의 올바른 소비문화 홍보를 위해 '청소년 거리 문화축제' 행사를 전국 각 YMCA 지역본부별로 개최하여 청소년을 위한 문화행사와 함께 경제 교육가정으로서 다양한 소비체험 프로그램 및 신용활용도를 점검하는 행사도 실시하고 있다.

대학생들에 의해 운영되는 비영리단체인 연세 SIFE(Students In Free Enterprise)는 우리나라 청소년들의 실생활에서 활용되는 금융지식, 경제지식이 학교교육만으로는 충족시키기 어렵다고 판단하여 2005년 6월과 7월 동안 특성화 고등학교의 학생들을 대상으로 Financial Literacy 프로젝트를 'Credit Your Life'라는 프로젝트명 아래 실시하였다. 이 프로젝트는 '신용'에 관한 교육을 진행하여 실질적으로 학생들이 신용관리의 중요성에 대해 인식하고 더 나아가 구체적으로 어떻게 신용을 관리하는지에 대한 내용을 담고 있다. 즉, 국내 금융소비자교육의 현황은 다양한 관련 기관 및 단체 등에서 실시하고 있으나 체계적인 내용과 방법적인 측면에서 변화가 요구된다.

현재 실시되고 있는 금융소비자교육 내용을 정리하면 표 13-5와 같으며, 교육 내용은 금융이해력 영역별 설문 문항 구성과 그 외의 교육 내용으로 정리하였다.

전체적으로 교육 내용이 오래 전에 구성된 것들로, 온라인교육 중 텍스트로 되어 있는 경우 업데이트가 되어 있지 않은 것들이 많았으며, 동영상은 너무 오래 전에 제작되어 현재 교육을 실행하는데 많은 무리가 있다. 또한, 교육 내용이 너무 포괄적이거나 자세하게 제시되어 있지 않아 제공되는 교육 내용만 가지고 금융이해력을 향상시키는 데에는 많은 부족함이 있을 것이라고 생각된다.

| 표 13-1 | 금융소비자의 특성별·계층별 금융소비자교육 실시

주요 분야	내 용	성과 및 계획
금융 소비자 교육 실시	• 방학 중 어린이·청소년 금융교실, 대학생 금융특강, 군 장병 금융교육, 취약계층 금융교육(군부대, 고용지원센터, 농업기술센터, 다문화가족지원센터, 사회복지단체 등과 연계 실시) • 강사풀(원내외 강사 100명)	〈2006~2009년 교육성과〉 • 아동, 청소년 : 1,098회 약 20만 명 • 대학생 : 110회 약 14,200여 명 • 군 장병 : 185회 약 37,800여 명 • 실직자, 농업인 : 189회 약 13,500여 명 • 일반인 : 398회 약 25,300명 • 취약층 : 510회 약 57,500명
금융 소비자 교육표준 강의안 마련	• 26종의 표준강의안 마련 (각 1~2시간용 강의)	• 어린이 4종(용돈관리, 신용, 합리적인 소비생활, 금융상품의 이해) • 청소년 5종(신용, 합리적인 소비생활, 금융상품의 이해, 라이프 사이클과 재무설계) • 성인 17종(신용관리, 금융피해 예방, 은행·신용카드·증권·투신상품·자동차보험 거래 및 가입 시 유의사항, 전자금융거래, 자산관리, 재무설계, 금융생활법률, 노인 및 대학생용 강의안)

| 표 13-2 | 금융소비자교육 활성화 방안

주요 분야	내 용	성과 및 계획
유관기관과 네트워크 구축	• 정책당국이 주관하는 협의체 참여 • 청소년금융교육협의회, 한국금융연구원, 언론사 등 민간과 협력 및 활동 후원	2005년 제7차 교과과정에 개인금융(신용관리, 저축, 투자) 관련 내용이 신설되도록 지원
기초조사	중·고등학생 금융이해력 측정	4개 영역 측정(소득·재무관리·저축과 투자·지출과 신용)

| 표 13-3 | 학교 금융소비자교육 활성화 지원사업

주요 분야	내 용	성과 및 계획
청소년 금융교육 네트워크 운영	• 학교교과에서 부족한 금융교육 기회 제공 • 금융회사, 교육단체와 네트워크 구축, 교육 수요 발굴 및 강사인력풀 공동 활용	• 2009년 17개 금융회사 및 교육단체 참여 • 전국 초·중·고 11,000여 개교에 교육 프로그램 안내 • 초·중·고등학생 9만 명 교육 분담 실시
금융교육 시범 학교 운영	• 2005년부터 운영 • 금감원 강사 방문 및 초청 체험교육 실시 (연 5회 내외)	2006~2009년 동안 초·중등학교 총 77개 교 참가
교사 금융연수	• 2007년부터 시도교육청과 연계, 방학 중 전국 중·고교 사회(경제) 담당교사를 대상으로 실시, 이수교사에게 시교육청 인정 연수학점 부여 • 금융 기초지식, 교수방법, 금융관련 법률 등 13개 과목 30시간 강의 실시	2009년까지 총 5회 실시, 608명의 교사가 이수
초·중·고 교과서 보완· 지도자료 개발	학교 금융교육의 활성화를 목적으로 교육과학기술부 및 경제교육 유관기관과 협력하여 교사용 지도자료 제작, 제공	• 『경제교육의 이해』(2003년 교육부, 유관 기관 공동 발간) • 『금융·신용의 이해』(2004년 교육인적자원부와 공동 발간) • 초·중·고 교과서 보완지도 자료 『우리경제 바로 이해하기』 중 저축과 투자 등 금융부문 집필 및 중학교 자율재량 학습 교재 『경제야 놀자』 발간 참여(2009년 교육인적자원부 사업)
금융교육 표준 마련	초·중·고등학생 대상 금융소비자교육 표준안 마련을 위한 연구조사	전문가에 연구용역 의뢰(2010년)

| 표 13-4 | 홍보 및 정보 확산

주요 분야	내 용	성과 및 계획
교육행사	2006년부터 금융에 대한 이해와 인식제고를 위한 행사 개최	아동·청소년·대학생·교사·학부모 대상 각종 금융교육행사(교과부, 전국시도교육청 및 5개 금융협회 후원)
자료개발 보급	아동·청소년·성인 등 대상별 금융교재 개발	'금융이야기 시리즈'를 포함, 교재 9종, CD 5종 발간, 무상배포
홈페이지 운영	• 2003년부터 운영 • '금융교육종합정보센터' 구축	2009년 중 47만 명 이용

| 표 13-5 | 금융소비자교육의 내용

구 분	교육명	교육 내용
한국개발 연구원 -클릭 경제교육	청소년 시장경제교실	경제학
	시민사회경제교실	경제 개념, 경제정책 및 경제 현안, 한국 경제, 세계경제환경 변화와 우리의 대응 방안, 소비자금융 및 금융수단의 이해
	공무원 경제교육	국내외 경제환경 변화에 대한 이해와 대응방안, 국내외 경제 활성화 관련 사례 및 시사점, 중앙정부와 자치단체 간의 경제정책 정보 공유, CEO 특강 및 현장학습 등
한국은행 경제교실	청소년 경제강좌	저축을 위한 예산 세우기, 장단기 저축 및 투자 전략, 위험과 수익 및 유동성, 세금과 인플레이션이 저축 및 투자결정에 미치는 영향
	청소년 경제 캠프	경제이론, 금융시장, 한국 경제
한국은행 경제교실	한국은행 방문 강좌	경제이론, 한국은행 기능
	한국은행 금요 강좌	물가 및 통화관리, 금융·경제 동향 및 전망, 각종 통계 해설, 특정 경제 분야 심층분석
대한상공 회의소 -하이경제	세상경제 이야기	경제 개념, 한국 경제, 세계 경제
	한진수의 경제특강	경제 개념, 경제학
	박철의 금융교육 ABC	소득의 원천, 저축을 위한 예산 세우기, 장단기의 저축 및 투자전략, 위험과 수익 및 유동성, 신용의 가격, 신용기록, 권리와 책임, 신용 과다 사용
금융감독원	올바른 은행거래를 위해 이것만은 알아두세요	지불수단, 신용의 가격, 신용기록, 권리와 책임, 장단기 저축 및 투자 전략, 위험과 수익 및 유동성
청소년 금융교육 협의회	알기 쉬운 보험 이야기	보험을 통한 위험관리 능력
	생명보험 그것이 알고 싶다	보험을 통한 위험관리 능력
	최은수 박사의 경제 이야기	보험을 통한 위험관리 능력, 세금과 인플레이션이 저축 및 투자결정에 미치는 영향, 위험과 수익 및 유동성
	증권과 투자이야기	저축, 주식
	양미경의 신용카드 이야기	지출시점, 지불수단, 신용의 가격, 신용기록, 권리와 책임, 신용 과다 사용
	나도 참된 부자가 될래요	소득의 원천, 저축, 용돈관리, 기부
	생활 속 경제이야기	경제 개념, 수요와 공급, 기회비용, 필요와 욕구, 합리적 소비, 기부
	신용이 Money?	신용, 신용불량자, 신용기록

(계속)

구 분		교육명	교육 내용
청소년 금융교육 협의회		내 아이 올바른 금융소비자로 키우기	용돈, 소비습관
		청소년을 위한 금융 이야기	소득 수준의 변화, 소득의 원천, 세금과 기타 공제 내용, 재무목표와 계획 수립 및 평가능력, 보험을 통한 위험관리 능력, 저축을 위한 예산 세우기, 장단기 저축 및 투자 전략, 위험과 수익 및 유동성, 지불 시점, 지불수단, 신용의 가격, 신용기록, 권리와 책임
		성인을 위한 금융 이야기	소득 수준의 변화, 소득의 원천, 세금과 기타 공제내용, 재무목표와 계획 수립 및 평가능력, 보험을 통한 위험관리 능력, 저축을 위한 예산 세우기, 장단기 저축 및 투자 전략, 위험과 수익 및 유동성, 지불시점, 지불수단, 신용의 가격, 신용기록, 권리와 책임
		박철의 금융교실	경제학, 용돈, 소비습관, 소득의 원천, 보험을 통한 위험관리 능력, 위험과 수익 및 유동성
서울 YMCA		대학 신용경제 아카데미	지불수단, 신용의 가격, 신용기록, 권리와 책임, 신용 과다 사용
		청소년 신용경제교육	지불수단, 신용의 가격, 신용기록, 권리와 책임, 신용 과다 사용
국민 은행	학부모 마당	학부모교실	자녀 금융교육 지침서-용돈관리, 인터넷 쇼핑
	어린이/ 청소년 마당	돈으로 할 수 있는 5가지	돈 벌기, 돈 불리기, 돈 쓰기, 돈 빌리기, 돈 나누기
		알고 싶은 돈 이야기	• 제시된 목록 중 내용 없는 것도 존재(남의 돈과 내 돈) • 돈 불리는 기쁨, 돈 알기
		맛있는 금융교육	돈의 개념 및 역사, 돈의 원천·지축·용도, 금융상품 및 서비스, 돈의 관리·교환, 소비와 예산, 위험과 수익, 생활 속의 선택, 금융과 책무
		청소년 금융교실	신용 및 신용카드, 금리, 광고, 부채, 주식, 금융시장, 인터넷 쇼핑, 환율, 소비자권리, 재무설계
		나의 금융 IQ/EQ	금융지식 측정
		돈? 돈이 뭐지?	지불수단
신용회복 위원회 -신용관리 교육		신용관리특강	신용의 가격, 신용기록, 신용 과다 사용
		사라진 돈 400만 원을 찾아라	신용의 가격
		위험한 유혹	신용의 가격, 신용 과다 사용
		신용이 짱이다	신용의 가격
		알기 쉬운 신용관리와 소비생활	신용관리, 합리적 소비생활 방법
		신용관리 강좌	신용의 가격, 신용기록, 신용 과다 사용

4. 금융소비자교육 사이트 평가

금융소비자교육을 얼마나 잘 하고 있는지 소비자를 대상으로 관련 사이트를 평가하는 것도 하나의 방법일 것이다.

| 표 13-6 | 금융소비자교육 사이트 평가 방법의 예

구 분	평가 문항	평 균	평 균
접근성	사이트의 접속 성공률이 높다.		
	한 페이지(스크롤바를 내리지 않은 상태)에 담고 있는 내용이 다음 페이지로 넘어가지 않는다.		
	서핑 중 오류 발생이 낮고 안정적이다.		
	사이트 내 검색창이 마련되어 있다.		
	자료를 다운로드하기에 편리하다.		
신뢰성	제공하는 정보가 다양하다.		
	이용자의 반응에 진지하고 성의 있게 반응한다.		
	제공하는 정보가 자세하고 정확하다.		
	사이트 내 정보의 중복성이 없다.		
	제공되는 정보가 이해하기 쉽다.		
상호 작용성	게시판이나 Q & A가 마련되어 있다.		
	이용자에 대한 반응이 신속하다.		
	제공하는 정보가 최신의 것이다.		
	다른 사이트로의 링크가 이루어져 있다.		
	사이트 내 커뮤니티가 활성화되어 있다.		
개별 맞춤 상호 서비스	개별 진행과정 조절이 잘 되어 있다.		
	개별 특성을 잘 반영하고 있다.		
	개별 요구도에 대한 피드백이 잘 되고 있다.		
	이용자에게 즐거움 및 흥미를 주는 서비스를 제공하고 있다.		
	이용자에게 서비스 이용의 성취감과 편안함을 제공하고 있다.		
	웹사이트 구성(소리 기능, 글자 크기, 색상, 자막 기능 등)을 이용자 편의에 의해 선택할 수 있다.		
	웹사이트상에서 이용자가 선택할 수 있는 언어 선택의 폭이 넓다.		

5. 국외 금융소비자교육의 현황

미국은 1990년대 초 청소년 금융문맹과 이에 따른 개인적·사회적 폐해의 심각성을 깨닫고 금융문맹의 해소가 필수적이라는 사회적 공감대를 형성해왔다. 이러한 사회적 분위기와 필요에 따라 현재 미국에서는 연방정부 차원의 적극적인 지원과 비영리 민간교육기관의 활동이 활발히 이루어지고 있다. 1994년 경제교육을 학교교육의 9대 핵심과목 중 하나로 규정하는 내용이 포함된 '2000년을 향한 미국교육법'을 제정하고 경제학 교과내용의 전국 표준권고안을 마련하였다(이지영, 2005). 특히 학교 중심의 금융소비자교육 프로그램 추진의 필요성을 강조하면서 교육부가 Jump$tart 등 금융소비자교육 전문기관과의 연계를 통해 학교 대상의 금융소비자교육 프로그램 개발과 보급에 집중하였다. 이후 1999년 '조기금융교육법안(Youth Financial Education Act)', 2002년 'NCLB(No Child Left Behind) Act', 2003년 'TANF Financial Education Promotion Act' 등 관련 법률의 제정을 통해 금융소비자교육 프로그램을 적극 지원하고 있다.

미국 금융소비자교육의 가장 큰 특징 중 하나는 비영리단체가 금융소비자교육 프로그램의 개발 및 보급에 있어 주도적인 역할을 수행한다는 것이다. 대표적인 비영리단체로는 NEFE(전국금융교육기금), NCEE(전국경제교육연합회), Jump$tart 등이 있으며, 이를 포함해 140여 개가 넘는 비영리단체가 있다. 이 단체들은 서로 긴밀한 공조체제를 구축하고, 상호협력을 통해 금융소비자교육 캠페인 전개, 교재 개발, 교사 및 학생 연수 등의 다양한 금융소비자교육 프로그램을 추진하고 있다(금융감독원, 2002).

영국의 금융소비자교육은 1980년대 중반 잉글랜드를 중심으로 일부 금융기관들이 우수인재 채용과 지역 밀착화 차원에서 지역사회의 고등학교 대상으로 금융소비자교육 프로그램을 선보인 데서 출발했다. 이후 1990년대 초반의 경제불황과 개인 파산의 급증 등으로 인해 금융소비자교육의 필요성에 대한 사회적 공감대가 확산되면서 정부 및 금융기관을 중심으로 한 민관 연계의 금융소비자교육 체계가 본격화되었다(박철, 2003). 영국의 금융소비자교육의 강화는 1999년 5월에 제정, 공포된 '금융소비자교육에 관한 지침'의 영향이 컸다. 이 지침은 정부 내 관련 부처는 물론, 금융기관과 비영리 민간기구(NGO) 등 각계각층에서 광범위한 의견을 수렴하여 제정되었다. 영국 정부에서 추진하는 금융소비자교육은 금융 감독을 담당하는 금융서비스청(Financial Service Authority : FSA)이 중심이 되어 실시하고 있다. 금융서비스청의 설립 목적과 책임을 명시한 '금융서비스시장법(The Financial Services and Markets Act)'은 금융서비스청의 4대 목적 중 하나로 '금융시스템에 관한 공중의 이해 제고(Public Awareness of Financial System)'를 내세우고 있다. 금융지식 기초 마련을 위한 FSA의 주요 추진 사업은 16~25세 청소년을 대상으로 하는 청소년 금융교육, 성인을 위한 직장 내 금융교육, 세상에 태어나서 처음으로 접하는 금융환경이 될 수 있는 가정 내 금융교육의 기반을 다지기 위한 부모에 대한 금융교육, 미래 안정된 생활을 위한 은퇴계획, 부채 이용과 관련된 올바른 의사결정을 돕기 위한 소비자 신용교육, 그리고 마지막으로 소비자 재무계획 수립에 대한 상담 및 필요한 서비스나 상품에 대한 소개 등 소비자 대상 재무상담의 7가지 사업을 중점적으로 추진해 나가고 있다(백은영, 2005).

영국 청소년 금융소비자교육을 주도하는 대표적인 민간단체로는 '금융교육연합회(PFEG : Personal Finance Education Group)'를 들 수 있다. PFEG는 1996년 금융소비자교육을 학교 정규 교과과정에 편입시키기 위한 목적으로 설립된 민간기구로, 소비자단체, 은행연합회, 금융기관 등 다양한 단체가 참여하고 있다. PFEG는 설립 이후 지속적으로 금융 관련 과목을 정규 교과과정에 포함시킬 것을 교육부에 요구해왔다. 이 같은 PFEG의 노력은 2000년 영국의 교육부가 '개인, 사회, 건강 교육(PSHE : Personal, Social and Health Education)' 과정에 금융 관련 내용을 포함시키는 결과를 낳았다.

일본의 금융소비자교육이 대두하기 시작한 배경은 경제 침체를 경험하면서 건전한 경제시민 육성이 절실해졌기 때문이다(백은영, 2005). 일본은 사회 전체적으로 '금전교육(金錢の敎育)'이라는 단어가 일반화되어 있다. 일본의 경우 국가와 공공기관 및 민간단체가 밀접한 교류를 맺고 금융소비자교육을 추진한다는 점이 가장 큰 특징이다. 일본의 금융소비자교육은 1997년 제정된 '금융감독청설치법'이 2000년 '금융청설치법'으로 개정되면서 금융산업과 금융정책을 일원적으로 추진

하기 위해 출범한 금융청의 주도로 실시되고 있다. '금융청설치법' 제4조에는 금융기능의 안정을 확보하고 금융소비자를 보호함과 동시에 금융의 원활화를 도모하기 위한 하나의 업무로 금융에 관한 지식을 보급할 것을 규정하고 있다. 또한 금융에 관한 지식의 보급 업무는 '금융청 총무기획국 정책과'에서 수행하도록 명시하고 있다. 일본 정부 중 금융홍보중앙위원회가 주도적인 역할을 수행하고 있는데 이 기관은 금융단체, 언론사, 소비자단체, 일본은행 부총재 등 40명으로 구성되어 있다. 이곳에서는 초등학교 대상 교육용 비디오 '100만 엔이 있다면 어떻게 할까' 등을 제작, 보급하여 어렸을 때부터 신용과 금융의 중요함을 이해하도록 하고 있다. 2003년에는 금융이해력 향상을 위한 연령층별 학습기준 초안도 발표하였다(김정호, 2003). 즉, 국외 금융소비자교육의 현황은 각 국가별로 사회적, 경제적 상황에 맞는 다양한 방법을 선택하여 시도하고 있는 것으로 보인다.

6. 국내 및 국외 금융소비자교육의 비교

우리나라 금융소비자교육의 문제점은 선진국과 비교할 때 사회 전체적인 금융소비자교육에 대한 관심이 매우 부족하다는 것이다. 미국·영국 등 선진국에서는 오래 전부터 금융소비자교육이 사회적 관심사가 되어 왔다. 미국의 경우, 금융소비자교육에 대한 금융기관의 관심과 지원을 이끌어 낼 수 있는 제도적인 인프라가 정비되어 있으며, 비영리단체가 금융소비자교육 프로그램의 개발 및 보급에 있어 주도적인 역할을 수행하고 있다. 국내 금융기관들이 사후관리에 중점을 두고 있다면, 선진 금융기관들은 장기적이고 근원적인 대책으로 금융소비자교육의 중요성을 인식하고 있다.

선진국의 금융기관들은 자사의 홈페이지에 금융소비자교육과 관련된 콘텐츠를 게임, 만화, 동영상, 동화 등 관심과 흥미를 유발할 수 있도록 다양하게 제작하여 탑재함으로써 쉽게 금융소비자교육을 받을 수 있도록 하고 있다. 선진 금융기관과 비교할 때 국내 금융기관들의 금융소비자교육 프로그램에 대한 관심과 지원은 아직까지 매우 미미한 상태라고 할 수 있다. 국내 금융기관들은 금융소비자교육에 대한 적극적인 관심과 투자를 아끼지 않아야 할 것이다.

우리가 생활에서 차지하는 경제·금융의 중요성에 비추어 볼 때 학교에서 가르치는 경제교과서의 대부분은 딱딱한 원리설명에만 치우치고 있다. 이처럼 이론 위주의 내용들로만 교과과정이 구성되다 보니 신용카드, 주식투자, 세금, 부동산 등 학생들이 졸업 후 사회에 나오면 바로 부딪치게 되는 실생활과 밀접한 내용들은 거의 배울 기회가 없다. 선진국의 금융소비자교육과 비교했을 때 신용관리의 중요성, 투자에 따른 위험과 수익과의 관계, 미래의 자금 흐름 소요에 따른 재무 설계 방법 등 보다 구체적이고 실용적인 항목에 있어서는 미국과 일본에 비해 크게 부족한 수준이다(박은주, 2004).

우리나라도 사회 전반적으로 금융소비자교육에 대한 관심을 높여야 하며, 선진국의 금융소비자교육을 참고하여 우리나라의 상황에 맞게 적용하는 노력이 필요하다.

최근 소비자의 다양한 욕구에 부응하는 각종 금융상품들이 출현하여 일반 투자자들의 선택의 폭이 넓어진 반면, 저금리 시대 속에서 금융상품 선택이 더욱 어려워지고 투자에 따른 위험을 소비자 스스로가 감수해야 하는 시대가 되었다. 더욱이 요즘 같은 금융시장 상황에서는 금융업에 종사하는 전문가들조차도 어떻게 효율적으로 자산을 운용하고 관리해야 할지 난감할 때가 많은데, 일반 소비자들은 복잡한 세제 및 다양한 금융상품과 서비스를 이용하는 데에 지식과 정보가 부족하기 때문에 이에 대한 올바른 판단을 하기가 더욱더 어려워진 것이다.

현실적인 제약과 금융환경 변화로 소비자들은 과거와는 달리 체계적이고 종합적인 자산관리 및 위험관리기법을 필요로 하게 되었다. 조기은퇴 추세, 평균수명 연장과 맞물려 소비자들은 금융시장의 상품변화와 더불어 금융의사결정과정을 복잡하게 만드는 요인으로 작용했다. 소비자들은 금융기관 및 금융상품의 선택, 자산의 배분, 위험관리 등 모든 면에서 신중한 판단을 해야만 한다.

기존의 재무관리태도에 대한 연구들은 화폐나 신용에 대한 태도, 재무관리태도의 전 영역에 대한 태도가 재무관리행동이나 재무만족도, 재무관리성과에 어떠한 영향을 미치는지 연구하였다. 또한 재무관리태도를 변인으로 하여 재무관리행동에 미치는 효과를 연구한 결과 재무설계에 대한 긍정적인 태도가 현금 흐름의 관리행동에 가장 설명력 있는 변수라고 하였으며, 전반적인 재무관리태도, 재무관리행동, 재무만족도가 어떤 관계를 갖는지 연구한 결과 재무관리태도는 재무관리행동에 유의한 변수인 것으로 나타났다. 따라서 재무관리행동은 소비자

| 표 13-7 | 개인 재무관리태도

정도 개인 재무관리태도	태도에 대한 자신의 의견				
	매우 그렇다	그런 편이다	그저 그렇다	그렇지 않은 편이다	전혀 그렇지 않다
비교구매와 계획적 지출 습관은 성공적인 인생을 위해 중요하다.					
예산만 잘 세워 두어도 윤택한 경제생활에 큰 도움이 될 것이다.					
돈을 쓸 때 목표에 맞게 우선순위를 정하고 그에 따라 써야 한다.					
재무관리를 잘 하려면 무엇보다도 내가 도달할 목표를 미리 설정하는 것이 중요하다.					
적은 액수라도 규칙적으로 저축하는 것이 중요하다.					
5년 후, 10년 후 내 재정상태가 어떨지 생각해 보는 것은 성공적인 재무관리에 도움이 된다.					
상황이 수시로 바뀌기 때문에 지금의 재무상태를 정확히 파악해야 한다.					
가구주의 실직, 장애 등에 대비해 미리 계획을 세워 두어야 한다.					
내 재산에 손해가 날지 모르는 위험에 대비해 미리 계획을 세워 두어야 한다.					
은퇴기를 대비한 재무설계는 젊을 때부터 해야 한다.					
부동산을 많이 가진 사람이라도 국민연금이나 퇴직금을 준비해야 한다.					
과도한 빚 때문에 파산자가 되는 것은 빚으로부터 해방은 되지만 바람직하지는 않다.					
신용도가 낮으면 일상생활에 지장이 많다.					
부채 청산은 오랫동안 매달 조금씩 갚기보다는 빨리 해야 한다.					
요즘 같이 불안정한 시대에 저축은 꼭 필요하다.					

의 경제적 안정과 성장을 위해 개인이 가진 자원을 효율적으로 관리하는 실천적 영역으로서, 가계의 복지증진에 매우 중요한 역할을 하는 요인이다.

기존 연구에서 재무관리행동의 세부영역은 가계 재무의 성장, 회복, 안정, 유지에 목표를 두어 다양한 측면으로 분류되었다. 혹자는 재무관리행동을 현금관리, 신용관리, 자산축적, 위험관리, 은퇴와 상속, 일반적 재무관리의 6가지 영역으로 세분화하였고, 재무관리행동을 가계 재정 만족도를 극대화하기 위한 경제적 자원관리로 보고 소득관리, 세금관리, 지출관리, 부채관리, 투자관리, 위험관리 행동을 하위영역으로 나누었다. 그리고 재무관리행동을 재무계획성, 재무기록 습관, 재무지식 탐색, 재무충동 통제력, 경제적 자립 지향성의 5가지 항목으로 파악하기도 하였다.

| 표 13-8 | 개인 재무관리행동

개인 재무관리행동	매우 그렇다	그런 편이다	그저 그렇다	그렇지 않은 편이다	전혀 그렇지 않다
매달 들어오는 돈과 쓰는 돈이 얼마인지 알고 있다.					
금전출납부 혹은 가계부 등으로 소비지출 내역을 기록한다.					
용돈 수준과 욕구를 파악해 스스로 예산을 짠다.					
신용카드를 이용한다면, 계획에 따라 이용하거나 이용할 계획이다.					
갑자기 발생할 수 있는 재정적인 문제에 대비해 비상금을 준비한다.					
한 곳의 금융기관에만 국한하지 않고 필요에 따라 여러 금융기관과 금융상품을 이용한다.					
금융상품에 관련된 정보를 리플릿이나 웹사이트 등 다양한 수단을 통해 탐색한다.					
앞으로의 일을 위해 저축을 한다.					
저축 또는 투자할 돈은 생활비나 용돈으로 쓰이기 전에 미리 떼어 놓는다.					

대부분의 연구들에서 재무관리태도는 개인과 가계의 고유한 특성으로 재무관리행동에 영향을 미치는 요인이 되며, 이러한 연구들은 개인의 재무관리태도, 행동, 그리고 요구에 맞는 금융소비자교육의 필요성을 강조하고 있다.

개인 재무관리태도는 행동에 영향을 미치므로 태도 관련 교육이 매우 중요하다. 이에 따라 개인 재무관리태도를 측정하고, 행동을 점검하며, 관련 교육의 요구도를 측정해서 관련 소비자를 교육하는 기초로 자신을 점검해 보는 것이 중요하다.

| 표 13-9 | 개인 재무관리영역

개인 재무관리영역 / 정도	관리영역에 대한 자신의 의견				
	매우 그렇다	그런 편이다	그저 그렇다	그렇지 않은 편이다	전혀 그렇지 않다
소득과 지출 관리					
신용과 부채					
경제구조와 재무상태					
재무태도					
주관적 재무복지					
객관적 재무복지					
재무관리교육 프로그램 개발 및 기초연구					
재무관리교육 효과분석					
위험관리와 보험					
은퇴설계와 상속					
기타(구체적으로 기술) _____					

The basis of
consumer education

기업의
소비자교육

14 | 기업의 소비자교육

고객만족이 기업경영의 중요 이념으로 자리를 잡은 지금도 실제로 고객을 만족시키기 위해서 구체적으로 무엇을 어떻게 실행해야 하는가에 대해 일률적인 원칙을 제시하기는 쉽지 않다. 그럼에도 불구하고 중요한 공통점은 고객을 만족시키기 위해서는 그 누구보다도 고객을 가장 먼저 접하게 되는 고객접점 종사직원이 고객만족에 대한 확고한 신념을 가지고 고객을 응대해야 한다는 점에는 이견이 없다.

고객만족을 위해 소비자 개개인에 맞는 서비스를 제공하기 위한 목적으로 실행하는 데이터베이스 마케팅이나 일대일 마케팅을 효율적으로 하기 위해서 필요한 고객에 대한 기초정보를 가장 먼저 접하게 되는 고객접점 종사직원은 기업의 입장에서 매우 중요한 위치를 차지하고 있다. 그러므로 이렇게 중요한 그들의 업무에 대한 교육이 전사적 차원에서 보다 적극적으로 이루어져야 할 것이다.

1. 경영환경의 변화와 고객접점 종사직원의 중요성

1) 경영환경의 변화

과거에 수요가 공급을 초과하는 시장상황에서는 기업이 주도권을 가지고 자사의 영업력과 영업목표를 바탕으로 소비자에게 자사의 상품이나 서비스를 일방적으로 제공하는 마케팅(Push Marketing)이 효과적이었다. 그러나 점차 국제화,

과학기술의 발달, 소비자 욕구의 다양화, 성장의 둔화 및 경쟁자의 증가로 공급이 수요를 초과하는 시장상황으로 반전되면서 시장의 주도권은 기업에서 고객으로 옮겨가고 있다. 이와 함께 제품의 품질도 비슷해져 경쟁이 치열한 성숙한 시장에서는 소비자의 다양한 욕구를 충족시키고, 자사의 제품이 경쟁제품과 뚜렷이 다르다는 것을 소비자가 인식하게 하는 차별적 경쟁우위를 확보해야만 기업이 성공할 수 있다. 이와 같이 기업들이 소비자를 만족시켜야만 기업이 성장하고 발전할 수 있다는 인식이 확산되어 고객만족경영이라는 경영철학이 등장하였다.

이렇게 고객만족경영이 중요해지는 배경은 다음과 같다.

첫째, 성숙된 시장이 증가하고 기술 수준의 평준화로 인해 제품의 품질이 비슷해지고 있다. 시장이 성숙해질수록 제품에 대한 전체 수요가 늘지 않아 경쟁이 치열해진다. 또한 성숙한 시장에서는 제품의 제조기술이 어느 정도 알려져서 경쟁제품과 차별화가 어렵고 소비자의 브랜드 전환의 가능성이 높아진다. 그러므로 점점 떨어지는 상표충성도를 유지하고 지속적인 경쟁우위를 갖기 위해서 다양한 방법으로 소비자를 만족시키는 것이 중요하다.

둘째, 시장이 성숙되고 경쟁이 치열해짐에 따라 신규고객의 창출보다 기존고객의 유지가 보다 중요하게 되었다. 일반적으로 신규고객을 획득하는 데 소요되는 비용은 기존고객에게 서비스하는 비용의 5배가 든다. 평균적인 회사의 비즈니스 중 65%는 만족을 얻은 기존 고객을 통해 이루어지며, 만족을 얻지 못한 고객의 91%는 절대로 그 회사의 물건을 다시 구매하지 않고 최소한 9명에게 자신이 겪은 불쾌감을 이야기한다고 한다. 또한 상위 20%에 해당되는 고객 1인의 매출이 나머지 80%에 해당되는 고객의 매출과 비슷하다고 한다.

이와 같이 고객만족으로 인해 형성된 우호적인 기존고객은 재구매와 구전에 크게 영향을 미친다. 그러므로 고객만족이 기업의 흥망성쇠에 매우 중요한 역할을 한다.

셋째, 고객의 요구가 급격히 다양화되고 있다. 소비자 욕구의 다양화와 라이프스타일의 변화는 기업이 고객을 집단이 아닌 개인으로서 대응할 필요성을 증가시켰다. 예를 들어 의류 구입 고객 유형을 구분할 때 단지 캐주얼 구입 고객 집단이라는 포괄적인 등식에서 벗어나 고객 한 명 한 명의 구매 패턴 등을 분석하여 구체적인 세부 유형을 나누어 색상별, 옵션별 등 구입 고객의 구매 패턴에 맞는 캐주얼 의류를 판매해야 하는 것이다.

대체적으로 이와 같은 변화요인에 의해 고객만족경영이 중요해지고 있다. 이를 위해서는 고객 개개인의 자료를 수집하고 이를 데이터베이스화하는 것이 불가피하다. 실질적으로 정보통신 기술과 컴퓨터가 놀랄 만큼 발전하여 손쉽게 고객자료의 데이터베이스화가 가능하다. 이러한 배경하에 고객만족경영을 구체적으로 구현하므로 경쟁우위를 확보하기 위한 수단으로서 많은 관심을 끌고 있는 것이 고객관계 마케팅(CRM : customer relationship marketing), 1 : 1 마케팅, 데이터베이스 마케팅, 다이렉트 마케팅 등의 개념이다.

2) 고객만족 및 감동이 중요한 이유

(1) 고객의 기대 수준이 그 어느 때보다 높다

고품질의 제품, 즉각적인 서비스, 가격만큼의 가치, 신속한 배달, 간편한 사용법, 환불 보장, 맞춤 상품 등 고객이 원하는 것은 끝도 없이 많다. 서비스 면에서 경쟁할 때 힘든 점은 동업종의 기업들하고만 경쟁하는 것이 아니라는 점이다. 즉, 서비스는 다른 업계에서 우수한 서비스를 제공하는 기업들과도 경쟁이 된다는 것이다.

(2) 어느 기업이든지 서비스를 제공하고 있다

제품의 경우에도 구매에 관한 의사결정은 사람이 하는 것이기 때문에 현대사회에서 어떤 상품도 서비스와 결합되지 않은 것이 없다. 제품에 문제가 있을 경우에도 고객은 사람으로부터 즉각적인 대응이 있기를 기대한다.

(3) 경쟁이 치열하다

업종을 막론하고 경쟁이 갈수록 치열해지고 있는 상황에서 경쟁우위를 확보하는 유일한 방법은 고객서비스다.

(4) 최상의 서비스는 반복구매로 이어진다

고객을 소중히 대하면 고객은 반드시 다시 온다. 고객을 아무렇게나 대하면 고객은 다른 곳으로 눈을 돌린다.

(5) 우수한 서비스는 수익을 창출한다

신규고객을 유치하는 것은 기존고객을 유지하는 비용의 최소 5배가 든다. 신규고객의 확보를 위해 노력하는 사이에 기존고객이 이탈하게 된다. 기업에 자신의 불쾌한 경험을 알리는 소비자는 극히 일부에 불과하다. 이러한 고객의 지적은 기업이 근본적인 개선을 할 기회를 제공하는 것이므로 이를 고객서비스를 향상시킬 수 있는 기회로 삼아야 한다.

3) 고객접점 종사직원의 중요성

소비자 개성 추구와 기호의 빠른 변화, 제품수명의 단기화, 국제화에 따른 치열한 경쟁 등 많은 요인에 의하여 많은 기업들이 이전의 생산 중심 체제의 경영에서 탈피해 시장 중심의 경영체제로 전환하고 있다. 기업은 판매활동을 통해 재화나 서비스를 소비자에게 제공하고, 이를 통하여 이윤을 획득한다. 따라서 판매활동은 생산활동과 더불어 기업의 가장 중요한 업무이다.

과거에는 무차별적으로 매스미디어를 통해 대량의 마케팅 자료를 불특정 다수의 소비자에게 방출하는 매스마케팅(Mass Marketing)이 주요 마케팅 수단이었으며, 이러한 마케팅은 마케팅에 대한 효과 분석에도 용이하지 않았다.

기업이 성공하려면 고객에게 매우 차별화되고 효율적인 방법으로 대처해야만 한다. 기업의 고객관리에서 가장 중요한 일은 고객요구에 대해 제대로 된 이해를 바탕으로 마케팅 활동과 제품 판매, 서비스 지원 능력을 향상시키는 것이다. 고객에게 제공하는 것들을 차별화하는 능력은 고객에 대한 정보수집 및 분석이 제대로 이루어지고 있는가에 달려 있다.

회사의 제품에 대해서 고객은 어떻게 생각하고 있는지, 회사의 제품을 판매하는데 있어 도매업자, 소매업자는 어떤 문제에 직면하고 있는지 등 이러한 '정보'

를 잘 수집하지 못하고 그러한 정보를 잘 가공하여 활용하지 못하는 기업은 경쟁에서 패배하고 시장에서 도태될 수밖에 없는 것이다.

고객과 직접적인 접촉을 하는 고객접점 종사직원이 고객응대 과정에서 수집하게 되는 고객접점 정보(Touchpoint Information), 다시 말해 기업과 고객 간 모든 상호작용에서 얻을 수 있는 정보는 마케팅에 있어 중요한 자원이 된다. 고객접점의 종사직원은 소비자의 변화나 요구를 누구보다도 빠르게 인식할 수 있으며 이러한 정보를 토대로 하여 고객에 대한 효과적인 마케팅 활동을 전개해 나갈 수 있게 된다. 더 나아가 이러한 정보를 데이터베이스화할 수 있도록 경영관리팀에 제공하므로 데이터베이스 마케팅의 기본 조건이 되는 고객에 대한 정보를 수집하는데 매우 중요한 역할을 한다.

종래의 상품을 고객에게 얼마나 많이 파는가 하는 기업 중심의 마케팅이 아니라 고객의 기호나 구매 내력 등에 근거하여 그 요구를 이해하고 고도의 전문지식에 의해 개개인의 요구에 대응하여 상품이나 서비스를 제안하는 개인 고객 중심의 다이렉트 마케팅이라 할 수 있는 고객관계 마케팅(CRM)이 효과적으로 수행되어야 한다. 이를 위해서는 고객의 행동에 대한 정보가 있어야 하고, 더 나아가 어떻게 변할지 모르는 소비자의 행동을 항상 주시하고 파악하여 기존 정보를 수정 보완해 나가는 것이 필요하다. 이러한 역할을 수행하는 사람이 고객접점의 종사직원이다.

그리고 기업과 고객이 직접 만나는 짧은 순간에(MOT : Moment of Truth) 최선을 다하여 고객을 만족시키는 것은(고객만족 서비스 제공) 상품요소와 함께 고객만족의 중요한 양대 요소이며, 이를 담당하는 것 역시 고객접점 종사직원이다.

소비자교육 길잡이 14-1 **고객접점**

고객접점은 MOT(Moment of Truth), 즉 '진실의 순간'이라는 단어에서 출발한다. 이는 1991년 리처드 노만이 만든 단어로, 스칸디나비아 항공(SAS : Scandinavian Airlines System)의 얀 칼슨 회장이 쓴 동명의 책으로부터 인기를 끌게 된 경영기법이다. 일반적으로 '진실의 순간'은 고객과 서비스 기업의 접점으로 해석되고 있으나 더 정확한 '진실한 순간'은 '고객이 조직의 어떤 일면과 접촉하는 일로 비롯되며 조직의 서비스 품질에 관하여 어떤 인상을 얻을 수 있는 사건'으로 정의될 수 있다. '진실의 순간'의 종업원들은 전체 서비스 과정을 이해하여 고객의 입장에서 서비스를 제공하며, 고객에게 우리 기업이 최상의 대안이라는 것을 느낄 수 있도록 해야 한다.

2. 기본적인 고객접점 종사직원의 자질

좋은 고객접점 종사직원은 아래와 같은 자질이 필요하다. 그러나 고객접점 종사직원의 자질이 아무리 훌륭하다 하더라도 직원이 자신이 소속되어 있는 기업에 만족하지 못하면 고객에게 훌륭한 서비스를 제공할 수 없다. 그러므로 고객접점 종사직원이 고객을 대상으로 만족할 만한 서비스를 제공하게 하기 위해서는 직원들의 회사에 대한 만족도를 높이는 것이 무엇보다도 중요하다.

기업이 '고객 다음으로 중요한 것은 고객과의 접점에서 일하는 종업원이다.'라는 자세로 고객접점 종사직원을 중요시한다면 종업원은 저절로 고객을 중요시하게 될 것이다.

1) 바른 몸가짐

고객과의 만남에서 첫인상은 매우 중요하다. 처음 만난 사람의 대부분이 복장이나 몸가짐으로 상대방을 평가하므로 항상 바른 몸가짐을 유지해야 한다.

(1) 건강

균형 있는 식사, 적당한 운동, 충분한 수면으로 언제나 건강을 유지해야 한다.

(2) 청결

산뜻한 인상을 주기 위해 언제나 청결에 신경을 쓴다.

(3) 제복에 맞는 화장법

판매접점 종사직원이 여성인 경우에 건강미, 청결감 넘치는 메이크업으로 좋은 인상을 주는 것이 필요하다. 지나치게 짙은 화장이나 타인에게 불쾌감을 주는 향료 등에도 신경을 써야 한다.

(4) 품위

품위는 쉽게 눈에 띄는 것이 아니지만 판매접점 종사직원으로서의 자부심이 없이는 절대 풍길 수 없는 것이다.

(5) 바른 자세

모든 활동은 바른 자세가 기본이 된다. 좋은 자세는 상대방에게 상쾌함과 신뢰감을 가지게 한다. 생동감 있는 자세는 확실히 건강하게 보여 소비자에게 상쾌한 인상을 준다. 새우등을 하거나 고개를 숙이거나 몸을 기대고 있는 것과 같은 모습은 소비자의 마음을 불편하게 할 수 있다.

2) 밝은 인사와 웃는 얼굴

(1) 호감을 지닌 인사

인사는 사람과 만남에 있어서 최초의 접촉이다. 판매접점에서 고객에게 적극적이고 느낌이 좋은 인사를 하는 것이 필요하다.

- 인사는 이쪽부터 먼저 활기차게, 기분 좋게 한다.
- 자기의 형편이나 기분에 좌우되지 말고, 언제든지 누구에게나 밝게 한다.
- 고객의 나이나 상황에 맞추어 그 분에게 맞게 한다.
- 언제나 상대방의 눈을 보고 마음을 담아서 한다.

(2) 웃는 얼굴

사람을 가장 아름답게 보이게 하는 것은 웃는 얼굴이다. 소비자와 만남에서 좋은 인상을 주기 위해서도 웃는 얼굴이 필요하다. 만들어 웃는 얼굴이나 순간적으로 표정을 바꿔 웃는 얼굴은 소비자가 곧 알게 된다. 마음으로부터 웃는 얼굴을 하기 위해서는 상대방의 기분이나 입장을 정리하여 마음에 여유를 가지는 것이 필요하다. 밝게 웃는 얼굴을 하기 위해서는 건강관리에 신경을 써 언제나 최고의 컨디션을 유지해야 한다.

(3) 말하는 법

말 한 마디로 천 냥 빚을 갚는다는 속담처럼 어떻게 말하는가는 매우 중요하다. 고객이 알기 쉽게, 바르고 느낌이 좋게 말해야 한다.

① 알기 쉽게 말하기
- 요점을 잡아 정리하여 말한다.
- 입을 정확히 열어 확실히 말한다.
- 크기가 조절된 소리로 말한다.
- 말의 간격을 살린다.
- 가능한 한 어려운 전문용어나 유행어 등은 사용하지 말고, 천천히 말한다.

② 바르게 말하기
- 정확한 지식을 가진다.
- 상황이나 상대방을 생각하여 바른 경어를 사용한다.
- 자세를 바르게 하고 온화하게 말한다.
- 표준어를 쓰고, 발음, 어법에 틀림이 없도록 말한다.
- 쓸데없는 말은 하지 않고, 중요한 점은 빠뜨리지 않고 말한다.

③ 느낌 좋게 말하기
- 상대방에게 마음으로부터 경의를 표하고, 상대방을 생각하는 마음을 가지고 말한다.
- 상대방의 눈을 보고 웃는 얼굴로 말한다.
- 감정을 넣어서 정중히 말한다.
- 생기있게 말한다.

3) 태도

- 판매접점 종사직원은 소비자를 응대할 때 예의 바르면서 따뜻한 태도를 지녀야 한다. 이것은 일상의 생활태도로부터 그냥 나타나는 것이므로 항상 의식하고 훈련하여 지속적으로 좋은 태도를 갖도록 해야 한다.

- 회사나 매장을 방문하는 손님은 모두 귀한 손님이라는 점을 잊지 않는다. 항상 고객의 입장에서 생각해 보고 자기 중심적인 생각이나 판단을 하지 않는다.
- 솔직함과 겸허함을 습관화한다.
- 고객에게 진심으로 고마움을 가지고 고객에 대한 응대를 즐겁고 기쁜 마음으로 해야 되겠다는 각오로 임한다.
- 고객이 조금이라도 불편을 느끼지 않도록 최대한 성의와 열의를 다하여 매사에 세심한 노력을 기울인다.

4) 고객 응대의 자세

- 고객을 구별해서는 안 된다.
- 고객의 입장이 되어 생각한다.
- 불손한 태도를 취하지 않는다.
- 교만하거나 거만하게 행동하지 않는다.
- 선입관에 사로잡히지 않는다.
- 개인적인 일에 몰두하지 않는다.
- 고객의 동태에 세심한 관심을 기울인다.
- 흐트러진 자세를 취하지 않는다.
- 독단적인 행동을 하지 않는다.
- 응대에 관한 규칙을 지킨다.

5) 고객이 싫어하는 판매사원

- 고객의 이야기를 무시해 버리는 판매사원
- 고집이 센 판매사원
- 공격적인 판매사원
- 고객의 결점을 지적하는 판매사원
- 꾸물거리는 판매사원
- 애교가 없는 판매사원

- 대화 중 껌을 씹고 있는 판매사원
- 동료나 고객을 중상모략하거나 험담하는 판매사원
- 곁눈질을 잘 하는 교양미 없는 판매사원
- 거만한 태도로 으스대는 판매사원
- 지나치게 사치한 판매사원
- 고객의 항의에 말대답하는 판매사원
- 점심을 오래 먹는 습관을 가진 판매사원
- 수시로 점포에 친구들이 놀러 와서 잡담을 하는 판매사원
- 공사의 구분이 분명하지 못한 판매사원
- 사리의 옳고 그름을 판단하지 못하는 판매사원
- 무뚝뚝한 태도와 언동으로 고객에게 매우 불쾌한 인상을 주는 판매사원
- 지나치게 친절을 베풂으로서 오히려 기분 나빠지게 하는 판매사원
- 고객의 사생활을 관찰하려는 듯한 저속한 취미의 판매사원
- 저속한 말, 은어 따위를 사용하여 혐오감을 주는 판매사원

3. 고객접점 종사직원의 주요업무지침교육

- 고객접점 종사직원은 결과적으로 제품이나 서비스를 소비자에게 판매하는 사람이기 때문에 판매원이라 할 수 있다.
- 판매원의 업무는 판매대상인 상품이나 서비스에 따라 약간의 차이는 있으나 보통 고객에게 상품설명을 통한 구매동기 유발, 계산과 포장, 상품진열과 청소, 기타 반품처리 및 고객에 대한 정보수집으로 이루어진다.
- 판매원이 고객에게 이러한 서비스를 제공함에 있어서 가장 중요한 점은 판매원의 입장에서 일방적으로 정한 서비스를 제공하는 것이 아니고 항상 고객의 입장에서 고객이 무엇을 바라는지 잘 파악하여 그것에 합당한 서비스를 하는 것이다. 그러기 위해서는 고객의 입장에서 물건을 사거나 서비스를 받거나 할 때의 고객의 기분이나 심리를 생각하며 응대하는 것이 기본이다.

1) 판매정보시스템에 관한 교육

(1) 판매정보시스템

POS는 Point Of Sales의 약어로 판매시점관리를 말하고, POS시스템은 광학적 자동판독방식의 레지스터에 의해 상품을 판매하는 시점에서 단품(單品)별로 수집된 판매정보와 매입, 배송 등의 활동에서 발생되는 각종 정보를 컴퓨터로 신속하고 정확하게 수집하여 집계 분석하므로 발주, 매입, 발송, 재고관리 등 기업의 각 부문이 유용하게 활용할 수 있는 정보를 필요한 시점에 즉시 제공하는 업자의 종합적인 경영정보시스템을 의미한다.

쉽게 말하면 종래의 금전출납등록기(ECR)의 주요 역할은 고객의 구입금액을 그 자리에서 빠르고 정확하게 계산하는 것이지만, POS시스템은 종래의 금전등록기를 컴퓨터의 단말기 등으로 대체하여 고객에게 매출금액을 제시하고 정산할 뿐만 아니라, 소매경영에 필요한 각종 정보를 정확하게 수집, 처리하는 시스템이다.

그 중심이 되는 POS시스템이란 매장에서 거래를 기록하고 금전을 보관하는 기능과 판매에 관한 정보를 컴퓨터매체에 기록하거나 직접 입력하는 기능을 갖고 있고, 또 상품 또는 가격표상에 바코드심벌로 표시된 상품정보를 자동판독할 수 있는 장치가 접속되어 있는 일종의 단말기이다. 구체적으로 말한다면 POS시스템은 상품에 메이커나 상품명을 표시한 바코드를 스캐너(바코드 자동판독기)를 통하여 인식한 결과를 모니터로 출력하여 상품 판매계산을 편리하고 신속 정확히 처리해 준다.

뿐만 아니라 PC-POS시스템은 컴퓨터 단말기로서도 활용이 가능하여 고객에 대한 판매정보당 지역의 구매 성향, 가장 잘 팔리는 품목과 안 팔리는 품목을 자동 축출하여 재고 관리에 반영하여 보다 향상된 진열대 관리 및 판매 기회 손실 방지에 일익을 담당하며, 모든 정보를 수집 가공하여 전략경영정보 관리시스템과 연동하여 급변하는 유통 정보화시대에 대처할 수 있는 정보시스템이다.

(2) POS시스템의 특징

① 온라인시스템(On-Line System)

매장에서 매출이 발생함과 동시에 판매점의 중앙컴퓨터(Store Control Computer)로 전송 처리함으로써 수작업을 탈피한다.

② 실시간 시스템(Real-Time System)

매장에서의 모든 거래 정보는 물론, 영업에 필요한 정보들도 즉시 파악하여 영업적 환경요인의 변화에 즉시 대응할 수 있다.

③ 중앙집중관리시스템

각 매장 및 판매대의 POS를 컴퓨터에 연결하여 집중 관리함으로써 POS 이동현황, 현금의 변동 사항, 착오 확인(error check), 정산사항 등을 일괄 관리할 수 있다.

④ 거래정보시스템

매장에서 발생하는 현금매출, 신용매출, 특판매출, 직원매출, 할인매출, 매출취소, 입금 등 모든 사항을 즉시 파악할 수 있다.

⑤ 종합정보시스템

매장에서 발생하는 정보를 메인 컴퓨터에 연결하여 매입, 매출, 회계, 경리정보까지 추출하여 활용할 수 있다.

이러한 특징을 가진 POS시스템의 효과는 표 14-1과 같다.

| 표 14-1 | POS시스템의 효과

운 영	점포관리	경영관리	외부관리
• Checkout 시간 단축 • 오타 방지 • 합리적 현금관리 • 정산시간 단축 • 계산원 교육시간 단축 • 신속한 자료 입력 • 정보의 발생시점에서 정보수집 • 정보의 신뢰성 향상 • 신용카드 처리 시간 단축 • 종업원의 부정방지	• 현금보유고 수시 파악 • 전표의 삭감 • 종업원 관리 향상 • 임시고용의 용이 • 각종 보고서 작성의 편리 • 신속한 가격정책 • 목표달성률 측정 편리	• 재고 삭감 • 로스(loss), 품절 방지 • 상품회전율 향상 • 고객 구매동향 파악 • 적절한 판촉활동 • 고객의 고정화 • PB 상품 개발 촉진	• 신뢰성 향상 • 대형상품 재고 조회 • 가계부 작성 용이 • 거래선에 단품 정보 제공 • 거래선 물류비용 감소 • 메이커의 생산계획 합리화 • 자료의 중복 Keyin 배제

(3) POS시스템의 올바른 활용방법

시장과 고객을 알기 위해서는 여러 가지 정보가 필요하기 때문에 정보를 얻기 위해 많은 시간과 자금을 투입해서 시장조사도 하고 자료분석도 한다. 정보를 얻는 방법은 많이 있지만 일상적인 업무를 수행하는 과정에서 자연스럽게 얻어지는 정보도 있다. 그 중에 하나가 판매접점 종사직원이 판매업무를 수행하면서 축적할 수 있는 POS데이터(Point of sales Data)이다.

POS데이터는 제품 포장에 있는 바코드를 스캐너로 읽어 가격을 제시하고 거래를 하는 시스템을 통해 수집된 데이터를 말한다. 이것은 단순한 계산기능에 그치지 않고, 판매기록과 고객에 대한 중요한 정보를 저장하는 기능도 한다. 그러므로 시장에서 고객의 행동에 대해 실시간으로 얻을 수 있는 POS데이터는 기업이 시장정보를 곧바로 분석하여 마케팅 활동에 활용할 수 있게 해준다.

POS데이터도 단점은 있다. 가장 큰 단점은 고객들의 시장에서의 행동만 볼 수 있다는 점이다. 구매행동의 뒤에 감춰진 동기, 원인, 심리상태 등은 전혀 알 수 없다.

POS데이터는 이론적으로는 정확한 자료지만, 우리나라에서는 실행 면에서 문제점이 존재한다. 의류 같은 경우 상점에서 제품이 판매될 때마다 정확하게 스캐닝하지 않고 모아 두었다가 한가할 때 일괄적으로 스캐닝하기도 하고, 제품의 바코드가 떨어져 있으면 같은 가격의 다른 품목을 스캐닝하는 경우도 있다.

그러므로 POS데이터가 앞에서 살펴본 제 기능을 다 하기 위해서는 매출이 발생하는 즉시 정확하게 매출을 등록하는 것이 무엇보다 중요하다.

물론 POS데이터가 모든 마케팅 문제를 해결해 주지는 못한다. 관리자의 경험, 판단, 통찰력이 중요하며, POS데이터는 이것을 지원해 주는 것이다. 그러나 POS데이터가 관리자의 판단을 뒷받침해 줄 수 있는 가장 객관적인 자료라는 사실은 분명하며, 자료의 신뢰성을 확보하기 위해서는 앞서 언급했듯이 매출이 발생하는 즉시 정확하게 매출을 등록해야 한다.

2) 서비스 제공에 관한 교육

서비스는 고객이 불친절하다고 느끼거나 불편함을 느끼지 못하는 정도의 소극적 서비스와 고객이 친절하고 편리하며 더 기분 좋다고 느끼는 적극적 서비스가 있다. 고객접점 종사직원이 이 두 가지 유형의 서비스 중에서 어떤 서비스를 제공하는가 하는 것은 일반고객을 고정고객으로 전환하는데 있어서 매우 중요한 요소가 된다.

그러나 고객접점에서 종업원들이 최고의 적극적인 고객응대를 하기 위해서는 제공하는 서비스의 범위에 대한 명확한 한계가 설정되어야 한다. 그렇지 않는다면 적극적인 서비스는 무한정한 것으로 고객접점 종사직원에게 과중한 스트레스가 될 것이다. 그러므로 고객접점 종사직원을 대상으로 하는 서비스 제공에 관한 교육은 서비스업무의 한계를 명확히 하고 각 서비스의 구체적인 제공방법에 대한 서비스표준을 정립하는 것에서 시작된다. 고객접점 종사직원의 접점서비스 표준은 다음과 같은 단계를 거쳐서 설정한다.

(1) 고객의 정의

우리의 고객은 누구인가?

(2) 업무분석

어떤 서비스업무가 있는지, 그리고 이러한 업무가 어떤 순서로 고객에게 제공되는지 이해한다.

(3) 접점별 고객요구 추출

고객접점에서 고객이 원하는 바가 무엇인지를 파악하고 고객의 주요요구를 추출한다. 고객의 주요요구는 각각의 고객접점에서 발생되는 고객의 요구사항을 다양한 방법으로 추출하여 핵심 사항만 정리된 요구를 말한다. 고객의 주요요구는 평소에 고객접점에서 일하면서 종업원이 느끼는 사항들과 고객을 대상으로 한 조사, 그리고 POS데이터를 활용하여 추출할 수 있다.

(4) 접점서비스 표준설정

앞서 파악된 고객의 주요요구와 접점서비스의 형태, 그리고 접점서비스상의 문제를 감안하여 바람직한 고객서비스응대표준을 설정한다.

서비스응대표준은 가장 이상적인 서비스를 정해 놓고 그 서비스에 도달하고자 하는 현실적이고 구체적인 서비스지침을 만드는 일이다. 이러한 서비스지침은 고객접점 종사직원으로 하여금 서비스가 일관되게 같은 방향으로 나오도록 해줌으로써 고객으로부터 신뢰감을 얻게 해준다. 서비스지침이 현실감이 없거나 무리한 내용이면 고객접점 종사직원이 힘들어지고 고객들도 어색한 서비스를 받게 된다.

서비스표준 설정 시 유의할 점은 다음과 같다.

① 고객이 편하고 호감을 느끼는 서비스 행동이 되도록 지침을 정한다(교과서 내용으로 정하면 안 됨).
② 고객접점 종사직원이 스스로 실천 가능한 내용으로 설정되어야 한다.
③ 현실적인 내용을 담되 시대적 성향을 포함해야 한다.
④ 누가 하더라도 동일한 서비스가 나올 수 있도록 구체적으로 명시되어야 한다.
⑤ 기업 내에서 한 부서가 독자적으로 정해서는 안 되고, 반드시 고객접점 종사직원, 각 관련 부서 담당자들이 함께 참여하여 마련되어야 한다. 그래야만 고객접점에서 고객의 주요요구를 충족시키는 현장의 고객접점 종사직원의 애로사항과 고객접점서비스에 필요한 다양한 지원을 하는 관련 부서의 입장을 함께 고려할 수 있기 때문이다.

3) 고객의 니즈(needs) 파악

어느 정도 고객관리능력의 경험이 있어서 고객과의 상황에 자연스럽게 적응하고 고객을 응대하는 경우도 있지만 노련한 판매직원조차도 당황하게 되는 전혀 예상치 않은 사건과 상황이 발생하는 경우도 많다.

그러나 어떠한 상황에서든지 고객의 니즈를 제대로만 파악할 수 있다면 이에 뒤따른 고객응대는 크게 문제가 될 것이 없다. 고객의 니즈는 객관적인 요구와 주관적인 욕구의 두 가지로 구분해 볼 수 있다.

(1) 고객의 요구

고객이 어떤 객관적인 상황이나 자료를 요청하는 것을 말한다. 즉 고객 입장에서 볼 때 궁금하다거나, 정보를 알고 싶다거나, 상담을 하고 싶다거나, 샘플을 받고 싶다거나, 현장요원이나 전문가의 방문을 요청하는 것과 같이 고객이면 한 번쯤은 당연하게 요청할 수 있는 요구내용을 말한다.

즉 인터넷쇼핑몰에서 상품을 구입하려고 하는데, 막상 사려고 생각하니 컴퓨터 화면에 비치는 전자카탈로그보다는 카탈로그를 본 후 구입하겠다는 의사와 함께 그 카탈로그를 고객의 집으로 우송해 달라는 부탁을 받는다면, 이것은 이 상품을 판매하는 회사나 담당자 입장에서는 당연하게 제공해야 할 서비스이다.

(2) 고객의 욕구

이것은 고객이 주관적인 관점이나 행동을 요청하는 것을 말한다. 즉 평균고객이 요구하는 수준을 넘어선 것으로, 개인의 특수한 상황에 맞는 특별한 요청을 말한다. 따라서 고객의 욕구는 객관적인 상황보다는 훨씬 고객의 요청 강도나 주장이 강하며, 경우에 따라서는 기업이나 마케터의 입장에서 볼 때 정책적, 법률적, 시장논리 등의 규정이나 원칙에서 벗어나는 상황도 발생한다. 이것은 고객을 접하는 판매직원 외에 다른 사람들, 특히 직접 이 업무와 연관된 조직구성원들의 의사결정이나 허락, 정당한 조처와 프로세스 진행을 통해 고객이 요청하는 것에 대해 대응할 수 있다.

따라서 고객의 요청이 객관적인 요구인지 주관적인 욕구인지에 따라 고객응대나 처신 방법이 크게 달라진다는 것을 알아둘 필요가 있으며, 이 같은 작지만 소중한 원칙을 통해 고객들을 합리적으로 이해시키고 고객로열티를 향상시킬 수 있도록 하는 것이 필요하다.

4) 고정고객 관리에 관한 교육

고객의 창조는 기존 제품들과 매우 다른 혁신제품을 개발하여 새로운 제품시장을 창조하거나 기존 제품 시장에서 경쟁제품과 대비하여 차별적 우위성을 확보함으로써 가능하다.

기업이 표적시장에서 고객을 확보하기 위한 다른 방법은 기존의 고객을 자사의 고객으로 남아 있도록 하는 것이다. 더욱이 기존의 고객을 유지하는 것은 기업이 지금까지 현재의 고객을 확보하는데 많은 돈을 투자했고, 경쟁이 치열한 시장의 포화상태에서 이렇게 기업의 많은 투자로 성장한 고객을 경쟁기업이 빼앗으려 하기 때문에 더욱 중요해진다.

구매자가 서비스에 대해 단순하게 생각하거나 시장환경이 불확실한 시장에서 한 명의 고객을 잃는 것은 단지 그 고객에게 다시 상품을 팔 수 있는 기회를 잃었다는 것만을 의미하지는 않는다. 즉, 기업은 그 고객이 평생 구매했을 경우 얻을 미래의 이익을 잃는 것이다. 그러므로 기업의 유지와 성장을 위해서 고정고객의 관리를 잘 하는 것이 판매접점 종사직원의 중요한 임무인 것이다.

(1) 고객(customer)은?

- 기업(MAKER)-대리점(도매점)
- 대리점(도매점)-소매점-소비자
- 조직원 상호 간
- 상사와 부하
- 경영자와 직원
- 납품처와 수주처(거래처)
- 직원(개인)과 소비자

(2) 고객은 왜 중요한가?

기업의 매출은 고객 수뿐만 아니라 각각 고객의 지출 액수, 즉 객단가와 관련이 있다(매출=객수×객단가). 매출을 올리기 위해서는 고객의 수를 늘리거나 객단가를 높여야 한다.

고객의 수를 늘리는 방법, 즉 새로운 고객의 창출은 기존 고객 유지보다 광고, 판촉비용 등 훨씬 많은 마케팅 비용이 든다. 고객접점 종사직원의 입장에서도 쉽지 않은 일이며, 설사 고객 수가 늘어난다 하더라도 증가된 고객을 잘 관리하는 것도 어려운 일이다. 결과적으로 고객의 수만 늘리는 것은 판매접점 종사직원의 고객관리능력을 초과할 가능성이 높으며, 이는 곧 서비스품질의 저하로 이어져 장기적으로 볼 때 기업의 이미지에 오히려 손해가 될 수 있다.

반면에 고객을 잘 관리하여 관계를 형성하고 고객의 요구를 잘 파악하여 그에 맞는 서비스를 제공하여 단골고객으로 만드는 것은 결과적으로 객단가를 높이게 된다. 이는 판매접점 종사직원의 입장에서도 훨씬 수월하게 업무를 수행할 수 있는 기반이 되며, 결과적으로 기업의 매출을 향상시키는데 결정적인 역할을 하게 된다.

또한 만족한 소비자의 구전효과는 기업의 입장에서 가장 효과적인 광고수단이 되는데, 만족한 소비자는 제품을 반복해서 구매할 가능성이 클 뿐 아니라 기업에게 좋은 아이디어를 제공하기도 하여 기업의 매출과 수익 증진, 그리고 비용절감에 많은 기여를 하게 된다.

그러므로 기존 고객을 만족시켜 계속 고객으로 유지하고 단골고객으로 만들어 고객의 수익성, 즉 고객의 평생가치(LTV : life time value)를 높이는 것이 새로운 고객을 만들어 내는 것보다 훨씬 효율적이라 할 수 있다.

소비자교육 길잡이 14-2 고객의 평생가치

고객의 평생가치(LTV)는 한 고객이 특정 기업의 제품이나 서비스를 처음으로 구매했을 때부터 시작해서 마지막으로 구입할 것이라고 판단되는 시점, 즉 고객으로 존재하는 전체 기간 동안 구입 가능한 제품이나 서비스의 누계액으로, 기업에게 제공할 것으로 추정되는 재무적인 공헌도의 합계를 말한다.

(3) 고정고객 육성법

고정고객이란 고객의 평생가치가 높은 고객이다. 그러므로 고정고객을 육성한다는 것은 고객의 평생가치를 높이는 것이며, 거래 단위의 구매자, 즉 항상 최고의 구매조건을 탐색하다가 특정 구매시점의 상황만을 기준으로 판단하는 소비자를 장기적인 구매가치에 결정적인 영향을 미치는 단골고객으로 바꾸는 것이 된다.

컨시딘과 라펠(Considine & Raphel)은 '충성도 사다리(loyalty ladder)'라는 개념을 통해 고객과의 장기적인 관계의 중요성을 강조하고 있다. 이 개념은 기업은 고객과의 우호적 관계를 위한 꾸준한 노력을 통해 용의자(suspect : 잠재적인 소비자가 될 수 있는 가능성이 있는 사람)의 단계에 있는 소비자를 점차 잠재고객(prospect : 제품에 대해 들어 본 적은 있지만 사 본 일은 없는 사람), 시험구매자(trial buyers : 시험 삼아 자사의 제품을 구입한 사람), 반복구매자(repeat buyers : 자사의 제품을 다시 구입함으로써 마케터에게 신뢰를 보이기 시작하는 구매자), 단골고객(client : 타사의 상품을 사지 않고 자사의 상품만을 반복해서 구매하는 고객)의 단계를 거쳐 지지자(advocate : 주면 사람들에게 자사의 제품을 권유하는 고객)의 상태로까지 끌어올릴 수 있도록 노력해야 함을 강조하고 있다.

가장 쉽게 평생가치가 높은 고정고객을 파악하는 방법은 R-F-M 분석이다. 즉 구매기간(recency), 구매빈도(frequency), 구매금액(monetary) 등에 대한 가중치와 산정방법으로 전체 고객을 서열화하여 고객로열티를 평가하고 고객층을 분류하는 방식이다.

이를 위해서는 고객에 대한 정보를 수집하여 분석하고 이를 활용하는 것이 필요하다.

① 고객에 대한 정보의 수집 및 정리

일반 소비자를 단골고객으로 전환하는데 있어 무엇보다도 일차적인 요건은 개별 소비자에게 개인적인 관심을 집중하는 일이다. 소비자가 군중 속에 묻혀 있는 존재로 인식되는 것이 아니라, 소비자 자신이 특별한 개인적 배려와 관심의 대상으로 인식되고 특별한 대우를 받고 있다는 감정이 확실히 느껴지도록 해야 한다. 이러한 상태가 형성될 때 비로소 단골고객 관계의 초기 단계가 시작된다.

고정고객의 육성에 있어 가장 기본적인 일은 무엇보다도 고객에 대한 자료를 수집하는 것으로부터 시작한다. 일회성고객에게서 처음 수집할 수 있는 간단한 자료부터 시작하여 고객과의 거래가 반복됨에 따라 보다 자세한 정보를 누적적으로 확보하면 고객과의 관계유지에 유용하게 활용할 수 있다. 고객에 관한 정보에는 다음과 같은 것이 있다.

- 고객의 성명, 생년월일, 결혼기념일
- 가족구성원
- 근무처, 직위, 근무연수
- 라이프 스타일
- 생활정도
- 취미, 기호, 특별 관심분야
- 제품 보유상황

② 정보를 활용한 고객 밀착활동의 실천

일반적으로 고객에 대한 정보는 다음과 같은 곳에 활용할 수 있다.

- 일상활동 활용 : 방문, DM, 판촉물 무료 송부, 샘플이나 견본품 송부, 이벤트나 판촉에 대한 고지 등
- 판촉기획 수립 : 공략고객층 및 공략방법의 결정
- 상품계획 활용 : 제품 설정 작업, 상품 및 서비스 믹스 개발, 신제품 판매, 틈새시장 진출 등
- 판매계획 활동 : 판매방법에 대한 다양한 계획
- 고객과의 관계 개선 : 우량고객관리, 감사의 전화(happy call), 고객이탈방지

고객이 일반 소비자나 법인에 상관없이 공급자가 일방적으로 상품을 판매하던 것은 과거의 이야기이다. 기업이 고객의 요구를 신속, 정확히 파악하여 시의적절하게 상품이나 서비스, 정보를 제공할 수 없다면 고객은 즉시 떠나게 마련이다.

그러므로 고객에 대한 자료를 바탕으로 고가 단골 구매자를 식별하거나 과거의 구매 행동으로부터 고객이 필요로 할 것으로 예측되는 부가적인 제품과 서비스를 알아내고(개별고객의 잠재적 요구 파악), 고객의 개성을 고려하여 고객에게 적합

한 상품과 서비스를 선별적으로 제공하는 것은 고객의 단골고객화의 지름길이라 할 수 있다. 이 경우 고객에게 제공되는 상품이나 서비스는 목표 고객에게 가장 중요한 것이어야 하며 또한 경쟁기업이 쉽게 모방할 수 없는 것이어야 한다.

고객층을 분류하면 같은 집단에 속하는 고객들 사이에 존재하는 어느 정도 공통적인 동의(consensus)를 찾아낼 수 있다. 즉 소비자의 특징, 구매행동 및 특성, 상품/서비스 특징에 맞는 고객의 니즈 및 선호도에서 공통분모를 발견할 수 있으므로 특정 제품이나 서비스를 구매한 집단의 특성을 파악하여 활용하면 역으로 그 제품이나 서비스에 대한 앞으로의 잠재고객을 선별해 낼 수 있고, 이러한 자료를 고객과의 관계형성에 활용할 수 있다.

③ 고객리스트의 지속적인 관리와 보충

고객리스트는 항상 변동하기 때문에 지속적으로 관리하지 않으면 그 가치가 없어진다. 왜냐하면 오래된 리스트나 틀린 정보들은 오히려 마케팅 비용을 상승시키고 효율을 저하시키기 때문이다. 따라서 고객리스트의 필요성과 활용목적, 활용방법에 대해 구체적으로 접근하는 노력이 선행되어야 하며, 정기·비정기적으로 DB를 업그레이드(upgrade)하도록 한다.

④ 주고객의 고충과 제안 반영

고객과의 인간적인 접촉을 통해 주고객층의 고충과 제안을 반영하도록 노력한다. 특히 고객의 생활패턴과 심리학적인 특성을 교차시켜 고객확보 전략수립에 반영하면 고객확보가 더욱 쉬워진다.

5) 고객의 불만처리에 관한 교육

기업에 따라 차이는 있으나 한 건의 소비자불만을 적절하게 해결하는 것이 새로운 고객을 한 명 만드는 것보다 5~10배 비용이 더 든다. 그러나 소비자의 불만을 잘 해결하면 장기적으로 소비자의 기업에 대한 만족을 증가시켜 재구매와 상표에 대한 충성심을 갖게 한다. 그러므로 고객의 불만을 효과적으로 처리하는 것은 매우 중요하며 고객접점 종사직원이 고객의 불만을 일차적으로 접하는 기회가 많으므로 고객접점 종사직원에게 고객의 불만처리에 관한 교육을 실시해야 한다.

고객의 불만처리에 관한 교육 중에서 가장 핵심적인 사항인 경청자세와 기술에 대한 것이다.

대부분의 사람들은 훌륭한 청자가 되지 못한다. 어떤 연구보고에 따르면 85% 이상의 사람들이 경청능력에 있어서 평균 이하였고, 5%에도 못 미치는 사람들만이 우수하거나 뛰어나다는 평가를 받았다고 한다.

커뮤니케이션 과정에서 메시지를 전달하는 행위는 50%에 불과하며, 메시지를 받아들이는 것이 그 나머지를 차지한다. 그러나 대부분의 사람들은 남의 말을 잘 들으려 하지 않고 다음에 무슨 말을 할까에 더 신경을 쓰기 때문에 결과적으로 자신이 청취한 전체 내용의 25%만을 경청하게 되고 나머지 75%는 그냥 흘려들어 버리게 된다. 그러므로 고객의 불만을 응대하는 경우에는 그 어떤 경우보다도 고객이 안심하고 말할 수 있도록 고객접점 종사직원들은 우수한 경청능력을 보유하고 있음을 확신시켜 줄 수 있어야 한다.

그렇다면 어떻게 경청해야 하는지 살펴보자.

① **고객의 모든 말에 집중한다**

잡념을 버리고 주변을 정돈한 후 가능하다면 메모할 수 있는 준비를 갖추고 고객의 말에 최대한 집중해서 경청할 수 있는 자세를 유지해야 한다.

② **열린 마음으로 고객의 말을 수용한다**

대부분의 사람들은 다른 사람의 말을 듣는 데 있어서 다음과 같은 좋지 않은 습관을 가지고 있다.

• 고객이 말하고 있는 동안 자신은 그 다음 무엇을 할 것인가를 생각하거나 무슨 말을 할 것인가를 생각하고 있지는 않는가?
• 고객이 말하는 방식이 다소 지루하다고 하여 쉽게 다른 생각을 하지는 않는가?
• 고객이 말하려는 내용이 들어보나마나 뻔하다고 하여 다른 생각에 잠기지는 않는가?
• 고객의 말이 끝나기도 전에 말을 가로채지는 않는가?

이런 모든 습관들은 경청능력을 저하시킨다. 경청이란 소극적인 활동이 아닌 고도의 집중과 참여를 필요로 하는 매우 적극적인 활동이다.

고객의 불만을 접하게 될 때 판매접점 종사직원은 고객들로부터 듣고 싶지 않은 불쾌한 말들도 들을 마음의 준비를 하는 자세가 필요하다. 때로 그런 불쾌한 말들도 향후 고객의 문제를 해결하는데 결정적으로 도움이 되는 꽤 가치 있는 것이 될 수 있기 때문이다. 따라서 고객의 말을 끝까지 듣고 나서 고객의 요구사항을 성의껏 처리해 준다면 고객은 충분히 만족할 것이다.

그리고 고객의 상담내용 중에서 그 고객이 진정 무엇을 원하는지 파악할 수 있어야 한다. 대체적으로 고객의 상담내용을 들어보면 고객이 말하는 전체 내용이 다 중요한 것은 아니다. 그 중에서 단지 몇 가지 핵심적인 내용에 고객이 원하는 바가 담겨져 있다. 따라서 고객의 말을 항상 열린 마음으로 경청한다면 고객의 핵심문제를 명확하게 알 수 있고 만족스러운 해결안을 이야기해 줄 수 있을 것이다.

③ 정중한 질문을 통해 확인한다

만약 고객의 요구 사항이 복잡하거나 명확하게 이해가 되지 않는다면 고객에게 정중하게 질문하여 고객의 요구를 명확하게 이해하도록 해야 한다. 그렇게 하지 않고 자신의 생각을 보태거나 추측하여 판단하는 것은 위험한 일이다. 대부분의 고객들은 질문을 받고 말을 할 때 자신의 말을 귀담아 들어주면 자신이 인정받고 있으며 존경받는다고 생각하여 기꺼이 더 많은 정보를 제공한다. 이때 그들은 자신이 말하고 있는 것이 매우 중요하여 듣는 사람도 그에 따른 반응을 보여야 한다고 생각한다. 따라서 고객에게 질문을 한 후 그들의 답변에 진지하게 맞장구를 치며 경청하면 그들이 원하는 핵심내용을 명확하게 파악할 수 있을 것이다.

④ 고객을 이해한다는 것을 확인시킨다

고객이 불만을 제기하면 그 내용을 충분히 이해했으며 그러한 상황에서 겪게 되는 불편한 심정이 어떤 것인지를 잘 알고 있다고 확인시켜 주어야 한다. 이러한 심리적 배려는 판매접점 종사직원과 고객 사이의 공감대를 형성하는데 큰 도움을 줄 수 있을 뿐만 아니라 잘못된 서비스로 인해 불편해진 고객과의 관계를 쉽게 개선시켜 줄 수 있다.

⑤ 회사 입장에서 자사 상품을 두둔하지 않는다

고객은 고객접점 종사직원이 자신의 편에서 충분한 공감과 신뢰감을 보이지 않을 경우 기분이 상하게 된다. 그리고 그 판매접점 종사직원이 자신에게 만족할 만한 답변을 줄 수 있는지조차 의심스러워 할 수 있다. 따라서 고객이 불만을 제기해 오면 판매접점 종사직원은 회사와 자신의 입장에서 해결방안을 찾지 말고 고객의 입장에서 객관적으로 듣고 판단해야 한다.

⑥ 모두에게 유익한 최선의 해결책을 강구한다

고객의 상담 내용을 경청한 후 판매접점 종사직원은 먼저 자신이 해결할 수 있는 일인지 아닌지를 신속하게 파악해야 한다. 만약 고객이 판매접점 종사직원이 스스로 해결할 수 없는 어려운 요구를 해올 경우에는 다음과 같이 처신하는 것이 바람직하다. 먼저 "네, 문제가 쉬운 일은 아니군요. 제가 빠른 시간 안에 해결해 보도록 노력해 보겠습니다. 잠시만 기다려 주시겠습니까?"라고 고객에게 응대한 후 동료나 상사로부터 해결안을 알아보거나 도움을 요청해야 한다. 또한 고객이 원하는 것을 해결하는 것이 불가능할 때는 당신이 해줄 수 있는 가능한 방법을 말해 주거나 대안을 제시해 주어야 한다.

⑦ 고객의 불만은 고객로열티를 창출할 수 있는 최선의 기회라는 점을 명심한다

갤럽조사에 의하면 서비스에 불만을 느낀 고객 중 그것을 적극적으로 제기하는 고객은 4%에 불과하다고 한다. 그러므로 불만을 제기하는 고객 한 사람 뒤에는 약 24명의 불만 고객이 숨어 있다고 할 수 있다. 그러므로 자사의 제품이나 서비스에 대해 불평하는 고객이야말로 자사의 상품에 대한 문제점을 찾고 개선점을 마련할 수 있는 단서를 제공하는, 오히려 소중하게 다루어져야 할 고객이므로 감사하는 마음을 먼저 가져야 한다. 만약 고객이 그동안 겪었던 불편 사항들에 대해 불만을 털어놓는다면 새로운 기회가 온 것으로 생각하고 기꺼이 상담에 응해야 한다.

언제나 고객접점 종사직원이 고객의 입장에서 일하고 있음을 확신시켜 준다면 고객은 계속해서 자사의 상품이나 서비스를 이용하게 될 것은 물론이고, 로열티를 창출할 수 있는 절호의 기회가 될 것이다.

6) 소비자동향 파악과 자료화

기업이 수행하는 일련의 업무과정에서 다양한 형태의 자료가 발생한다. 예를 들면 고객의 이름, 나이, 거주지, 직업 등과 같은 고객 관련자료, 상품이나 서비스를 설명할 수 있는 자료, 즉 거래자료 및 분석결과 자료가 바로 그것이다. 이러한 소비자와 관련된 내·외부 자료, 즉 소비자의 개인정보를 기반으로 하여 훨씬 다양한 형태로 시장을 세분화하여 고객의 수요를 창출하고, 세분화된 시장별로 차별화된 대 고객 서비스를 개발하여 각각의 소비자에게 차별화 된 고객서비스를 제공할 수 있다. 이를 위해서는 POS데이터와 같이 수량화되고 객관성이 있는 자료와 수량화할 수 없는 소비자에 대한 정보가 함께 사용되어야 한다. 이때 수량화할 수 없는 소비자에 대한 자료의 중요한 자료이며 POS데이터를 직접 입력하는 판매접점 종사직원의 비중이 매우 크다고 할 수 있다.

POS데이터에는 나타나지 않지만 고객접점 종사직원이 수집할 수 있는 고객 관련 주요 정보의 예는 다음과 같다

- 제품의 모든 관점에 대한 피드백
- 고객요구 사항과 계약정보
- 시장요구 사항
- 서비스 인도 데이터
- 경쟁사와 관련된 정보

판매접점 종사직원에 의해서 파악된 이러한 정보를 데이터베이스화하여 이에 기반을 두고 자사의 수익에 보다 크게 기여하는 우량고객을 파악하여 그들에게 차별적인 혜택을 제공함으로써 장기적인 고객충성도를 형성할 수 있다. 더 나아가 우량고객의 특성을 분석하여 앞으로 단골고객이 될 가능성이 큰 잠재고객에게 선별적으로 접근, 각 고객의 요구에 맞는 접점 커뮤니케이션(Pin-point Communication)을 통해 집중 공략함으로써 DM·TM 비용을 획기적으로 절감하고 마케팅 활동의 효율성을 향상시킬 수 있다.

국내문헌

강순주, 이승신, 김시월, 권오정(1998). 현대사회와 가정. 건국대학교 출판부.

강창경, 정순희, 허경옥(1998). 소비자법과 정책. 학지사.

곽삼근(2000). 성인을 위한 평생교육방법. 원미사.

국민은행 http://money.kbstar.com

국민은행연구소(2002). 금융교육, 무엇이 문제인가? 가정에서의 어린이 금융교육 실태보고서. 국민은행연구소.

국민은행연구소(2003). 금융교육, 무엇이 문제인가? 가정에서의 어린이 금융교육 실태보고서.

권건일, 김인아(1996). 사회교육의 이해. 양서원.

금융감독원 http://www.fss.or.kr

금융감독원(2004). 우리나라 중학생의 금융이해력(Financial Quotient) 측정결과. 금융감독원.

금융감독원(2009). 우리나라 고등학생의 금융이해력(Financial Quotient) 측정결과. 금융감독원.

금융감독위원회, 금융감독원(2007). 금융교육 강화방안.

김근영, 최숙희(2004). 청소년 경제교육의 현황과 과제. 삼성경제연구소.

김기옥(2000). 소비자의 정보격차 분석: 정보사회가 가져올 또 하나의 소비자문제. 대한가정학회지, 38, 10, 97-115.

김기옥, 김난도, 이승신(2000). 소비자정보론. 시그마프레스.

김기옥, 배윤정(2000). 정보사회의 소비자교육 내용 구성에 대한 전문가-소비자의 의견 비교분석, 대한가정학회지, 38(12), pp.225-239.

김기옥, 허경옥, 정순희, 김혜선(2001). 소비자와 시장경제. 시그마프레스.

김난도, 윤정아(2001). 가상공간의 소비자문화 유형화에 관한 연구: 인터넷 방송을 중심으로. 2001년 한국소비자학회 춘계학술 발표회 논문집. 53-62.

김도수(1995). 사회교육. 교육과학사.

김도수(1996). 평생교육. 양서원.

김동기(1994). "노인소비자의 구매행동에 관한 실증적 연구", 경영학연구, 23(2).

김미리(2007). 대학생소비자의 금융이해력 및 금융소비자교육 요구도 분석, 건국대학교 석사학위논문.

김미숙(1999). 사회교육 프로그램 평가론. 원미사.

김미현(1995). 품질과 안전성 테스트로 소비자의 알 권리 충족시킨다, 소비자시대, 1995, 5, 한국소비자원, 24-27.

김병우(2002). "새로운 인생의 시작, 아름다운 실버!", 소비자시대 2002년 5월호, 한국소비자보호원, pp.42-46.

김선희, 박성민, 권언정(2010). 기업교육 프로그램 개발의 실제. 서현사.

김성권(2000). 평생교육의 이론적 체계 및 발전 방향에 관한 연구. 경원대학교 교육대학원 석사학위논문.

김시월 (2001). 생활 속에서 배우는 소비자교육. 건국대학교 출판부.

김시월 (2001). 소비자교육용 CD-ROM 제작 및 개발에 관한 기초연구:청소년의 소비자교육용 컴퓨터 관련 매체의 선호를 중심으로. 소비자학연구, 12, 4, 119-141.

김시월 역(2004). 일본의 소비자교육(니시무라 다카오 저, 일본의 소비자교육). 시그마프레스.

김시월(2007). 청소년소비자의 온라인 신용소비자교육 활성화 및 프로그램 개발을 위한 기초 연구: 한·일 청소년소비자의 비교분석, 한국가정관리학회지 25(3) pp.169-185.

김시월(2010). 소비자가 세상을 움직인다. 건국대학교출판부.

김시월(2010). 소비자교육 연구의 동향 분석 및 확대 방안, 소비자학연구, 21(2), 50-70.

김시월, 조향숙(2010). 한·일 청소년소비자의 신용교육 요구도 비교 연구: 신용지식 및 인식을 중심으로, 한국 FP학회지, 3(2), pp.73-103.

김연화(2009). 유아 소비자교육을 위한 통합 프로그램의 설계와 적용에 관한 질적 연구: 내러티브 탐구 방법을 중심으로. 한양대학교 석사학위논문.

김영수, 강명희, 정재삼 (1997). 21세기를 향한 교육공학의 이론과 실제. 교육과학사.

김영신, 강이주, 이희숙, 허경옥, 정순희 (2000). 소비자의사결정론. 교문사.

김용자(1996). 소비자정보 제공체계에 관한 연구, 소비자문제연구, 제18호, 한국소비자원, 1-39.

김정현(2011). 소비자 재무관리역량 척도 및 지수 개발 연구. 서울대 대학원 박사학위논문.

김정호(2003). 청소년 금융교육의 방향과 내용. 청소년금융협의회.

김종구, 박성용(1997). 소비문화에 관한 연구, 연구보고서 97-01, 한국소비자보호원.

김해운 (1994). 시청각교육. 형성출판사. 서울.

김해천, 김기영, 최종인(1997). 경영학 원론. 박영사.

김혜선(1995). 소비자정보의 중요도 측정과 그 응용에 관한 연구. 소비자학연구, 6, 2, 한국소비자학회, 81-94.

김혜선, 김시월, 김정훈, 허경옥, 정순희, 배미경(2002). 소비자교육의 이해. 시그마프레스.

김희진(2007). 청소년의 가정과 학교 소비자교육 경험과 현황, 성신여자대학교 석사학위논문.

김혜선, 배미경(1998). 가계재무관리. 학지사. 169-221.

김효정(2005). 대학생소비자의 재무관리행동에 관한 연구, 대한가정학회지, 43(7), 79-91.

나일주, 임철일, 이인숙 편저(2008) 기업교육론. 학지사.

나종연(2006). 기업의 소비자교육 사례를 통해 살펴본 소비자교육에서의 기업의 역할, 소비자정책교육연구, 2(2), 105-121.

남경희(1994). "소비의 기호화에 따른 소비자교육에 관한 고찰", 소비자문제연구, 제14호(1994년 12월). 한국소비자보호원, pp.95-104.

노영화, 황정선(1995), 소비자지향적 기업 경영에 관한 연구, 연구보조거 95-01, 한국소비자보호원.

대한상공회의소 http://hi.korcham.net

류종훈, 임창덕, 윤인호, 김동석, 오지혜(2002). 노인교육의 이론과 실제. 학문사.

미국점프스타트 http://www.jumpstart.org

민주시민교육센터 편역(2001). 생활 속의 민주시민교육. 원미사.

바른번역 옮김(2009). 기업조직 구조와 사회 책임 경영. 비즈니스맵.

박광수, 양재영, 주소현 공저(2011). 개인재무설계. 경문사.

박명희 외(2000). 21세기 소비환경의 변화에 따른 학교 소비자교육의 방향. 공정거래위원회 제출 연구보고서. 2000. 11.

박명희(1996). 소비자의사결정론. 학현사.

박명희(2000). 21세기 소비환경의 변화에 따른 학교소비자교육의 방향. 공정거래위원회연구보고서.

박명희(2005). 소비자교육의 실효성을 위한 정책적 제안: 학교 소비자교육을 중심으로, 2005년 제4회 한국소비자교육지원센터 정기심포지엄 소비자교육과 사회발전 자료집, 3-42.

박명희, 이승신(2001). "21세기 소비환경의 변화와 소비자교육의 방향", 한국소비자학회 제5차 Doctorial Consortium 자료집, pp.93-163.

박명희. 학교소비자교육의 현황과 문제점 및 개선방안.

박부진, 이해영 (2000). 인터넷의 생활화와 가족문화의 변화. 한국가족학회 춘계학술대회 자료집.

박성용(2002). 소비자교육의 발전방향, 경제교육학회, 8(8), 207-220.

박성익, 임철일, 이재경, 최정임(1999). 교육방법의 교육공학적 이해. 교육과학사.

박수경(1990). 소비자사회화 측면에서 본 아동소비자의 TV광고처리능력. 서울대학교 대학원 석사학위논문.

박운성(1997). 현대경영학원론. 박영사.

박재선(1984). 소비자교육 프로그램의 체계화에 관한 연구-교육내용을 중심으로, 이화여자대학교 석사학위논문.

박철(2003). 금융교육 선진국의 현황 및 시사점, 선진국 금융교육 실태 및 시사점, 국민은행 연구원.

배순영(2001). 온라인 소비자교육체제 구축방안 연구-아동·청소년소비자교육을 중심으로-, 연구보고서 2002-01, 한국소비자보호원.

배순영(2002). "바람직한 어린이 소비자교육 : 풍부한 경험과 끊임없는 대화 올바른 소비 생활 태도 형성에 중요", 소비자시대 2002년 5월호, 한국소비자보호원, pp.6-8.

배순영, 이기춘(2001). 디지털시대, 교육패러다임의 변화와 온라인 소비자교육. 20001년 한국소비자학회 학술발표회집. p.193-211.

배순영, 이기춘(2001). "디지털시대, 교육패러다임변화와 온라인 소비자교육", 한국소비자학회 2001년도 정기총회 및 학술발표회 자료집, pp.193-211.

배윤정, 김기옥(2000). 정보사회의 소비자교육 내용 체계화를 위한 연구. 소비자학연구, 11, 4, 63-84.

배윤정, 김기옥(2000). "정보사회의 소비자교육 내용 구성에 대한 전문가-소비자의 의견 비교 분석", 대한가정학회지, 38(12), pp.235-239.

백병성(1994). "사회 소비자교육의 참여식 교육방안 모색", 소비자문제연구, 제14호(1994년 12월), 한국소비자보호원, pp.105-117.

백창화(1993). 환경마크 상품과 리필 제품, 소비자시대, 1993(9), 한국소비자원, 12-15.

백혜란, 이기춘(2009). 프로슈머의 개념화와 성향측정도구 개발, 소비자학연구, 20(3), 135-161.

변길희(2005). 통합적 접근에 의한 소비자교육 프로그램이 유아의 경제개념과 소비자행동 및 사회적 능력에 미치는 영향, 원광대학교 대학원 박사학위논문.

변영계, 김성환, 손미(2000). 교육방법 및 교육공학. 학지사.

서정희(1998). 21세기 소비자주권시대를 실현하기 위한 소비자교육의 과제와 방향, 소비문화연구, 1, 1, 119-138.

서정희(1998). "어머니와 교사의 학령전 아동소비자교육 요구분석: 울산시를 중심으로", 대한가정학회지, 36(1), pp.81-98.

서정희(1999). 21세기 소비자주권시대를 실현하기 위한 소비교육의 과제와 방향, 소비문화연구, 2(1), pp.119-138.

성균관대 신용교육 교재 신용이 머니(money)?, YMCA신용사회운동사무국.

성영애(2012). 재무교육 및 재무상담에 대한 소비자요구와 선호분석, 소비자학연구, 23(2), 85-105.

소비자교육(1993). 한국소비자보호원 중·고등학교 교사용 참고자료.

손상희(1997). 소비사회와 청소년 소비문화. 한국가정관리학회지, 15, 4, 341-353.

손상희(1997). 소비사회와 청소년 소비문화, 한국가정관리학회지.

손주영(2006). 노인 재무교육프로그램의 개발과 실시, 한국가족자원경영학회지, 10(4), 125-143.

손주영(2008). 대학생의 소비자재무지식, 소비자 재무행동, 소비자재무교육 요구도, 한국가족자원경영학회지, 12(1), 141-157.

손지연(2008). 노후자금충분도에 따른 소비자집단별 은퇴준비재무교육프로그램 개발, 서울대 대학원 석사학위논문.

송미령, 여정성(2001). 소비자 구매의사결정과정에서의 인터넷 채택 유형. 소비자학연구, 12, 2, 119-140.

송병순, 이영호(2000). 평생교육의 이론과 실제. 원미사.

송순영(2000). 노인소비자용품과 소비자보호, 연구보고서 2001-04, 한국소비자원.

송순영(2001). 노인소비자를 위한 소비자교육 프로그램 개발, 연구보고서 2001-07, 한국소비자보호원.

송연성(1995). 재활용 마크 표시제로 쓰레기 분리 배출 쉬워진다, 소비자시대, 1995(5), 한국소비자원, 48-50.

송연성(1996). 눈속임·거품 가격 심한 화장품, 품질 불신으로 이어진다, 소비자시대, 1996, 11, 한국소비자원, 40-43.

신각균(1988). 시청각교육. 학문사. 서울.

신용불량정보 관리 현황(2004). 전국은행연합회.

신용회복위원회 http://edu.ccrs.or.kr

신해화(1981). 우리나라 교과과정 내용으로 본 소비자교육 및 소비의식에 관한 연구. 성균관대학교 석사학위논문.

심하연(2009). 중학교 소비자교육 효과 분석, 상명대학교 교육대학원 석사학위논문.

안영노(1994). 신세대: 그들의 정치경제. 신세대론: 혼돈과 질서. 현실문화연구, 99-112.

안창희(2006). 개인재무교육의 효과 분석, 이화여대 대학원 박사학위논문.

안창희, 정순희(2006). 개인재무교육이 재무행동 및 객관적 경제복지에 미치는 영향, 소비자학연구, 17(2), 197-219.

LG 커뮤니티 카토피아 연구소(1999). 정보혁명, 생활혁명, 의식혁명. 백산서당.

오영수, 도규태(2005). 고등학생의 금융 이해도와 바람직한 금융교육 방향 탐구, 중등교육연구.

오창수(1997). 소비자피해구제의 법률지식. 청림출판.

유재홍(1992). "광고수용자로서의 노인계층 특성연구", 광고연구, 봄호, pp.63-81.

윤정심(2007). 바자회 프로젝트 활동이 유아 경제개념 발달 및 소비자 행동에 미치는 영향, 성신여자대학교 교육대학원 석사학위논문.

윤정희(2009). 2007개정 교육과정의 초등 소비자 교육 내용 분석, 서울교육대학교 교육대학원 석사학위논문.

윤지애(2005). 금융교육 실태에 관한 연구-초등학생을 중심으로, 숙명여자대학교 석사학위논문.

윤지영, 정순희(2006). 청소년소비자 경제교육 프로그램 평가 및 개발, 한국가정관리학회지, 24(2), 119-135.

윤하정(2012). 대학생소비자의 신용카드, 체크카드 사용실태와 재무관리행태, 이화여자대학교 대학원 석사학위논문.

윤형석(1995), "고객만족 경영체제로의 전환전략 [1]", 기업소비자정보, 제37호(1995년 7·8월호), pp.32-33.

윤형석(1995), "고객만족 경영체제로의 전환전략 [2]", 기업소비자정보, 제38호(1995년 9월호), pp.36-37.

윤형석(1995), "고객만족 경영체제로의 전환전략 [3]", 기업소비자정보, 제39호(1995년 10월호), pp.34-35.

윤형석(1995), "고객만족 경영체제로의 전환전략 [4]", 기업소비자정보, 제40호(1995년 11월호), pp.38-39.

윤형석(1996), "고객만족 경영체제로의 전환전략 [5]", 기업소비자정보, 제42호(1996년 1·2월호), pp.32-33.

윤형석(1995), "새로운 경영 혁신은 인간 의식의 혁신부터", 기업소비자정보, 제36호(1995년 6월호), pp.36-37.

윤형석(1995). "제품 혁신 시대에서 마음 혁신 시대로", 기업소비자정보, 제35호(1995년 5월호), pp.30-31.

윤형석(1996), "고객만족 경영 전략", 기업소비자정보, 제48호(1996년 10·11월호), pp.20-21.

윤형석(1996), "고객만족 경영과 고객만족도(1)", 기업소비자정보, 제45호(1996년 5·6월호), pp.30-33.

윤형석(1996), "고객만족 경영과 고객만족도(2)", 기업소비자정보, 제46호(1996년 7·8월호), pp.26-29.

윤형석(1996), "고객만족 경영과 고객만족도(3)", 기업소비자정보, 제47호(1996년 9월호), pp.18-19.

윤형석(1996), "고객만족 경영이 지향해야 할 우선과제", 기업소비자정보, 제43호(1996년 3월호), pp.32-33.

윤형석(1996), "제품 개발·판매 활동·A/S의 기본 요건", 기업소비자정보, 제44호(1996년 4월호), pp.32-35.

윤훈현, 최석신(2000). 21세기 마케팅. 도서출판 석정.

이기숙, 김희진, 이경미, 이순영(1998). 유아를 위한 소비자교육 프로그램. 양서원.

이기춘(1999). 소비자교육의 이론과 실제. 교문사.

이기춘 외(1995). 소비자학의 이해. 학현사.

이기춘(1998). 소비자교육학. 교문사.

이기춘(1999). 소비자교육의 이론과 실제. 교문사.

이기춘(2004). 소비자교육의 이론과 실제. 교학사.

이기춘, 나종연(1998). 어머니의 아동기 자녀에 대한 소비자사회화 수행과 관련 변수. 대한가정학회, 36(5), 107-123.

이기춘, 서정희(1992). 우리 나라 중고등학교 소비자교육의 강화방안, 대한가정학회.

이기춘, 이승신(2000). "소비자교육연구의 전개와 새로운 지평, 소비자학연구, 11(2), pp.181-199.

이남재(2012). 개인재무관리를 통한 40대 중산층의 재산포트폴리오 개선 -2010년 상담사례분석을 통한 연구-, 고려대학교 행정대학원 석사학위논문.

이남주(1997). 청소년소비자교육을 소비자운동의 주요 과제로. 소비자. 11월호.

이동국(1992). 압구정 로데오거리 오렌지족들. 신동아, 12, 574-587.

이득연(1995). "학교 소비자교육의 교수·학습방법", 연구보고서 95-05, 한국소비자보호원.

이득연, 송순영(1992). 소비자교육의 교육내용모형 개발 연구, 한국소비자보호원 연구보고서, 92-06.

이득연, 송순영(1993). 소비자교육 관련 교과서 내용 집필 방향, 한국소비자보호원 연구보고서.

이명근(2001). 한국 기업교육의 역사적 조망, 기업교육연구, 3(2), 55-70.

이미경(2004). 평생교육으로서의 경제교육과 대학의 역할, 산업경제연구.

이석로(1985). 청소년층의 소비자사회화에 관한 연구. 서울대학교 대학원 석사학위논문(미간행).

이승신(2000). 가계지출비교평가 프로그램을 위한 연구: 소비자교육을 위한 컴퓨터 소프트웨어 개발. 대한가정학회지, 38, 7, 117-132.

이영주(2011). 가정과 연계된 소비자교육이 유아의 소비자 행동에 미치는 영향, 이화여자대학교 교육대학원 석사학위논문.

이원우, 서도원, 이덕로(1995). 경영학원론. 박영사.

이지영(2005). 중학생 금융소비자교육 현황 및 교육 요구도 분석, 서울대학교 석사학위논문.

이진화, 오경화, 채진미(2012). 학교 소비자교육이 중학생의 휴대전화 소비행동에 미치는 영향, 한국가정과교육학회지, 24(2), 87-99.

이칠성(2007). 초등학교 소비자 교육 실태 및 소비행동에 관한 연구, 한국교원대학교 교육대학원 석사학위논문.

이학식, 안광호(1992). 소비자행동: 마케팅 전략적 접근. 법문사.

이현아, 이기영(2001). 가정정보화가 가족체계에 미치는 영향: 인터넷 사용을 중심으로. 한국가족자원경영학회지, 5, 1, 33-47.

이혜임, 이승신(1996). "노인소비자의구매문제와 소비자정보 및 교육요구", 소비자학연구, 7(2), pp.159-191.

임성재 역(2009). 기업의 사회적 책임 -기업의 사회적 책임에 대한 A부터 Z까지-. 재승출판.

정용선, 김병숙, 서정희, 제미경, 김민정(1998). 소비자교육론. 今井光映 中原秀樹 편저. 도서출판 하우.

정준(1997). 소비사회의 실상과 바람직한 소비문화의 모색, 연구보고서 97-03, 한국소비자보호원.

정준(1998). 소비자지향적 신경영 패러다임을 찾아서. 한국소비자원.

정지영(1992). "한국소비자문제의 경험과 불평행동에 관한 연구", 한국노년학, 12(1).

정지웅, 김지자(1995). 사회교육학 개론. 서울대학교 출판부.

제미경(1998). 기업, 행정기관, 민간소비자단체의 소비자상담인력 현황 및 전문화방향, 소비문화연구, 2(1).

조도근(1993)

조미환(2004). 어머니의 소비자행동, 소비자교육과 유아의 소비자행동과의 관계, 중앙대학교 교육대학원 석사학위논문.

조영달(1993). "소비자의사결정의 합리성과 소비자교육 : 소비자선택의 경제학적 분석에 대한 비판", 소비생활연구, 제11호(1993년 6월), 한국소비자보호원, pp.15-23.

천세영 외(1999). 정보사회교육론. 원미사.

청소년금융교육협의회 http://www.fq.or.kr

최숙희(2003). 신용사회 정착을 위한 제언, 삼성경제연구소.

최용진, 김현주(1996). 품질 인증 마크, 어떤 것들이 있으며 믿을 수 있는가. 소비자시대, 1996(10), 한국소비자원, 34-37.

최유경(2005). 온라인 금융소비자교육 웹사이트 개선방안 연구, 서울대학교 석사학위논문.

최은진(2004). 초·중·고등학교에서의 금융소비자교육 내용의 구성과 분석-제7차 교육과정을 중심으로, 서울대학교 석사학위논문.

최재희(1996). 권장가·공장도가·표준소매가 등 가격표시, 얼마나 알고 계십니까?, 소비자시대, 1996(10), 한국소비자원, 74-77.

최현자(2010). 개인재무관리(Personal Finance) 연구에 관한 종합적 고찰 : 2000-2009년 국내학술지에 발표된 논문을 중심으로, 소비자학연구, 21(2), 41-64.

켄 셸턴 저, 정성묵 역(2001). 최고의 고객 만들기. 시아출판사.

학교소비자교육, 어떻게 발전시킬 것인가(1995). 한국소비자보호원, 학교소비자교육 발전방안 모색을 위한 정책 세미나.

한·미·일 20대 소비·금융 행태 보고서(2002). 국민은행연구소.

한국기업윤리경영연구원 역(2007). 기업윤리. 매일경제신문사.

한국보건사회연구원(1998). 1998년도 전국 노인생활실태 및 복지욕구 조사.

한국소비자원(1996). 소비자교육의 효과적인 교수·학습방법.

한정자, 이춘아(1994). "수입개방시대의 여성소비자교육 프로그램 개발", 한국여성개발원, 94 연구보고서, 200-12.

허경옥(2000). 정보사회와 소비자. 교문사.

홍연금, 송인숙(1999). 민간소비자단체의 소비자교육 현황과 발전방안, 대한가정학회지, 37권 12호, pp. 43-57.

홍영기, 최선경(1988). 아동소비자문제연구: 아동소비자 능력개발을 중심으로. [한국소비자보호원 연구보고서 88-01]. 한국소비자보호원.

홍은표(1992). 현대소비자론. 석정.

황인숙, 박선영(2010). Web 2.0 정보화 시대에 부합되는 소비자교육 교과경쟁력 강화 방안에 관한 연구: 고등학교 기술/가정 교과에서의 소비자교육에 대한 유용성 평가와 교육방법 개선을 중심으로. 한국가정관리학회지, 28(3), 27-41.

국외문헌

Bandura. A.(1969). Social learning theory of identificatory process. D.A.

Blanding, Warren(1991). Customer Service Operations : The Complete Guide, Amacom-American Management Association :New York.

Coleman, J. S.(1961). The Adolescent Society, New York: The Free Press.

East, R. (1997). Consumer Behavor: Advances and Applications in Marketing. Prentice Hall

Engel, J.E., Blackwell, R.D., Miniard, P.W.(1995). Consumer Behavior. 8th eds, The Dryden Press.

Goslin, rd., Handbook of Socialization Theory and Research, Chicago: Rand Mcnally college publishing company, p.213-262.

Heinich, R., Molenda, M., Russell, J. D., & Smaldino, S. E. (1996). Instructional media and Technologies for learning (5th ed.). Englewood Cliffs, NJ.

Loudon, D.L., Bitta, A.J.D. (1993). Consumer Behavior. McGraw-Hill International editions.

Moschis, G. p.& Churchill, G. R.(1978). Consumer Socialization: A theoretical and empirical analysis, Journal of Marketing Research, 15, 599-609.

Moschis, G. P.(1987). Consumer Socialization: A life-cycle perspective, Lexington Books

Skinner, B. F.(1969). Contingencies of reinforcement: A theoretical analysis, Englewood Cliffs, N.J. Prectice Hall Inc.

Statt, D. A. (1997). Understanding the consumer: A psychological approach, Mcmillan Press Ltd.

Toffler, Alvin(1980). The Third Wave: New York, Bantam Books. 이규행 감역(1989). 제3의 물결. 한국경제신문사.

Ward, S.(1974). Consumer socialization, Journal of Consumer Research, 1, 1-14.

Williams, Jr.,R.M.(1970). American society: A sociological interpretation, 3rd. NY: Knopf.

西村隆男(1999). 日本の消費者教育. 有斐閣.

松本直樹(2009). 企業行動과 組織의 經濟分析. 勁草書房.

저자소개

김혜선
서울대학교 농가정학과 졸업, 가정학 석사
미국 Texas A & M University Ph.D.
현재 순천대학교 사회과학대학 사회복지학부 교수
저서 소비자정보론(2008)
　　　소비자법과 정책이론의 실제(2011)
　　　시장경제와 소비자(2012)

허경옥
이화여자대학교 경제학과 졸업
미국 University of Wisconsin-Madison 소비자학 석사, 박사
현재 성신여자대학교 생활과학대학 생활문화소비자학과 교수
저서 소비자투자와 자산관리(2011)
　　　소비자안전(2011)
　　　소비자법과 정책의 이론과 실제(2010)
　　　소비자학의 기초(2010)
　　　새로 쓰는 소비자의사결정(2009)
　　　소비자정보론(2008)
　　　저소득, 노인, 장애인 가족의 소비자복지(2008)
　　　소비자트렌드와 시장(2006)

김시월
건국대학교 소비자주거학과 졸업
건국대학교 소비자학 석사, 박사
현재 건국대학교 상경대학 소비자정보학과 교수
저서 생활 속에서 배우는 소비자교육(2004)
　　　일본의 소비자교육(역서, 2004)
　　　부모와 자녀가 함께 하는 소비자교육(2004)
　　　소비자트렌드와 시장(2006)
　　　소비자가 세상을 움직인다(2007)

정순희
이화여자대학교 소비자학과 졸업
미국 University of Illinois at Urbana-Champaign 소비자경제학 박사
현재 이화여자대학교 사회과학대학 소비자학과 교수
저서 소비자의사결정(2000)
　　　소비자재정설계(2003)
　　　소비자법과 정책(2003)
　　　소비자상담의 실제(2005)
　　　소비자학(2007)

소비자교육의 기초

2013년 8월 12일 초판 인쇄
2013년 8월 19일 초판 발행

지은이 김혜선·허경옥·김시월·정순희 | 펴낸이 류제동 | 펴낸곳 (주)교문사

전무이사 양계성 | 편집부장 모은영 | 책임편집 모은영 | 본문디자인 에바다에딧 | 표지디자인 한송이
제작 김선형 | 영업 이진석·정용섭·송기윤 | 홍보 김미선 | 출력 현대미디어 | 인쇄 동화인쇄 | 제본 한진제본

주소 경기도 파주시 교하읍 문발리 출판문화정보산업단지 536-2 | 우편번호 413-756
전화 031-955-6111(代) | 팩스 031-955-0955 | 등록 1960. 10. 28. 제406-2006-000035호
홈페이지 www.kyomunsa.co.kr | E-mail webmaster@kyomunsa.co.kr

ISBN 978-89-363-1353-1(93590) | 값 18,000원